WAAROM DE POLITIEK TELEURSTELT

J.C. SCHALEKAMP

ISBN 9789073299429
NUR-Code 686

Eerste druk maart 2012
Ontwerp en opmaak: Optima Grafische Communicatie

Uitgeverij Wind Publishers
Postbus 1053, 1270 BB Huizen

*'Wie de basis niet op orde heeft,
kan de rest vergeten'*

Diederik Samsom

NRC/Handelsblad
2 januari 2012

Inhoud

Introductie

'Waar moet dat heen, hoe zal dat gaan?
Waar komt die rotzooi toch vandaan?'

IJf Blokker als Barend Servet, Top 40, 1973.

Het zijn interessante tijden: de ene internationale crisis na de andere. Ook ons land is bij de problemen betrokken en buitenland gaat dan vóór binnenland: Europa en de wereld vragen alle aandacht. Maar hoe doen politiek en bestuur het in Den Haag? Zijn de kiezers tevreden of is er daar ook al een crisis? Crisis is een groot woord, maar veel mensen maken zich zorgen.

Overheid en burgers leven in hetzelfde land, maar op een andere planeet. De mensen begrijpen niet meer wat er omgaat in Den Haag. Hun wordt niets gevraagd, en gebeurt het een keer wél, dan wordt het meteen een bedrijfsongeval, zoals bij het referendum over de Europese *grondwet* op 1 juni 2005: de politici vóór, de kiezers tegen. Omgekeerd ontbreekt politiek begrip voor de problemen aan de basis.

De politiek krijgt de schuld, maar ook deze zaak heeft twee kanten. De maatschappij is ingewikkeld geworden en de burgers zijn geëmancipeerd en beter opgeleid, ze denken graag mee, willen serieus worden genomen. Het systeem is daar niet op berekend. Ook is politiek inmiddels een zaak

9

voor hoogopgeleiden, waardoor laagopgeleiden afhaken. De democratie staat niet ter discussie, maar de praktijk wel. De partijpolitiek heeft een vertrouwensprobleem. De zaak is niet acuut, maar ook niet zonder belang: het populisme wordt er groot mee en sommige oude partijen klein.

Betekent dit ook dat het slecht gaat met het land als geheel? Nee, naar omstandigheden wordt er goed gepresteerd. En of je van een politieke impasse, malaise of crisis kunt spreken, is een kwestie van definitie en van perspectief. Peter Kanne, senior onderzoeksadviseur van TNS NIPO, concludeert op persoonlijke titel: '*Er is slechts een beperkte relatie tussen de kiezerswil en het regeringsbeleid. Kiezers worden niet goed gerepresenteerd door de volksvertegenwoordiging en regering*' (Gedoogdemocratie - Heeft stemmen eigenlijk wel zin?, *p.275*). De hoogleraren Andeweg en Thomassen zijn wat voorzichtiger en leggen andere accenten. Ze zien zelf niet direct een kloof tussen politiek en burgers, maar stellen wel: '*De meeste kiezers en Kamerleden zijn het dus in ieder geval met elkaar eens dat er tussen hen een kloof bestaat*' (Van afspiegelen naar afrekenen?, p.15).

Het begrip politieke malaise, voor zover van toepassing, is eigenlijk te beperkt, de malaise raakt de overheid als geheel, dus politiek én bestuur. De ontwikkeling kan zelfs nog verder terug worden gevolgd, want de malaise is ook niet tot het eigen land beperkt. Het gaat om een algemeen verschijnsel in de westerse democratieën: problemen worden daar niet meer opgelost. Verder zijn politiek en bestuur niet de enige uitingsvormen. De economie maakt er ook deel van uit, lijkt zelfs dé oorzaak. Feit is, dat de markt eerder de politiek domineert dan de politiek de markt. Kijk naar de eurocrisis. Maar het proces begint veel eerder, bij het verval van mentaliteit en moraal, het verlies van de *virtutes*, de *deugden* van de Romeinen.

De krediet- en bankencrisis van 2007/2008 in de VS was een signaal van systeembederf. Daarna is alles gaan schuiven en het is geen wonder, dat die ontwikkeling de politieke notie te boven gaat. Er wordt om daadkracht geroepen, om systeemherstel, maar in een stroomversnelling is er geen weg terug. En over een vlucht naar voren is men het weer niet eens. Hoe zou men ook, van degenen die de problemen hebben veroorzaakt zou nu de oplossing moeten komen? En dan, met zo veel uiteenlopende belangen zijn lapmiddelen soms het enig haalbare, zowel in de VS als in de EU. Deze twee grootste economische machten hebben in principe de geldpers aangezet: de VS meteen, de EU in potentie door hele en halve verplichtingen op termijn.

Tot zover de *globale* context. Nu eerst terug naar het binnenlandse scenario, naar de nationale achtergronden en oorzaken van de veronderstelde politieke malaise. Drie ontwikkelingen:

1. De neosocialistische omslag van na 1960 met het linkse Progressief Nederland-model, gericht op socialisering van de samenleving: met emancipatie, democratisering & nivellering, individuele vrijheid & collectieve verantwoordelijkheid, wegrelativeren van de eigen cultuur & geschiedenis, een dominerende overheid en de verzorgingsstaat.

2. De neoliberale omslag van na 1980 met het rechtse BV Nederland-model, gericht op individualisering van de samenleving: met persoonlijke prestatie & individuele verantwoordelijkheid, verzakelijking, privatisering & marktwerking bij een terugtredende overheid, sociale en culturele krimp, en de prestatiemaatschappij met geld als maatstaf.

3. Het bestel met zijn consensusmodel en paarse karteldemocratie, medeoorzaak van het populisme, met afnemende kiezersinvloed op het beleid, met partijpolitici die niet naar hun kiezers luisteren en zelf soms

ook weinig visie of idee hebben, met overbetaalde beroepsbestuurders deels uit dezelfde sector, en met verwording van zijn politieke functie.

Het antwoord op de vraag *waarom de politiek teleurstelt,* ligt hier: in de reactie van de kiezers op de gevolgen van deze drie ontwikkelingen in combinatie. Van de zoekgeraakte nationale identiteit tot aan het drama van de Nederlandse Spoorwegen, van de uit hun krachten gegroeide diplomafabrieken en woningcorporaties tot aan de Europese Unie met 27 kapiteins op de brug.

De verlinksing van de jaren '60 en later en de verrechtsing van de jaren '80 en later waren vernieuwend, en in bepaald opzicht noodzakelijk. De eerste vanwege de opbouw van de verzorgingsstaat, de tweede vanwege de sanering ervan in verband met overbesteding. De twee stromingen hebben elkaar niet geneutraliseerd, ze zijn doorgeslagen en terechtgekomen in een destructieve wisselwerking. Ze vormen als dogmatische clichés een soort houvast voor de politiek, een surrogaat voor het echte, het grote verhaal dat zij niet meer heeft. Of liever, dat zij niet meer ziet. Het grote verhaal van nu is eenvoudig: het is de eerste opgave van de politiek om de burgers een veilige basis te bieden. *'Wie de basis niet op orde heeft, kan de rest vergeten'* schrijft Diederik Samsom. Hij doelt op werk, onderwijs, veiligheid op straat e.d. (NRC/H. 2 jan. 2012).

Het bestel heeft meer verleden dan toekomst. Het consensusmodel was functioneel toen de zuilen nog bestonden en tegengestelde standpunten moesten worden verzoend. Maar na 1989 is het polderen op handjeklap uitgelopen. Het werd een elitaire karteldemocratie met een voorgekookt eenpansgerecht: vlees-noch-vis. Ook de exclusieve opeenhoping van macht bij een handvol niet noodzakelijk ter zake kundige partijgangers, is in deze tijd niet meer te verkopen. Of het dan om overbelichte politici of om overbetaalde beroepsbestuurders gaat, maakt geen verschil. Verlinksing, verrechtsing en verwording, deze drie vormen de kern.

De basis van Diederik Samsom raakt aan de tegenstelling tussen vrijheid en veiligheid. Paul Scheffer verwijst in NRC/Handelsblad van 7 feb. 2012 onder meer naar een interview van Peter Giesen met de socioloog Zygmunt Bauman in de Volkskrant van 4 feb. 2012. Bauman: *'ik zie de geschiedenis als een pendule die heen en weer slingert tussen vrijheid en veiligheid. We kunnen niet zonder ze, maar ze zijn heel moeilijk met elkaar te verzoenen. Vrijheid zonder veiligheid is de situatie die we nu meemaken.'* Volgens Scheffer zijn mensen zowel vrijer als machtelozer door het loslaten van collectiviteiten. Op de behoefte aan bescherming en gemeenschapszin wordt door de populisten van links en rechts ingespeeld.

Scheffer ziet het antwoord op het probleem van vrijheid en veiligheid in een *'eigentijds idee van maakbaarheid: de markten moeten opnieuw worden beteugeld. Dat vraagt naast zelfbewuste overheden vooral om internationale samenwerking. Het begint met een werkelijke hervorming van de financiële sector. Eigenlijk zijn de grote banken geen onderdeel meer van de markteconomie - ze kunnen immers niet failliet gaan.'*

Zygmunt Bauman overigens, is de socioloog en filosoof die stelt dat de mensen van nu de wortels van hun identiteit kwijt zijn. Hij meent dat *de wereld wordt gemarkeerd door een scheiding van macht en politiek. Terwijl politiek wordt bepaald door landen, erkent macht geen grenzen meer.*

Zelfbewuste overheden en *internationale samenwerking*, zeker, daar moeten we heen. Maar de belangrijkste factor op de achtergrond blijft de tijdgeest. Ook de politiek is daaraan onderhevig en geen grens houdt het verschijnsel tegen. Als individuele ontplooiing het hoogste doel is en materie het hoogste goed, als het dienen van de ander uit de gratie raakt, dan mag je toch geen overheid verwachten die zelf offers brengt, maar die ook offers vraagt? Dan zijn mensen als Churchill met zijn aanbod van *bloed, zweet en tranen* of Kennedy met zijn advies *vraag niet wat je land kan doen voor jou, maar vraag wat jij kunt doen voor je land,* toch hopeloos uit de tijd? Het doorbreken van de tijdgeest is geboden, jawel. Daarvoor zijn grote figuren nodig. Maar wat, als de tijdgeest nu wil dat er even geen grote figuren zijn?

1 | Symptomen van een politieke malaise

'Het is lastig voor de Haagse werkelijkheid
om zich te realiseren dat ze losstaat
van de maatschappelijke werkelijkheid'

Herman Tjeenk Willink als vicepresident Raad van State
NRC/Handelsblad, 16/17 april 2011

Interessante tijden

In het oude China wenste men zijn vijanden wel interessante tijden toe. Onrust, twisten om de macht en onzekerheid over de toekomst waren daarvan de kenmerken. Wij beleven nu zelf zulke tijden, vinden we. Er is weinig meer dat houvast biedt, want alles verandert en hoe het morgen zal zijn weten we niet. Bij alle onzekerheid neemt de behoefte aan duidelijkheid toe, aan politiek leiderschap met een geloofwaardige koers. Politici en bestuurders komen de laatste 10, 20 jaar voortdurend met iets nieuws, met plannen voor veranderingen die alles nóg dynamischer, zakelijker, grootschaliger en internationaler moeten maken. Dit in verband met de toekomst. Wat van al die bevlogen plannen terechtkomt is een tweede, maar de problemen van vandaag lossen ze meestal niet op.

Dit is een bron van zorg en onzekerheid voor de burgers, want hun problemen zitten juist bij de basisvoorzieningen. Behoorlijk onderwijs bijvoorbeeld, en werk voor iedereen, dus ook aangepast werk voor wie niet mee kan komen. Verder onder meer veiligheid en zorg, openbaar vervoer en huisvesting. Waar de overheid zich als monopolist heeft opgeworpen, moet zij in het algemeen ook aansturen. In plaats daarvan heeft zij zich op allerlei terreinen tactisch teruggetrokken en haar verantwoordelijkheid gedelegeerd, vaak aan de markt, maar ook aan de burgers. Zo verwijst ze naar de directies van NS en ProRail als het treinverkeer aanleiding geeft tot klachten. En zo hebben de burgers tegenwoordig de veiligheid op straat zelf in de hand, wordt hun voorgehouden.

Het ontwijken van verantwoordelijkheid door de overheid is langzaam ons politieke systeem binnengeslopen. Het is mogelijk al begonnen bij de vele instellingen met een mandaat op een bepaald gebied. Ons land is na de Tweede Wereldoorlog immers overgeorganiseerd geraakt en heeft een grote collectieve sector opgebouwd. Bij het inkrimpen daarvan door verzelfstandiging en privatisering zal het verschijnsel zeker de ruimte hebben gekregen. Het ligt ook in lijn met de overname van veel regelgeving door Brussel. Met minder inhoudelijke zeggenschap kan de overheid minder uitrichten en dus ook minder fouten maken. Het resultaat van dit foutloze parcours? Niemand is verantwoordelijk, burgers kunnen nergens meer terecht, of al onze medewerkers zijn in gesprek.

Sommige critici menen dan ook dat de overheid de weg kwijt is. Wat hiervan zij, de overheid zet ook geen grote lijnen meer uit, maar loopt achter de zaken aan. Aanvankelijk met een linkse, daarna met een rechtse mode mee. Zo is ze na 2002 een immigratie- en integratiebeleid gaan voeren dat vrijwel haaks staat op wat daaraan 40 jaar lang voorafging. Voor het populisme lijkt dit te weinig en te laat te zijn, terwijl het voor centrum-links eigenlijk al te ver gaat. Vooral sinds Pim Fortuyn heeft de politiek de kiezers ontdekt, en probeert ze hen te volgen in plaats van omgekeerd. Maar die nieuwe benadering valt niet mee, want de kiezers weten beter wat ze niet, dan wat ze wél willen en ze zijn het niet gauw eens. Er is bovendien geen tweepartijenstelsel, en er zijn in de Tweede Kamer zelfs geen duidelijk afgebakende blokken of lijstverbindingen.

In de jaren '60 en '70 is de politiek steeds linkser en socialer georiënteerd geraakt, vooral in de periode vanaf Nieuw Links (1966) tot en met het kabinet Den Uyl (1973 – 1977). Premier Den Uyl zelf was overigens oorspronkelijk lang geen aanhanger van Nieuw Links. Hij was eerder gematigd en wilde de boel bij elkaar houden. Toen Nieuw Links begon, in 1966, waren de zuilen nog grotendeels in tact. Elf jaar later, toen Den Uyl vertrok, in 1977, waren ze al voor een groot deel verdwenen. Nieuw Links richtte zich niet als enige tegen de oude politieke orde, er kwam ook een nieuwe politieke partij met hetzelfde doel, D66. Dat deze partij in bijna een halve eeuw geen van haar vijf grote ideeën voor staatsrechtelijke vernieuwing, haar *kroonjuwelen*, heeft kunnen realiseren, zegt iets over de taaie weerstand van de oude politiek.

In de jaren '80 en '90 is de politiek gaan verrechtsen en verzakelijken. Het begon met het kabinet Lubbers I in 1982, dat de koers van overbesteding heeft omgebogen. Na de val van de Berlijnse muur in 1989 is daar pas goed vaart in gekomen. Later werd gesproken van verpaarsen, naar de twee paarse kabinetten Kok van 1994 tot 2002. Alle partijen zijn in die tijd naar het midden getrokken en hun ideologieën zijn verwaterd. Door deze verpaarsing boden de gevestigde partijen geen echt alternatief meer, het werd een standaardmenu van het type *vlees noch vis, meer smaken zijn er niet*. Deze situatie wordt gevangen in de term kartelpolitiek, waarbij de politieke elite de tegenstellingen gladstrijkt. Vanaf het kabinet Lubbers I is de politiek voorzichtig naar terugtreding van de overheid, verzakelijking, privatisering en marktwerking gaan streven, en daarbij allengs gaan overdrijven. Geen wonder, want deze herziening werd en wordt wel als objectief noodzakelijk en onvermijdelijk verkocht, maar berust ook op ideologie, die van het neoliberalisme. Zoals Nieuw Links uitging van een soort neosocialisme.

Het zijn allebei stromingen met onmisbare elementen, maar het zijn ook utopieën die in de tijdgeest passen of daaruit voortkomen. Die daaraan in ieder geval hun vanzelfsprekendheid ontlenen. Het geloof in maakbaarheid hoort erbij. Als ideologieën de wind mee hebben, neigen ze tot doorslaan. In de paarse praktijk is het rechtse marktdenken overal in politiek en bestuur doorgedrongen, maar het linkse overheidsdenken van de tijd daarvoor is gebleven. De paarse eenheidsworst is daarmee nog ondoorzichtiger geworden. Zo'n situatie vraagt erom te worden doorbroken.

De populisten zijn daarin geslaagd. Daarbij geholpen door het verschijnsel, dat veel laagopgeleiden de politiek niet meer kunnen of willen volgen. Op 15 mei 2002 maakte de LPF een doorbraak met 26 zetels, ondanks de dood van Fortuyn. Het CDA ging van 29 naar 43 zetels. Deze partij sloot niemand uit, zoals het hoort, en de reeks kabinetten Balkenende is begonnen met een moedige poging om er samen met de VVD en met de LPF nog iets van te maken. Maar heel geslaagd was het resultaat niet, ook niet met andere regeringspartners. Uiteindelijk kregen CDA en PvdA weinig handen op elkaar. In 2010 halveerde het CDA. Juist daarom is de terugkeer in de regering zo kort daarna, wel opmerkelijk.

De populisten bieden vooralsnog geen echt alternatief. De SP komt, en kwam trouwens al eerder, met oude wijn in nieuwe zakken. Daar doet een bekwame, charismatische en ja, gezellige leider niets aan af. Een echt populistische partij is zij niet meer, maar nog wel een tegenpartij. Wel doet de SP wat zij kan om zich aan te passen, zonder een regentenpartij te worden. De opvolger van de LPF, de PVV, heeft zich minder aangepast en is wel erg op de islam als zodanig gefixeerd in plaats van zich te beperken tot de problemen.

Beide nieuwe partijen zijn gaan overdrijven bij wijze van overreactie, maar ze hebben wel zaken naar voren gebracht waarover het politieke establishment de kiezers nooit heeft geraadpleegd, maar die het toch heeft laten gebeuren. Van de onmisbare immigratie via de broodnodige euro tot de passende marktconforme inkomens in de publieke en semi-publieke sector. Deze ontmaskering valt goed bij de kiezers, zij merken nu pas dat ze op al deze punten niet te maken hebben met natuurver-schijnselen, maar met politieke dogma's waar je ook anders over kunt denken. Begin 2012 telden SP en PVV in de peilingen samen dan ook bijna eenderde van de stemmen. Eind februari 2002 werd de SP in de peilingen zelfs de grootste partij.

Sinds 2010 is er wat meer duidelijkheid. Van de stabiele grote drie van wel-eer, PvdA, CDA en VVD, is alleen de kleinste, de VVD, groot gebleven of liever relatief groot geworden: van 19 zetels in 1959 naar 31 zetels in 2010, één zetel meer dan de PvdA en daarmee de grootste partij. Zoals gezegd verloren CDA en PvdA in 2010 nogal, vooral het CDA. Toch staat het gehalveerde en vleugellamme CDA de VVD als regeringspartij terzijde. Maar of het in dit geval weer een feniks is die uit zijn as herrijst? Voor het moment lijkt de uitspraak 'we *run this country*' niet meer van toepassing, maar je weet het nooit. Eén aansprekende figuur is voldoende.

De gedoogconstructie met de PVV zorgt voor een meerderheid op een aantal punten. Wel zijn de tegenstellingen groot en de oppositie schiet met scherp, althans wanneer er camera's in de buurt zijn. De regerings-coalitie verdient geen schoonheidsprijs en lijkt niet erg stabiel, maar de belangen van de betrokken partijen bij continuïteit zijn weer groot. Zijn er elementen in deze dramatische ontwikkeling die ook in een verder verleden zijn te herkennen en valt daar misschien nog iets uit te conclu-deren?

Mogelijk wel, want helemaal nieuw is deze situatie niet. Zo werden de jaren tot de Tweede Wereldoorlog in de vorige eeuw ook niet altijd door harmonie en wederzijds begrip gekenmerkt. Die eeuw begon met een rechtse coalitie van de eerder verdeelde confessionelen in 1901. Abraham Kuyper en Herman Schaepman waren de voorgangers, de een predikant en de ander priester, de coalitie was gericht tegen de liberalen, die hun politieke monopolie moesten afstaan. Ook de socialisten begonnen op te komen. Orthodoxe protestanten, katholieken én socialisten hadden een gemeenschappelijk belang in hun strijd om emancipatie. In 1917 werd met wederzijds geven en nemen het doel bereikt: de kiesrechtstrijd werd beslecht, en tegelijkertijd ook de schoolstrijd.

De tegenstelling tussen opkomend links en gevestigd rechts was aanvankelijk groot, ze maakten elkaar bij gelegenheid uit voor rotte vis. Het politieke establishment was toen nog conservatief, min of meer christelijk en rechts, en je had het in verschillende partijen. Niet dat er geen sociale kant aan zat. De liberaal Van Houten heeft in 1874 een einde gemaakt aan de kinderarbeid, het liberale kabinet Pierson (1897-1901) stond vanwege zijn wetgeving bekend als *het kabinet van sociale rechtvaardigheid,* de priester Schaepman was sociaal gezien uitgesproken progressief, en de predikant Talma kwam met een christelijk sociaal alternatief voor het socialisme. Zelfs het kabinet Kuyper heeft in 1901 de ethische koloniale politiek ingevoerd. Het is allemaal gebeurd voordat de socialisten in de politiek een machtsfactor van betekenis werden. Dit soort ontwikkelingen is immers vóór alles afhankelijk van de tijdgeest.

Het establishment als geheel werd door het jonge en strijdbare socialisme met zijn radicale marxistische achtergrond gewantrouwd en als een kapitalistische uitbuiter voorgesteld, als een monster uit de diepzee dat met zijn tentakels de kleine man in een ijzeren greep hield. *Hou jij ze dom, dan hou ik ze arm,* zoals de fabrikant tegen de pastoor zou hebben gezegd, dat idee. De socialisten op hun beurt werden ervan verdacht de hele maatschappij te willen ondermijnen door als ratten aan haar fundamenten te knagen: privé-eigendom, historie & traditie, respect voor autoriteiten en orde & gezag, weg ermee. Ja, zelfs het onmisbare koningshuis was niet veilig voor de socialen, zo heette het ter rechterzijde. Kortom, het ging van beide kanten *van dik hout zaagt men planken.*

Revolutie, crisis en oorlog

Internationaal was en bleef er meer aan de hand. Het zou niet bij de Eerste Wereldoorlog blijven, Europa veranderde in de vorige eeuw ingrijpend. Ook Nederland zou in die ontwikkeling worden meegesleept. Uiteindelijk is er een nieuw evenwicht ontstaan en het is een andere wereld geworden. Maar het is niet vanzelf gegaan, daar zitten wel een revolutie, een crisis en een tweede oorlog tussen. Die revolutie van 1917 met haar nasleep zou wereldwijd minstens 80 miljoen slachtoffers eisen, maar beroerde ons land niet direct (Stéphane Courtois e.a.: Le livre noir du communisme. Paris, Editions Robert Laffont, 1997). Die crisis was niet wat wij later allemaal crisis zijn gaan noemen, zeg een *songfestivalcrisis.* Ze betekende ook bij ons vaak armoede en gebrek door werkloosheid en bezuiniging, een toestand die duurde tot de Tweede Wereldoorlog. En die oorlog tenslotte, was evenmin een *ver van mijn bed show.* Het was honger en het was hier. Er zijn toen ook nog eens meer dan 100.000 landgenoten vermoord.

Revolutie werd dus niet ons eerste probleem, maar crisis, oorlog en massamoord zijn het land niet bespaard gebleven. Nederland was te klein om zich erbuiten te houden. Gelukkig dus maar, dat zoiets nu niet meer kan gebeuren. Hoewel, waaróm eigenlijk niet? In de jaren '20 werd er precies zo over gedacht. Een crisis was onmogelijk, zo meende men, want men had de economie door internationale afspraken onder controle. Oorlog was iets voor grote landen en Nederland was klein, en bovendien neutraal. Trouwens, oorlog zou voorgoed worden uitgebannen door de zojuist opgerichte Volkenbond in Genève. En dat Vredespaleis in Den Haag stond er toch ook niet voor niets? Genocide of etnische zuivering tenslotte, was in Europa al helemaal ondenkbaar. Het een was nog onwaarschijnlijker dan het ander, maar het is allemaal wel gebeurd.

De nasleep van de Tweede Wereldoorlog veranderde de internationale politieke verhoudingen opnieuw. De koloniën verdwenen. De geallieerde winnaars vormden na de oorlog tegengestelde machtsblokken. Maar ook de Koude Oorlog, die in verband daarmee tussen Oost en West ontstond, ligt alweer ver achter ons. Het communistische Oosten stortte rond 1989/1991 in, ging aan zichzelf te gronde. Het kapitalistische Westen bleef vooralsnog overeind, maar met het inmiddels doorgeslagen materialisme weet niemand voor hoelang en in welke vorm. Daarbij zijn er de opkomende grote mogendheden die de positie van Amerika en Europa bedreigen. Zij worden de grote concurrenten van het Westen op de grondstoffenmarkt. En nog afgezien daarvan, revolutie en oorlog elders mogen ver weg zijn, ze kunnen ook voor ons gevolgen hebben. Neem alleen al de olie uit de Arabische landen, of de vluchtelingenstroom naar Europa. Ook Rusland wint weer aan strategisch belang, om te beginnen als leverancier van aardgas.

Zelfs het begrip crisis maakte een comeback. Het begon bescheiden met als aanleiding de kredietcrisis van 2007/2008 in de VS, als gevolg van een recessie op de huizenmarkt. Vervolgens heeft die crisis de wereld besmet, vooral Europa waar de lage rente ook tot hoge schulden had geleid. Er ontstond een bankencrisis. Veel grote banken werden met behulp van de schatkist gered. Als schulden door overheden worden gedekt, zijn ze daarmee nog niet verdwenen, maar alleen verplaatst. Aansluitend kwamen er dan ook landen in moeilijkheden, het werd een schuldencrisis die in het Europa van de 17 eurodeelnemers tot de eurocrisis leidde. Ook niet-eurolanden hadden er last van, en zelfs landen buiten de EU, zoals Zwitserland. Daar moesten trouwens al eerder grote verliezen worden genomen door onbetrouwbare Amerikaanse leningen. Deze ontwikkeling riep in de laatste maanden van 2011 opnieuw een recessie op, zoals die in 2008 al was ontstaan en in 2010 weer redelijk was hersteld

Belangrijker dan deze symptomen zijn de oorzaken. De handelsstromen in de wereld zijn niet meer in balans. De traditionele industrielanden in het Westen zijn veel productie kwijtgeraakt aan lagelonenlanden, hetzij door uitbesteding hetzij door verlies. Het verschil in loonkosten geeft de doorslag. De VS en het VK zijn hun vroegere positie kwijt. De VS importeren veel meer dan ze exporteren. Daar komt een opzettelijk laag gehouden Chinese yuan bij. De VS liggen aan een verslavingsinfuus van goedkope Chinese producten. Kort door de bocht is het handelstekort van de VS het handelsoverschot van China. Dit geeft de Chinezen een machtspositie. De Amerikanen neigen bovendien tot overbesteding, ze maken schulden voor consumptie. Ook oorlog voeren is een dure gewoonte. Maar als de rente laag is, wordt gemakkelijk geleend.

De Europese Unie dreigt intussen aan haar eigen succes ten onder te gaan: de besluitvorming met 27 landen is niet eenvoudig gebleken, en het samengaan van 17 landen met één gemeenschappelijke munt nog minder. Wat oorlog binnen Europa betreft, heeft de EU zich als probaat afweermiddel bewezen, ook de NAVO heeft daaraan bijgedragen. Maar de tekenen van verzwakking van de westerse samenwerking zijn te zien. J.L. Heldring wijst op Egypte en Libië, waar de VS en Duitsland op de achtergrond zijn gebleven (NRC/H., 14 april 2011). In Libië zijn de VS pas in een later stadium belangrijke militaire faciliteiten gaan leveren. Verder doen de VN wat ze kunnen om vrede en veiligheid te bewaken, maar hun positie wordt er ook niet sterker op.

Schaduwen van morgen?

Een soort politieke malaise is in de meeste westelijke landen wel voelbaar, al is de zorgelijke economische toestand nu groter nieuws. Vormt deze innerlijke verzwakking een bedreiging voor de democratie of zijn er andere gevaren, zoals internationale machtsverschuivingen? In 1935 schreef Johan Huizinga 'In de schaduwen van morgen'. Daarbij komt het hele spectrum van bedreigende factoren aan de orde. Ook nu kun je je weer afvragen welke kant het uitgaat, ook nu zijn er zulke schaduwen. Over de invloed van wereldwijde machtsverschuivingen op de democratie heeft J.L. Heldring ideeën, zie daarover het volgende hoofdstuk. Maar laten we voor het moment dicht bij huis blijven, we zijn op zoek naar symptomen in eigen land. Ook tussen de schuifdeuren kan een drama worden opgevoerd.

In NRC/Handelsblad, traditioneel de prestigekrant van Nederland, wordt op 28 oktober 2010 bovenaan op de voorpagina voor het eerst het woord *schoft* gebruikt om een politicus aan te duiden. Zij het in een karikaturale vorm door een artist, de *dichter des vaderlands* Ramsey Nasr. Maar door de prominente plaatsing komt zo'n woord zo mogelijk nog harder aan dan in een hoofdredactioneel commentaar. Even verder in de tekst van het gedicht, op een binnenpagina, wordt de *schoft* voor de zekerheid ook nog *fascist* genoemd. Over de leiders van het land, in het kabinet Rutte, volgt een niet minder verrassende onthulling: *'Hun vlekkeloos parcours leert mij wat macht vóór al verlangt: 't geweten van een hoer'*. Op 16 november 2010 wordt in een column van Elsbeth Etty in dezelfde krant Frits Bolkestein als *wegbereider van de PVV* neergezet. Tenslotte wordt bij wijze van uitsmijter het CDA van *collaboratie* beschuldigd.

Schoft, fascist, geweten van een hoer, wegbereider van de PVV, collaboratie, het kan minder. Dat een gematigde kwaliteitskrant ruimte biedt aan zulke verrassende oordelen, kun je als een signaal zien. Je doet als krant niet zomaar alsof de vijand het land is binnengevallen. Er heerst daar blijkbaar diepe bezorgdheid over wat als aanslag op de politieke moraal wordt gezien, of op de democratie zelf. Het zal met de democratische bezorgdheid aan de kant van de gewraakte tegenpartij, de PVV, overigens niet veel anders zijn. Alleen is daar eerder de conventionele partijpolitiek en vooral het politiek-correcte establishment de gebeten hond. De partij van Wilders heeft het niet begrepen op de progressieve intellectuelen en bestuurders. Ze beschouwt hen vooral als een regentenelite die de massale immigratie op touw heeft gezet, en het ook anderszins heeft laten afweten waar het de belangen van het eigen volk betreft. Voor de linkse SP geldt iets dergelijks, zij het in mildere vorm. Het zijn daar ook *geen leden van de linkse kerk,* zoals de vroegere SP-voorman Jan Marijnissen het lang geleden al verwoordde.

Relatie met politiek en bestuur onder druk

Dat de relatie van de Nederlanders met hun politiek en bestuur onder druk staat, valt zo op het oog niet meer te ontkennen. Er komen signalen van alle kanten. De spectaculaire groei van de PVV en de SP spreekt voor zichzelf. Job Cohen vond *'het dalende vertrouwen van burgers en het daarmee afnemende betrokken burgerschap een van de grootste problemen van het land'* (NRC/H., 8 april 2010). Er wordt zelfs serieus getwijfeld aan het functioneren van het landsbestuur als geheel en aan alles wat daarmee verband houdt. Zo is er een boek van Marc Chavannes met de provocerende titel: 'Niemand regeert. De Privatisering van de Nederlandse Politiek'. En ook afgezien van dit laatste scenario, de actieve politieke deelname van de kiezers is nog maar zwak, vergeleken met 50 of zelfs 30 jaar geleden. Wel is de teruggang de laatste jaren tot stilstand gekomen. Het lidmaatschap van politieke partijen lag op 1 januari 2012 iets boven 2 procent van de kiesgerechtigde burgers.

Prominente kamerleden van oude partijen weten wat er speelt en zoeken de publiciteit. Diederik Samsom kwam op 2 januari 2012 met een artikel in NRC/Handelsblad onder de titel: 'Onze kiezer ziet de directeur gaan met vier ton per jaar,' met als ondertitel: 'Hoe krijgt de PvdA mensen als Erik en Joppie terug als kiezer?' *Door de leraar meer te betalen, de kans op werk te vergroten en de fusiedrift te stoppen,...* Ik citeerde Samsom eerder al in de introductie: '*Wie de basis niet op orde heeft, kan de rest vergeten.*'

Ook het wisselende stemgedrag en de partijversnippering lijken niet op politieke binding te wijzen. Hoewel, links en rechts voor zover nog van toepassing, blijven grotendeels overeind. De kiezers zweven dan wel, maar vooralsnog boven bekend terrein. Daarbij neemt individualisering al geruime tijd toe en nemen sociale samenhang en organisatiegraad overal af. Burgers kijken daarom ook anders tegen de politiek aan. In 1960 voelden ze die nog als hun eigen zaak, ze waren ermee verbonden, en dachten zoals hun partij. Nu lijkt politiek hun eerder iets van de overheid, een vreemde instantie die naar hun indruk vooral haar eigen gang gaat. Bovendien wordt de politiek voor veel mensen steeds moeilijker te begrijpen. Zelf zijn de burgers passief, maar ze zijn wel geneigd om meer eisen aan de overheid te stellen. De overheid heeft maar te leveren. Hier is het evenwicht tussen geven en nemen zoekgeraakt, het is een *toeschouwersdemocratie* geworden. Het probleem lijkt ook te zijn, dat de politiek te weinig te bieden heeft. Het systeem spreekt vooral de jongeren niet meer aan, de laagopgeleiden al helemaal niet.

Zelfs prominente personen en instanties van wie je het niet direct zou verwachten, doen intussen mee in het sombere koor van kritiek. De toenmalige vicepresident van de Raad van State concludeerde eerder al *dat de overheid niet meer in staat is, de burger fatsoenlijk te behandelen.* 'Rechtsstaat kan instabiel worden' kopte NRC/Handelsblad op 14 april 2011 aan de hand van diens jaarverslag. Volgens Tjeenk Willink was *de notie van het algemeen belang verschraald. Het vertrouwen van burgers in de politiek* was naar zijn indruk *aangetast*. Nationaal ombudsman Brenninkmeijer heeft nog wel vertrouwen in de overheid, maar spreekt niettemin van *Kafka-dossiers*. Volgens Pieter van Vollenhoven, als voorzitter van de Stichting Maatschappij, Veiligheid en Politie, *kun je in Nederland nergens terecht als je gevaren of fout handelen wilt melden*. 'Uit deze affaire werd duidelijk dat de overheid schromelijk over de schreef is gegaan' schreef hij met twee co-auteurs over de zaak Spijkers. De drie pleitten voor een landelijk meldpunt voor klokkenluiders (NRC/H., 17 jan. 2011).

Een kloof tussen politici en burgers?

Het vertrouwen in de politiek zal er niet op vooruit zijn gegaan, zou je zeggen. Maar hier lijkt zich toch een verschil met bepaalde wetenschappelijke opvattingen voor te doen. Het vertrouwen op zichzelf blijkt niet te zijn afgenomen. Sterker nog, volgens politicologen neemt het vertrouwen in de politiek sinds 1970 alleen maar toe. Aldus het moderne standaardwerk op dit gebied 'Democratie doorgelicht. Het functioneren van de Nederlandse democratie.' Het betreft een studie van 50 politicologen en bestuurskundigen onder redactie van Rudy Andeweg en Jacques Thomassen (Leiden University Press, maart 2011). Beide redacteuren zijn ook de auteurs van het bijbehorende boek 'Van afspiegelen naar afrekenen? De toekomst van de Nederlandse democratie'. Dit beknopte satellietboek biedt een goed leesbaar overzicht. Het nieuws over de beide publicaties werd onder meer gebracht in een artikel van Pieter van Os in NRC/ Handelsblad van 18 maart 2011 en in een artikel van Aukje van Roessel in De Groene Amsterdammer van 23 maart 2011.

Het stuk van Pieter Van Os heet: 'Kloof tussen politici en burgers bestaat niet', dat van Aukje van Roessel: 'Spoken in Den Haag'. Wat niet bestaat, kun je niet zien. Dit althans is het probleem van de politicologen met de kloof: *ze zien 'm niet*, aldus Van Os. Wel geven ze toe dat er *kloofdenkers* bestaan. *Dat zijn er zelfs zoveel, dat de wetenschap ze serieus moet ne-*

men, schrijft hij. Oud-minister Deetman sprak volgens Van Os van '*een paradox: kamerleden en kiezers zijn het roerend eens dat ze elkaar niet begrijpen. Op dat punt bestaat dus geen kloof. Maar het geloof in de kloof is er wel, en dus is er misschien ook wel een probleem.*' Pieter van Os gaf later samen met Maartje Somers nog een overzicht van een aantal nieuwe boeken die *een brug willen slaan tussen Den Haag en de rest van het land* onder de titel 'Schetsen voor de brugbouw' (NRC/H. 9 dec. 2011).

De kloof en het monster van Loch Ness

De kloof tussen politiek en burgers houdt de gemoederen al minstens sinds Paars I bezig. Zo werd het bestaan ervan al in 1994 door Andeweg en Van Gunsteren met zoveel woorden betwijfeld en met het monster van Loch Ness vergeleken: '*het geloof houdt hardnekkig stand zonder spoor van bewijs.*' Sindsdien is er iets veranderd, misschien niet met het monster, maar wel met de kloof. In 1994 werd het bestaan van de kloof weliswaar niet aangetoond, en in 2011 door de groep van 50 evenmin. Maar intussen heeft het Nationaal Kiezersonderzoek van 2006 tot de conclusie geleid, dat tweederde van de kiezers meent dat de kloof bestaat. En een parlementair onderzoek dat erop volgde, stelde hetzelfde vast voor de kamerleden (Andeweg en Thomassen: Van afspiegelen naar afrekenen, p. 15). Het gaat dan wel om stemmen uit het hol van de Nederlandse leeuw.

Nu moet je bij de conclusie *geen kloof* enig onderscheid maken. Andeweg en Thomassen zien wel een legitimiteitscrisis, maar vooral van het bestel. Er is vertrouwen in de democratie op zichzelf, en ook nog wel in de politiek, maar de partijen komen er slechter af, en zeker het bestel. Democratie, politiek, partijen en bestel worden verschillend gewaardeerd. Door deze differentiatie wordt het verschil tussen praktijkervaring en wetenschap al beter verklaarbaar.

De verhouding tussen politiek en kiezers blijkt al uit het geloof in de kloof. Van mij mag dat verschijnsel dus kloof heten. Maar geen kloof vind ik ook goed. Wat niet betekent dat er dús niets aan de hand is. Dat wordt door de politicologen dan ook niet beweerd, zeker niet over de hele lijn, maar soms wel door derden die zich op hen beroepen. Zo is de pers niet altijd even genuanceerd, met koppen als *Vertrouwen in overheid steeds groter*. En dan beginnen de misverstanden. De wetenschappers verdienen beter. Ook zij weten wel waardoor de aanhang van de protestpartijen te verklaren is. De laagstopgeleiden in het onderzoek lopen uit de pas, ze lijden aan *een enorme politieke machteloosheid*, aldus hoogleraar bestuurskunde Mark Bovens.

Uit het onderzoek van Andeweg c.s. komt naar voren dat het werkelijke probleem het consensusmodel zou zijn met zijn coalitievorming, waarbij de ene regering te veel lijkt op de andere. Ik sluit mij op dit punt graag bij de wetenschappelijke conclusies van de politicologen aan. In hoofdstuk 2 noem ik het bestel met zijn consensuspolitiek als de belangrijkste oorzaak van de politieke malaise. Een meerderheidsdemocratie zou beter zijn. Dit neemt niet weg, dat systemen met twee tegengestelde en elkaar afwisselende blokken ook hun problemen hebben. En dat de kiezers ook daar niet altijd tevreden zijn. Frankrijk bijvoorbeeld kent die afwisseling van links en rechts, toch doet de familie Le Pen daar goede zaken. Ook in Spanje zijn links en rechts vrij verkiesbaar en geregeld aan de macht. Maar de vergelijking met Spanje is minder zuiver, want de problemen daar zijn wel erg groot.

Dat de term kloof maar betrekkelijk is, komt ook nog naar voren in twee passages die J.A.A. van Doorn schreef in 2008, het jaar van zijn dood. *'De kloof tussen Den Haag en het electoraat is altijd markant geweest en ondanks vele overbruggingsconstructies nog steeds intact.'* Hier wordt waarschijnlijk de afstand bedoeld die in het algemeen en van nature tussen een bestuurselite en de kiezers bestaat. Maar Van Doorn schreef ook: *'Klassiek is het gepraat over "de kloof" die zou bestaan tussen de arrogante Haagse kliek en het ... volk. Het tegendeel is het geval ...'* (Van Doorn, Nederlandse democratie, pp. 476 resp. 491). In het tweede geval gaat het om de veronderstelling dat de politiek specifiek en concreet niet voldoende aandacht aan de burgers zou schenken, terwijl volgens Van Doorn die aandacht nog nooit zo groot is geweest. Als de media iets brengen, reageert de Tweede Kamer meestal direct. Dit is inderdaad dagelijkse praktijk.

Heeft stemmen eigenlijk wel zin?

De discussie over de kloof krijgt er een aspect bij door het boek van Peter Kanne: 'Gedoogdemocratie - Heeft stemmen eigenlijk wel zin?' Hoe de auteur op de koptitel met de dubbele bodem is gekomen, en op de ondertitel met de indringende vraag, wordt allengs duidelijk als je het boek doorneemt, wat trouwens vanzelf gaat. De auteur is op het heldere idee gekomen, om theorie en praktijk van delen van het democratische proces eens zo simpel mogelijk naast elkaar te leggen. Hij onderzoekt wat de kiezer wil en vergelijkt het met wat de politiek doet.

Iedereen begrijpt dat daar in de praktijk verschil tussen zit, maar hier weet je niet wat je leest. Het begint er al mee, dat kiezers en gekozenen elkaar op cruciale onderwerpen niet begrijpen. Ook weten kiezers vaak maar half wat hun eigen politieke partij op een bepaald punt wil. Vervolgens blijkt dat de partijen maar zelden uitvoeren wat hun kiezers voor ogen staat. Kortom: grote partijen zijn alleen nog in naam vertegenwoordigers van het volk, er is slechts een beperkte relatie tussen de kiezerswil en het regeringsbeleid, en politici representeren de kiezers niet, noch in het parlement, noch in de regering. Conclusie: de kiezers gedogen de politiek. Kanne is iemand die een hond een hond noemt, wat in dit vak zeldzaam is.

Populistische paranoia en polariserende kletskoek?

Het wordt steeds duidelijker: de onder druk staande relatie tussen politiek en kiezers kun je niet meer afdoen als een product van populistische paranoia. Wel zijn daartoe steeds pogingen gedaan, te beginnen bij Fortuyn, of eigenlijk al bij diens voorgangers. Fortuyns lot volgde het klassieke scenario van de boodschapper met slecht nieuws. Hij kreeg overal de schuld van, waarbij oorzaak en gevolg niet altijd uit elkaar werden gehouden. Bij de ontevreden kiezers was er behoefte aan vernieuwing. Maar het politieke establishment was mogelijk eerder bezorgd over het overtuigende optreden van Fortuyn en zijn groeiende aanhang en voelde zich bedreigd in zijn eigen positie.

Nu ging Fortuyn niet al te genuanceerd te werk, het woord *puinhopen* alleen al. Zijn snelle geest en zijn humor maakten hem nog aantrekkelijker voor de kiezer. In elk geval, het acute risico voor het politieke establishment heette Fortuyn, geen twijfel. Vandaar de neiging om deze flamboyante en geestige man, deze vijand van alle bekrompenheid, deze gemankeerde socialist, deze oprechte bewonderaar van Kennedy en van Den Uyl, als een immorele rechtse schurk weg te zetten. Postuum gebeurt dit eigenlijk nog steeds, zoals ook de bewondering voor hem tot over het graf reikt. Fortuyn was bijvoorbeeld bij Wiegel *in*, bij Bolkestein *uit*.

Er zijn ook geen tekenen van een populistische samenzwering om de gevestigde politiek onder druk te zetten. Die druk ontstaat vanzelf, bij wijze van reactie op wat de mensen niet bevalt. '*Politici luisteren niet*' is volgens Paul Schnabel, directeur van het Sociaal Cultureel Planbureau, het bezwaar van het publiek. En dit '*in de dubbele betekenis van het woord luisteren*' (Buitenhof, 9 jan. 2011). Als de zittende politiek onvoldoende reageert op actuele problemen, en niet in staat blijkt om effectief beleid te ontwikkelen, wordt zij links en rechts gepasseerd. Overigens wijst Schnabel ook geregeld op het vele dat goed gaat in Nederland en verwondert er zich dan eigenlijk weer over dat de Nederlanders zo kankeren. Hoewel, hij weet wel waarom: *ze weten niet hoe goed het gaat, want dat is geen nieuws.* (Buitenhof, 18 dec. 2011). Waarvan akte.

Van Doorn meende dat er zoiets als een democratisch crisisbesef bestaat. Hij veronderstelde dat dit *het formidabele functieverlies van het politieke systeem in de afgelopen decennia weerspiegelt.* Hij doelde op toenmalige *grootse projecten zoals de christianisering van het staatkundig bestel of de vermaatschappelijking van de productiemiddelen* (Van Doorn, p. 491). Dit terwijl *politici zich tegenwoordig al openlijk tevreden tonen als ze, naar eigen zeggen, 'goed op de winkel hebben gepast.'* Dit zal zeker waar zijn, maar ik denk toch dat de democratie misschien nog meer lijdt onder het feit dat het met het *op de winkel passen* ook niet helemaal goed is afgelopen Het zijn immers juist de basisvoorzieningen die de overheid niet meer onder controle heeft. Hiervan zijn vooral de laagopgeleiden de dupe, uitgerekend de groep die zich door de politiek toch al buitengesloten voelt. Dan nu naar de volgende vraag: zijn er verder nog concrete aanwijzingen voor de verwijdering tussen politiek en burgers?

Optimisme contra pessimisme in de laatste tien jaar

Opvallend is de tegenstelling in houding: bij de overheid en haar supporters heerst eerder optimisme, bij veel burgers pessimisme. Je krijgt de indruk dat je met winnaars en verliezers te maken hebt. Natuurlijk, politiek en bestuur weten ook wel dat sommige problemen hun mogelijkheden te boven gaan. Maar ze zijn er wel van overtuigd dat ze het goed doen, op zijn minst dat ze in vrijwel ieder opzicht op de goede weg zijn. Misschien maken ze zichzelf en elkaar dit alleen maar wijs, maar die overtuiging dragen ze uit. Zoiets is in principe niet verkeerd. Integendeel, wie leiding geeft, moet positief zijn. Maar die positieve houding moet realistisch blijven wil ze geloofwaardig zijn. Hoe denkt de overheid zelf over de situatie in Nederland, wat is de boodschap?

Wie op de teksten van de voorlichters afgaat, krijgt de indruk dat Nederland het bijzonder goed doet, dat het een land is waar de meeste zaken beter zijn geregeld dan elders. *Een klein land, maar al eeuwen lang een groot voorbeeld voor de wereld. Zijn geestelijk erfgoed bestaat vooral uit moraal en fatsoen, eensgezindheid, vrijheid en tolerantie. Zijn oude democratie bloeit met het succesvolle poldermodel. Zijn afgeslankte overheid is vernieuwd naar de modernste inzichten van privatisering en marktwerking. Zijn welvaart dankt het schatrijke land aan zijn sterke economie, voortgestuwd door eigen ondernemingslust en krachtig gesteund door een terzake kundige overheid. Een eerlijke inkomensverdeling en loon naar werken vormen er het uitgangspunt. De sterkste schouders, de zwaarste lasten is het devies. Geen uitverkoop van zijn grote bedrijven, kijk naar zijn toonaangevende bankwezen, dat bij de eerste tien in de wereld behoort. Naar oppervlak wel beperkt, maar altijd nog een middelgrote macht, nog lang niet teruggebracht tot het niveau van een klein land.*

Zo is ongeveer het optimistische beeld dat de Nederlandse overheid ook en vooral in de laatste tien jaar graag uitdraagt. Daarbij is de economie inderdaad opmerkelijk vitaal, zij het eerder ondanks dan dankzij de overheid. De ligging van het land als grote handelspartner van Duitsland en van de overige Europese Unie, speelt hierbij een cruciale rol, gevoegd bij het traditioneel grensoverschrijdende Hollandse ondernemerschap. Maar verder gaat het vooral om beeldvorming. Want wie het nieuws kritisch volgt en bovendien zelf nadenkt, ontdekt al gauw dat het niet alleen maar een successtory is in Nederland. Dat de onvrede over de politiek zo haar redenen heeft en dat er meer aan de hand is dan de overheid ons wil doen geloven. Op bijna elk gebied. Dus ja, hoe staat het met de geloofwaardigheid van de overheid?

Geloofwaardigheid van de overheid

Het gaat uitstekend, maar hier en daar kan het nog beter. De overheid doet er alles aan. Zo luidt ongeveer de boodschap. Laten we eens kijken naar een paar belangrijke onderwerpen.

Neem de gezondheidszorg. Als je in een ziekenhuis medicijnen krijgt toegediend, mag je ervan uitgaan dat zoiets vakkundig gebeurt. Toch blijkt bij herhaling dat vier op de tien verpleegkundigen niet voldoende kunnen rekenen, cijfer 5 of lager. Het gaat vooruit, maar wel langzaam. In 2010 was het 41 procent, in 2007 nog 43 procent, (Nursing, 2 nov. 2010). Het betreft een toegewijde beroepsgroep, zeer gewaardeerd door het publiek. Hun is niets te verwijten, de oorzaak zit vermoedelijk in hun ondeugdelijke vooropleiding. En als je daarbij bedenkt dat deze mensen overbelast en onderbetaald zijn, is het nog een wonder dat het gaat zoals het gaat. Beroepsvereniging V&VN (Verpleegkundigen en Verzorgenden Nederland) vindt de resultaten van het onderzoek niet verrassend, maar wel zorgwekkend: '*het strookt met wat wij in de praktijk zien*' (Nursing, 5 nov. 2010). Dus om nu te stellen dat het verder best meevalt met het onderwijs en met de gezondheidszorg?

En je kunt als overheid wel beweren dat de criminaliteit onder controle is en dat de veiligheid daardoor verbetert, maar er is verschil tussen wetenschappelijke conclusies op grond van statistische gegevens over moord- en doodslag enerzijds, en het gevoel van veiligheid bij de mensen anderzijds. Gewone burgers hebben bijvoorbeeld ook weinig te maken met zware criminaliteit, zij kijken naar de publieke ruimte waar niet wordt gehandhaafd, waar voetgangers vogelvrij zijn en de politie de onzichtbare man speelt. Zulke simpele dingen.

Maar ook is er het feit, dat er nog maar weinig misdrijven worden opgelost. De straffen zijn dan misschien wel hoog genoeg, maar de pakkans is te laag. Ook zijn er problemen waarvan nauwelijks statistieken bekend zijn. En ja, de kleine criminaliteit is natuurlijk maar klein, het woord zegt het al. Maar in Amsterdam waren orthodoxe joden en homo's in 2011 niet meer veilig voor geweld op straat. Zoiets als kattekwaad af te doen, neemt niet weg dat mensen zich erdoor bedreigd voelen. Maar een hond een hond noemen, dat doet de overheid niet graag. Natuurlijk zijn er uitzonderingen, zoals burgemeester Van der Laan (PvdA).

Burgers doen zoals bekend allang geen aangifte meer, tenzij er bloed vloeit of als het nodig is voor de verzekering. Ze hebben geen zin in de bureaucratische rompslomp waar niets uitkomt. En ze hebben met eigen ogen kunnen zien dat politiemensen, buschauffeurs, brandweer- en ambulancepersoneel in Nederland hun werk niet meer per definitie ongehinderd kunnen doen. De overheid doet er uiteraard alles aan, maar het probleem neemt alleen maar toe, de jaarwisseling 2011/2012 bevestigde het weer. Dus wat zullen zíj nog? Officiële conclusie van de verminderende aangiften: *hoera, de misdaad loopt terug.* Inderdaad is de misdaad teruggelopen waar het overvallen op winkels betreft. De politie heeft er veel aan gedaan en verder heeft waarschijnlijk het pinnen geholpen. Er is weinig contant geld meer. Maar nu worden vooral oudere mensen thuis overvallen. Het gemak dient de mens.

Zou dit probleem nu helemaal aan overdrijving door de media te wijten zijn? De burgemeester van Eindhoven, Rob van Gijzel (PvdA), zag er anders voor de televisie geen gat meer in, hij had de middelen niet om op te treden tegen de drugssyndicaten die in Brabant de dienst zouden uitmaken. Zou die man werkelijk alleen maar wat roepen? En de burgemeester van Helmond, Fons Jacobs (CDA), die zich met zijn vrouw bij herhaling moest schuilhouden en vervolgens een jaar lang zwaar werd bewaakt omdat hij volgens justitie en politie groot gevaar liep, zou hij aan paranoïa lijden en justitie en politie ook? Zou Connexxion voor de grap een onderzoek laten doen naar de mogelijkheid om haar chauffeurs in een gesloten cabine, een beveiligde kooi, bescherming te bieden tegen overvallen en agressie? Zouden 700 NS-medewerkers zonder reden worden uitgerust met *steekwerende* vesten tegen de gevolgen van geweldsincidenten? (NRC/H. 19/20 maart en 1 sept. 2011, 11 en 19 jan. 2012).

Herkennen de mensen zich nog wel in een overheid die het land in een halve eeuw een complete gedaanteverwisseling heeft doen ondergaan? Die haar eigen burgers van hun historisch gegroeide nationale traditie en identiteit heeft vervreemd? Want wie zijn ze nog als Nederlanders, wanneer hun geschiedenis binnenslands wordt weggerelativeerd? Wanneer de reputatie van hun wereldwijd bekende Gouden Eeuw voortdurend verdacht wordt gemaakt?

Hebben ze nog wel begrip voor een overheid die het organiseren van het onderwijs lange tijd aan bevlogen nieuwlichters heeft overgelaten in plaats van aan docenten? De zorg aan managers in plaats van aan artsen en andere vakmensen? Die marktwerking heilig verklaart, ook waar deze alleen maar schade aanricht? Die nog steeds doorgaat met schaalvergroting en megaprojecten, hoewel het resultaat bekend is? Die haar verantwoordelijkheid voor vitale overheidsfuncties uit handen heeft gegeven aan managers die er een heel andere agenda op na houden? Die slordig is omgegaan met wat eens goed functionerende overheidsbedrijven waren, de spoorwegen voorop? Die de mond vol heeft van *groen bezig,* maar die op dit punt in internationale statistieken tussen de ontwikkelingslanden scoort?

Vertrouwen ze nog wel een overheid die het land zogenaamd zakelijk bestuurt, maar met een huishoudboekje dat niet klopt? Die al 40 jaar boven haar stand leeft met als resultaat een staatsschuld van ruim tweederde van het bbp? (CIA/Eurostat en IMF-norm). Die het aardgas er grotendeels doorheengejaagd heeft? Die ongehoorde inkomensverschillen in de publieke sector heeft geïntroduceerd, maar het toptarief inkomstenbelasting al bij de hogere middengroep laat beginnen, maar nog ruim onder twee maal modaal? Die de lasten die zij de burgers oplegt voortdurend verhoogt onafhankelijk van het inflatieniveau, dit terwijl uitkeringen en pensioenen worden gekort? Die verkeersboetes en parkeergelden jarenlang vooral als bron van inkomsten heeft gezien, om van leges voor de vergunningenjungle maar te zwijgen?

De pont van kwart over zeven als graadmeter van de stemming

Veel passagiers van *de pont van kwart over zeven* staan onverschillig tegenover de politiek of voelen zich erdoor in de steek gelaten (Margalith Kleijwegt en Gerard van Westerloo: De pont van kwart over zeven anno 2010; Steeds minder met elkaar, Vrij Nederland, 4 sept. 2010). Het betreft een artikel dat een beeld geeft van hoe de doorsnee werkende Nederlander over zijn land en zijn omgeving denkt. In dit geval Amsterdam Noord. Het is een herhaling van een soortgelijk artikel in 1981. Toen weigerde niemand VN een gesprek, in 2010 de een na de ander. Er is daar duidelijk teruglopend vertrouwen en zelfs een anti-stemming vastgesteld. De PVV haalde er op 9 juni 2010 dan ook 21,6 procent van de stemmen. Als dit het landelijke percentage zou zijn, zou het op 32 zetels in het parlement uitkomen.

Het beeld dat hier wordt geschetst is duidelijk genoeg. De ongeïnteresseerde houding is op een veel breder terrein aan te treffen. Maar als je je even tot de politiek beperkt, zie je in ieder geval ook daar de kenmerken van een malaise. Of en in hoeverre de politiek zelf oorzaak is, valt niet direct te zeggen. Wel mag je aannemen dat het malaisegevoel eerder betrekking heeft op de huidige manier van politiek bedrijven dan op de politiek in het algemeen. Want driekwart van de Nederlanders vindt de democratie een groot goed. Belangstelling en goede wil zijn daarbij in principe aanwezig, maar veel mensen vinden dat ze met de bestaande situatie niet verder kunnen.

Wat je in de Vrij Nederland reportage herkent, is de apathie tegenover de politiek, het gevoel van *ze doen maar raak, wat wij als burgers ervan vinden, doet er niet toe.* Of dit gevoel ook steunt op feiten, is een tweede. Zelf heb ik ook vooral geprobeerd om een stemming weer te geven, daarom zijn de voorbeelden willekeurig en anekdotisch, het gaat niet om bewijs. Dit boek gaat immers niet over de vraag *wat de politiek verkeerd doet*, het zoekt een antwoord op de vraag *waarom de politiek teleurstelt.* Het een is objectief, het ander subjectief. Dát de politiek teleurstelt, is aantoonbaar. Wie teleurgesteld wordt, heeft te veel verwacht. Teleurstelling is een sentiment, het probleem zit bij de burger misschien meer tussen de oren dan dat het rationeel is. Dit neemt niet weg dat ook feiten en hun context een rol spelen.

De huidige situatie: feit en fictie bij onvrede en verzet

Bij al mijn kritische woorden in de eerdere passages moet ook het volgende worden gezegd. Dat het hele land een puinhoop is, vindt geen steun in de feiten. Mensen die beweren van wel, verwarren het land met zijn spoorwegen. Het gaat bij het woord *puinhopen* eerder om verkiezingspropaganda tegen de gevestigde politiek. Daarbij wordt ingespeeld op bestaande onvrede. Onvrede en verzet kunnen vele oorzaken hebben, ook persoonlijke. De vorige alinea's wijzen al op een gemengd subjectief/objectief karakter. Als een bepaalde verstandhouding niet goed is, geeft men elkaar ook al gauw de schuld. Ondanks alles wat bij de overheid misloopt, geloof ik niet dat haar 'schuld' daaraan de doorslaggevende irritatiefactor is. Het gevoel van de burger genegeerd te worden en geen invloed te kunnen uitoefenen, lijkt mij belangrijker te zijn. Ook hier weer niet één objectiveerbaar feit, maar een mengsel van feit en fictie, althans van ratio en sentiment.

In de laatste twintig, en vooral in de laatste tien jaar, zijn de golven van onvrede en verzet steeds hoger geworden. Het politieke establishment heeft blijkbaar steeds meer irritatie opgeroepen. Inmiddels is ook daar de koers verlegd. Het CDA heeft naar verluidt aan zelfonderzoek gedaan. Toenmalig PvdA-leider Cohen zei begin 2010 al in een interview met Monique Snoeijen in NRC Weekblad: '*Fortuyn heeft dat terecht gesignaleerd. Wilders gaat er nu mee verder.*' Met *dat* bedoelde Cohen het zich ontheemd en ongelukkig voelen van mensen die de veranderingen (inzake buitenlanders en criminaliteit) niet kunnen en willen volgen (3-9 april 2010).

De doorbraak naar de huidige situatie dateert inderdaad van het optreden van Pim Fortuyn met zijn kruistocht tegen het politieke establishment. Daarin zag hij zoiets als een draak met zeven koppen en die ging hij in de rol van St. Joris te lijf. Ook leek het hem om een Haagse kaasstolp te gaan, waarin door de priesters van Paars de politiek-correcte missen van de linkse kerk werden gecelebreerd. Intussen is er veel veranderd: Fortuyn is dood, Paars is voorbij, de linkse kerk is volgens eigen zeggen opgeheven en de draak met zeven koppen heeft misschien wel nooit bestaan. Maar de kaasstolp schijnt er nog te zijn, althans volgens politici. Het gaat dan om ándere politici, dat spreekt vanzelf. Links of rechts, het maakt niet uit. En ja, hoe zit het nú met die kaasstolp?

Een transparante kaasstolp

Ondanks alle professionele communicatie en nagestreefde helderheid en transparantie lijken overheid en burgers met de rug naar elkaar toe te staan. Om deze reden wordt politiek Den Haag wel een kaasstolp genoemd. Die benaming is in theorie nog vriendelijk, want het zou betekenen dat je tenminste nog kunt zien wat er daar gebeurt. Tenminste, als je je de kaasstolp van glas voorstelt. Hoewel, je moet je niet in beeldspraak verwarren en er schijnen toch ook achterkamertjes te bestaan. De strekking van het begrip kaasstolp is dat politiek en overheid in een andere atmosfeer, in een andere wereld leven dan de burgers. Het dubbele is dan, dat ze wel zichtbaar zijn, maar dat ze elkaar toch niet kunnen verstaan en begrijpen.

Alexander Pechtold (D66) zei eens, dat ze daar spreken met meel in de mond. Misschien dat het politieke begrip transparant uit de sfeer van de kaasstolp komt. Iedere burger weet dat hij bij dat woord op zijn tellen moet passen. Het is een in dit verband werkelijk interessant en ja, verhelderend begrip. In die zin dat het twee dingen tegelijk betekent: je ziet alles want het is transparant, doorzichtig dus, maar je begrijpt er niets van, want het is niet jouw taal en niet jouw wereld. Het heeft iets van een Poolse poppenkast voor Hollandse kinderen. Overigens is er op dit punt al veel verbeterd en bij sommige partijen was het zelfs tijdens de kabinetten Balkenende al helemaal niet slecht. Bij de populisten is duidelijkheid levensvoorwaarde. Maar ook bij Groen Links en bij D66 hoorde je nooit van *een optelsom van beleidsuitkomsten* of ander duister jargon. Wel bij de PvdA, daar was wolligheid troef, maar nu niet meer en bij Cohen ook al niet meer.

Tot zover de ontwikkelingen in Nederland. Ze staan niet op zichzelf, maar zijn sterk internationaal beïnvloed. Het functieverlies van de politiek is overal waarneembaar, zeker in de westerse landen. De verdwenen ideologische concepten, de banalisering, het ontstaan van een politieke klasse, het zijn de inmiddels vertrouwde begeleiders van het politieke bedrijf. Een en ander tegen een decor van sociale desintegratie en populisme. In de praktijk lijkt het allemaal nogal mee te vallen. Althans, tot nu toe. De symptomen van een politieke malaise zijn in dit hoofdstuk aan de orde gekomen, daarom nu verder met achtergronden en oorzaken.

2 | Achtergronden en drie concrete oorzaken

Politieke malaise en democratie

De democratie, letterlijk volksregering, wordt meestal beschouwd als het beste politieke stelsel, althans als het minst slechte. De democratie is dan ook relatief evenwichtig, maar haar kracht is haar zwakte tegelijk: vertegenwoordiging. Want het is eigenlijk nooit het volk zelf dat regeert, een volk is immers geen handelende eenheid. *De macht aan het volk teruggeven* is letterlijk genomen dan ook onzin, het is in de praktijk onuitvoerbaar. Directe democratie bestaat vrijwel alleen nog als folklore, het is een nostalgisch droombeeld. In een ontwikkelde maatschappij heb je een politiek systeem nodig. Het woord democratie, volksregering, is op zichzelf dus al misleidend. Iets anders is, dat de soevereiniteit in een democratie uiteindelijk wel bij het volk berust. Hier ligt een opgave: het principe van soevereiniteit bij het volk moet in de praktijk gestalte krijgen in een democratisch politiek systeem. Consensusdemocratie en meerderheidsdemocratie zijn mogelijke varianten.

Trouwens, wat betekenen democratie en volk in dit verband? We hebben het niet over het oude Athene. Het huidige ruime begrip democratie is nog niet zo oud. In ons land werd algemeen kiesrecht voor mannen pas in 1917 ingevoerd, voor vrouwen in 1922. In de antieke wereld deden slaven en vrouwen niet mee. Die uitsluiting heeft nog lang bestaan. Slavernij is in de meeste landen niet eerder afgeschaft dan in de 19de eeuw. Handelingsbekwaamheid van de gehuwde vrouw dateert in Nederland pas van 1956. De democratie in Athene zou overigens niet blijven, ze heeft nog geen twee eeuwen geduurd en verdween in 322 v.Chr.

Waar de macht aan het volk serieus is nagestreefd, is meestal bloed gaan vloeien en heeft juist het volk aan het kortste eind getrokken. Vaak is zo'n poging op dictatuur en terreur uitgelopen. De Franse Revolutie van 1789 en de Russische Revolutie van 1917 zijn geslaagde voorbeelden van deze mislukking. In beide gevallen liet de revolutie het land ontwricht en het volk verpauperd achter. Het elimineren van de oude elite bleek geen oplossing: in Frankrijk hielp de omwenteling de bourgeoisie in het zadel, in Rusland de partijbonzen. Met emancipatie van of macht aan het volk had het weinig te maken.

Ook Mao's Grote Sprong Voorwaarts is op dit punt geen onverdeeld succes gebleken. En het kan erger: Haïti is zo'n 200 jaar onafhankelijk en heeft ongeveer evenveel staatsgrepen gekend, ongetwijfeld uit naam van het soevereine volk. Het ideaal volksdemocratie blijkt in de praktijk even concreet te verwerven als een zeepbel. Vandaar dat de actieve politiek en het bestuur ook in democratische landen gewoonlijk aan kleine elites zijn voorbehouden. Zij vertegenwoordigen de burgers, zo goed en zo kwaad als het gaat. Het kan moeilijk anders.

Vertegenwoordiging en vertrouwen

Effectieve vertegenwoordiging is niet denkbaar zonder vertrouwen. Dus in een democratie is een vertrouwensrelatie onmisbaar. Die is er niet vanzelf, vertrouwen moet worden opgebouwd en onderhouden. Het beeld, het imago, zou daarbij volgens moderne inzichten een hoofdrol spelen. Toch moet de kiezer niet worden onderschat: hij kan woorden en daden meestal aardig onderscheiden, hij weet niet altijd veel, maar hij heeft vaak meer door dan de politiek denkt. Natuurlijk is het imago belangrijk, maar het kan ook een valstrik zijn. Een overheid die cadeautjes uitdeelt bijvoorbeeld, onderschat de kiezer. *Vijftig euro voor iedereen* overtuigt niemand. Loze beloften zijn nog erger. *Eerst het zuur en dan het zoet* werkt als een boemerang als het zoet uitblijft, het *kwartje van Kok*-effect om zo te zeggen. Vertrouwen moet het niet van trucs hebben, en al helemaal niet van leugens. Wees liever eerlijk. Het misverstand is wijdverbreid, maar kiezers zijn geen kleuters. Partijen met *gratis jenever voor iedereen,* en *vrij jagen & vissen in het Vondelpark* als beleidsdoelen, hebben het dan ook niet lang uitgehouden.

Maatschappelijke feiten op de achtergrond; functieverlies van de politiek; heeft de politiek nog een concreet verhaal?

Maatschappelijke feiten op de achtergrond zijn er veel. Het prestige van de politiek is er niet op vooruitgegaan. Haar voorbeeldfunctie is uitgehold. Daar zijn allerlei redenen voor. Om te beginnen is prestige in het algemeen een schaars artikel geworden. In een genivelleerde samenleving is respect voor kennis en kunde niet iets dat voorop staat, evenmin als geloof en vertrouwen. De geëmancipeerde burger van vandaag is al jong bijgebracht, dat zijn eigen kritische mening ertoe doet, hij is assertief. Als het even kan, loopt hij de dokter voorbij met wat hij zojuist op internet heeft gevonden. Maar ook los van die trend is de politiek op zichzelf al niet langer iets van hoger orde, verbonden met grootse en meeslepende ideeën die de wereld kunnen veranderen. De tijd van de grote idealen is voorbij. Je zou dit een ideologisch functieverlies kunnen noemen.

Praktisch functieverlies is er ook, op verschillende manieren. Kijk naar het bestel: het is de bedoeling van de democratie dat stemmen effect heeft, er moet wat te kiezen zijn. Bij het Nederlandse consensusmodel mankeert het daaraan. Dus dat vooral *de ontevreden kiezer dan de flanken opzoekt*, om met Andeweg te spreken, is logisch. Sterker: *slechts als gevestigde partijen weer in staat blijken de belangen van laagopgeleide Nederlanders te behartigen, kunnen ze de onvrede van onderen temperen,* zo citeert Van Os een collega van Andeweg, de al eerder genoemde bestuurskundige en rechtsfilosoof Mark Bovens.

Dit leidt tot de vraag: heeft de huidige politiek nog wel een concreet verhaal dat door gewone mensen kan worden begrepen? Bas Heijne stelde in Buitenhof van 8 mei 2011 dat het geen zin heeft om bij praktische problemen met abstracte oplossingen aan te komen. Neem de PvdA: iedere keer dat Cohen tegen Wilders zei dat zijn partij mensen uitsluit, had hij op zichzelf genomen gelijk, maar wat zegt het de aanhangers van Wilders die hij wil bereiken?

Die voelen zich ook uitgesloten. Het verhaal moet worden omgezet, in de praktijk vertaald. Daar hebben we het concretiseren van de politieke boodschap: noodzakelijk maar moeilijk. Heijne noemt als geslaagd voorbeeld *de rijdende rechter.* En het is waar, daar klopt alles, de boodschap wordt begrepen en iedereen gaat akkoord. Het wordt trouwens eenvoudiger als de politiek zich eerst zou bekommeren om de veilige basis die zij de burgers moet bieden. Die basis is concreet genoeg.

Het ideologische en praktische functieverlies wordt begeleid door de opkomst van partijpolitiek. Politici worden minder op politieke inhoud geselecteerd, en al helemaal niet op algemene kennis. Het gaat niet meer om politieke rechtzinnigheid binnen het kader van bevlogen denkbeelden. Niet meer om generalisten met een principiële instelling en met een eigen standpunt. Individuele visie is een gepasseerd station, is ongewenst geworden. Het gaat nu om partijpolitici die met hun fractie in de pas lopen. En die het eerder moeten hebben van de manier waarop ze overkomen dan van hun individuele politieke inbreng. Bij voorkeur prettig ogende types met een vlot verhaal.

Nu het huidige bestel om zulke mensen vraagt, worden ze door de partijen geleverd. Ze komen omhoog in de partijhiërarchie. En eenmaal op de plaats van bestemming, worden ze verondersteld zelfstandig en op hoog niveau te kunnen functioneren. Het huidige bestel kweekt eenzijdige partijpolitici, die weinig voeling meer hebben met de achterban, maar ook niet altijd onder eigen vlag kunnen varen. Zowel in de volksvertegenwoordiging als in de regering kan dit tot teleurstelling leiden.

Populisme als signaal van onvrede & verzet

In de westerse democratieën bestaat overal onvrede met de politiek, en is meestal ook onvrede met de overheid als geheel waar te nemen. Als je het populisme als signaal van onvrede en verzet beschouwt, kom je in Europa ogen tekort. Even leek het of Oostenrijk, België en Zwitserland uitzonderingen zouden blijven. Maar Frankrijk, Denemarken, Zweden en Italië doen ook al geruime tijd mee. In Finland werd bij de verkiezingen van 17 april 2011 kleur bekend: de *Ware Finnen* gingen van 4 naar 19 procent van de stemmen. De opmars is overigens allerminst constant, in september 2011 was er in Denemarken juist weer enige teruggang, in Noorwegen toch al, in Zwitserland in oktober 2011 eveneens.

Extreem-rechts is een term die graag door politieke tegenstanders wordt gebruikt. Het etiket doet aan extremisten denken die geweld gebruiken en is daardoor voor democratische partijen niet correct. Als je de Baader Meinhof groep, die niet keek op een moord meer of minder, extreemlinks noemt, dan kun je de PVV toch bezwaarlijk extreem-rechts noemen. De PVV is volgens sommige wetenschappers zelfs helemaal niet rechts. Zij scoorde bij Kieskompas in 2010 op de horizontale links/rechts-as als enige partij keurig in het midden, CDA en D66 zitten al rechtser. Wel is de PVV daar conservatief, even conservatief als het CDA, alleen de SGP scoort op de verticale progressief/conservatief-as conservatiever (Kanne, p. 64).

De kern van het populisme blijkt overal dezelfde: als bij de burgers onvrede met politiek en bestuur ontstaat, is niet-stemmen of tegen stemmen een manier van verzet. Er is in Nederland zelfs al iets van een wij/zij tegenstelling gegroeid met het politieke establishment. Het wegkijken van problemen is het voornaamste verwijt aan de oude politiek: het *niet luisteren* van Paul Schnabel, het *niet op orde hebben van de basis* van Diederik Samsom. Dat de politici hoger zijn opgeleid dan gemiddeld, bevordert het wederzijds begrip ook al niet. De populisten springen in dat gat, zij luisteren juist goed naar wat er onder de mensen leeft. De verleiding is dan groot om kort door de bocht te gaan, te overdrijven en meer te beloven dan kan worden waargemaakt. Of om bewust achter de kiezer aan te lopen. Zo worden gevestigde partijen links en rechts gepasseerd. Je ziet de populisten onderwerpen oppakken die de traditionele politiek heeft laten liggen. Komt er een referendum aan te pas, dan krijgt de oude politiek het pas echt moeilijk.

Het probleem van het populisme is duidelijk, *what you see is what you get*. Het gaat niet alleen om goede ideeën, zoals een fatsoenlijke inkomensverdeling in de publieke sector die de zittende politiek niet meer voor elkaar krijgt. Onverenigbare, onhaalbare en soms extreme beleidspunten spreken voor zichzelf. Maar ze zijn mede te verklaren uit een overreactie door onvrede. Hier stuiten we op de dubbele bodem van het probleem: die zit in de reden van die onvrede. Het is te gemakkelijk om de populisten extreme standpunten te verwijten zonder op oorzaak en aanleiding te letten. De oude partijen doen het misschien vooral om de aandacht af te leiden van hun eigen medeverantwoordelijkheid voor de achterliggende situatie. De opkomende partijen houden de oude politiek een spiegel voor.

De betekenis van het populisme ligt wat mij betreft dan ook vooral in de signaalfunctie voor de oude politiek. Dat signaal moet wel worden herkend. Blijft de gevestigde politiek steken in morele kritiek op de inhoud, dan wordt het belangrijkste gemist. Niet dat zulke kritiek op zichzelf ongerechtvaardigd behoeft te zijn, allerminst. Maar het betreft dan een reactie op een gevolg, niet op een oorzaak. Het is in die zin symptoombestrijding. En dat is nog niet alles. Morele afkeuring van wat een andere partij voorstaat, komt al gauw in de buurt van betweterij en betutteling. Beide liggen toch al moeilijk bij de kiezers. Maar toegepast op een situatie waarin mensen terecht ontevreden zijn, worden ze onverdraaglijk.

De veronderstelling, dat als de populistische standpunten niet deugen, die van de oude politiek wél deugen en steeds hebben gedeugd, is al helemaal ongegrond. Ook als Wilders' islamkritiek veel te ver gaat, betekent dit nog niet dat het overheidsbeleid terzake altijd wél verantwoord is geweest. Het betekent dat Wilders zich zulke standpunten bij zijn achterban kan veroorloven. Zonder boze achterban met grote onvrede is zoiets ondenkbaar. Wilders maakt gebruik van die onvrede, en overdrijft, maar hij heeft haar niet veroorzaakt. De onvrede is ontstaan in de achterstandswijken van de grote steden, ze komt van onderop en is uit haar aard niet extreem, maar eerder normaal en te verwachten. Gevoelig voor extreme standpunten is de bevolking daar pas geworden omdat haar bezwaren 40 jaar lang niet werden gehoord, omdat ze werden weggehoond als ongefundeerd, discriminatoir en racistisch. Het is de oude politiek die door haar eigen falen de geest van verzet heeft opgeroepen.

Trouwens, zijn de mensen die populistisch stemmen wel zo extreem? De Nederlanders zijn als klein en democratisch handelsvolk nooit extreem geweest. Het schipperen en polderen is hun aangeboren, het grote en principiële gebaar is niet hun kracht. Als zij al radicaal zijn, dan zijn ze van *het radicale midden*. Huizinga noemde hen een burgerlijk volk. De linkse Troelstra slaagde er niet in de koningin af te zetten, de rechtse en pro-Duitse NSB kreeg tot 1940 weinig voet aan de grond. Ook na WO II hebben linkse en rechtse zijsprongen de gematigde hoofdstroom in dit land niet echt kunnen verdringen. Nog altijd zijn de Nederlanders politiek niet bijzonder links of rechts. Het zijn ook geen heethoofden en revolutionairen, daarvoor zijn ze te bedaard. Als de Nederlanders in opstand komen, is daar wel iets voor nodig. Ze moeten zich dan wel erg in de hoek gedreven voelen. Dat hebben de Spanjaarden in 1568 verkeerd ingeschat.

De houdbaarheid van de democratie

Dat de malaise hier bij voortschrijdend populisme in rechte lijn tot een totalitair systeem zal leiden, lijkt mij te vergezocht. Voor zoiets is een wanhopige massa nodig, en één partij. Die zie ik in Den Haag nog niet verschijnen. Nederland is niet te vergelijken met het Duitsland van na de Eerste Wereldoorlog. Dat land had toen nog heel weinig democratische cultuur, maar wel een lange traditie van vorstelijk absolutisme. In Rusland was het niet anders. Dat de westerse democratie in haar huidige vorm onder druk van internationale ontwikkelingen op den duur zal veranderen of verdwijnen, lijkt echter niet uitgesloten.

NRC/Handelsblad columnist en oud-hoofdredacteur J.L. Heldring acht zoiets niet helemaal ondenkbaar. Daarover straks. Maar eerst iets over zijn indruk van het opkomen van de PVV. Heldring vraagt zich af, *hoe het in Nederland zo ver heeft kunnen komen. 'Draagt het linkse klimaat sinds de jaren 60/70, waartegen haast niemand zich durfde te verzetten, toch een deel van de verantwoordelijkheid? Heeft het uitblijven van een partij die open voor conservatieve waarden uitkomt, fataal gewerkt? Zelfonderzoek is nodig, en dat is moeilijker dan onderzoek.'* (NRC/H. 10 nov. 2011).

Eén ding is zeker: ons land is met de gedoogconstructie moeilijk te regeren. En bij een crisis kan zo'n probleem groter worden. Trouwens, wat is een crisis? Ook zonder het uiteenvallen van de eurozone kan er van alles gebeuren. Als de regering bijvoorbeeld doorgaat met de banken niet serieus aan te pakken waardoor ze een risico voor de belastingbetaler blijven, de huidige topinkomens in de publieke en semi-publieke sector laat bestaan en de woningmarkt op slot laat, kan er ook een stemming opkomen waarin de regering zich niet meer kan handhaven. Dan kan de SP ook in aantal zetels de grootste partij worden.

De PVV laat die kans voorbijgaan doordat zij haar hand begint te overspelen. Het is mij niet duidelijk waarom Wilders zich met de hoed van de koningin bemoeit, terwijl het land vol echte problemen zit. Daar heb je nu het soort radicaliteit waar de Nederlanders niet veel in zien. Een wat bredere oriëntatie zou de partij denkelijk ten goede komen. In Nederland is dus wel enige politieke verschuiving te verwachten, maar zo'n verandering betekent nog geen ondergang van de democratie, integendeel. Internationaal ligt het anders. Het is wél mogelijk, dat het gevaar voor de democratie van die kant komt.

Dat het democratische probleem niet specifiek Nederlands is, stelde columnist Heldring al een jaar eerder. Hij kijkt naar grote verbanden, ook van geo-politieke en economische aard, die ver voorbij de grenzen reiken en constateert dan bijvoorbeeld: *'machtsverschuivingen plegen ook politieke stelsels en staatsvormen niet onberoerd te laten'*, en: *'kapitalisme en democratie – het zijn twee nauw met elkaar verbonden verschijnselen'*. Vanuit dit perspectief beziet hij het kapitalistisch en democratisch zo succesvolle Amerika dat niettemin zijn hegemonie lijkt kwijt te raken en het communistische China dat naar kapitalistisch model bezig is *de wereld op te kopen*. En natuurlijk wordt de Weimarrepubliek niet vergeten. Heldrings conclusies zijn terughoudend, maar niet per se bemoedigend voor mensen die ervan overtuigd zijn dat het allemaal wel zal meevallen. Zo houdt hij rekening met de mogelijkheid - hij noemt het niet ondenkbaar - dat de democratie een economische crisis - evenmin ondenkbaar - niet overal zou overleven (NRC/H. 18 nov. 2010).

Het is waar, de internationale context heeft iets dreigends. Nog meent het Westen aan het roer te staan, politiek, economisch, cultureel. Nog probeert het overal de eigen materiële en geestelijke verworvenheden aan de man te brengen: kapitalisme, democratie en mensenrechten. Nog is Amerika de enige militaire supermacht. Nog vormen de economieën van de VS en Europa de grootste blokken in de wereld, samen bijna de helft van het bruto nationaal product wereldwijd (IMF, cijfers 2010) . Maar de groei is eruit en het herstel stagneert, zeker in Europa, omdat er geen geld meer is voor stimulerende maatregelen.

De VS en Europa zijn beide verslaafd aan goedkoop geld, maar Europa loopt een groter risico dan de VS. Zwakke eurolanden worden tot besparingen gedwongen die hun economieën kapot zullen maken. Dan rest faillissement en exit uit de euro. Daar kan geen steunfonds tegenop. Tenzij er eurobonds komen en alles quasi in één pot gaat. Maar in beide gevallen moet iedereen zwaar bloeden, ook Noord-Europa. De kiezers zijn overal begonnen om de politiek als zodanig te wantrouwen omdat zij niet meer in staat is om problemen op te lossen. Dat het eens vanzelfsprekende overwicht van de Atlantische as aan beide zijden overeind blijft, lijkt zeer de vraag.

Wat is er specifiek aan de politieke malaise in Nederland?

Wie het verschijnsel politieke malaise in Nederland wil begrijpen, kan in menig opzicht terecht bij overeenkomstige verschijnselen in het buitenland en bij internationale ontwikkelingen. Het patroon is herkenbaar. In de media vragen commentatoren zich soms af, waarom de verwijdering tussen overheid en burgers zich ook bij ons, zelfs bij ons en tegenwoordig juist bij ons, zo duidelijk heeft voorgedaan. Ons land is op het punt van politiek en bestuur naar onze indruk toch eigenlijk altijd een soort modelland geweest? Waarom dan nu ook hier zo'n duidelijke onvrede? Ik denk dat de mogelijke verklaringen die Heldring noemt voor het succes van de PVV ook hier relevant zijn. Tenslotte is opkomend populisme een symptoom van een politieke malaise, het wordt gevoed door onvrede. Het punt van Mark Bovens en Anchrit Wille moet hier ook worden genoemd: de *diplomademocratie,* de kloof tussen hoog- en laagopgeleiden. Maar voor het overige kan deze lange vraag toe met een kort antwoord: *omdat Nederland geen eiland is.*

Misschien zijn er ook nog wat andere, bijkomende factoren te noemen die specifiek Nederlands zijn, zoals de compromisloze omhelzing van nieuwe ideeën. *Nieuw, dus goed,* ons land loopt graag voorop. Als het politiek betreft, doet de richting er denkelijk minder toe, linksom of rechtsom, het gaat om de vlucht naar voren, met de mode mee. Dat is precies wat er heeft plaats gevonden in de laatste halve eeuw. Niet iedere burger is overal even blij mee, maar wat welke factor voor uitwerking heeft, is moeilijk te bepalen. Bij één kwestie is het toevallig redelijk duidelijk, althans aannemelijk. Nederland heeft bij de omslag naar links van de jaren '60 en later, zijn verleden weggerelativeerd. Toevallig ben ik geïnteresseerd in het begrip nationale identiteit. In Nederland wordt de nationale identiteit als probleem gezien. Waarom hier wel en elders niet? Ik ben toen gaan zoeken naar de oorsprong van nationale identiteit. En ik ben tot de conclusie gekomen dat althans een deel van de oorzaak van het veronderstelde identiteitsprobleem, het vrijwel uitgewiste nationale verleden zou kunnen zijn.

Een groots verleden en een onzekere toekomst

Bij onzekerheid over de toekomst is het verleden nooit ver weg. Het biedt een referentiekader, je kunt vergelijken. Maar het beeld van dat verleden is niet altijd objectief. De nationale geschiedenis wordt meestal wat rooskleurig voorgesteld, in het onderwijs al heel gebruikelijk. Ook in Nederland bestond die gewoonte. Vooral de vaderlandse geschiedenis was er een projectie van de overheersende calvinistische opvattingen. Over de behandeling van minderheden werd liever gezwegen. Het was immers sinds mensenheugenis een en al tolerantie geweest in ons land? Ja, zelfs in de koloniën werd voornamelijk uit nobele motieven gehandeld, zo heette het.

Maar in de latere jaren '60 zijn de rollen omgedraaid. Bij de vernieuwing van die tijd is de traditionele overwaardering van het verleden in haar tegendeel omgeslagen. Morele veroordeling is voorop komen te staan. Men werd zich eindelijk bewust van het onrecht van het kolonialisme en de slavernij. Op zichzelf heel terecht en het werd tijd ook, de slavenhandel is een historisch trauma, zoals Marcia Luyten het noemt. Het blijft aanwezig, zowel bij de nakomelingen van de slachtoffers als bij die van de daders. Maar bij die noodzakelijke bewustwording werden de historische feiten andermaal bijgebogen. Zo deed men het voorkomen alsof roem en rijkdom van de Gouden Eeuw voornamelijk berustten op koloniale uitbuiting en slavenhandel. Dit ten onrechte, beide hebben plaatsgevonden, maar ze hebben de Republiek niet heel veel opgeleverd. Het grote geld werd in Europa met de Europese bulkvaart verdiend, ik zal dit in het volgende hoofdstuk toelichten.

De verkeerde voorstelling van zaken paste beter bij het denken van de jaren '60 en later, dat toch al weinig met nationale geschiedenis had. Eenzijdige en tendentieuze negatieve voorlichting heeft het beeld van ons nationale verleden aangetast in plaats van gecorrigeerd. Zo is de geschiedenis van de Nederlanders van een fout label voorzien, waarover maar beter kon worden gezwegen. Deze indoctrinatie heeft tot een soort koloniaal schuldcomplex geleid. Dit zal het nationale zelfgevoel van de Nederlanders geen goed hebben gedaan, hun identiteit mogelijk onder druk hebben gezet. Identiteit en integratie hebben met elkaar te maken. Maar hier loop ik vooruit op mijn verhaal. Nu eerst terug naar 1945.

Na de Tweede Wereldoorlog stonden de economische problemen voorop. Het land moest de wederopbouw organiseren en voor werkgelegenheid zorgen. Veel mensen kwamen uit het vroegere Indië terug dat als onafhankelijk land Indonesië was gaan heten, en moesten hier een plaatsje zien te vinden. Dit terwijl het land met tien miljoen inwoners toch al als overbevolkt werd beschouwd. Geen banen en geen huizen, die combinatie werd als het grootste probleem gezien. In verband daarmee werd van overheidswege vanaf 1950 grootscheeps emigratie georganiseerd. Het is allemaal goedgekomen en de welvaart steeg tot ver boven het peil van voor 1940. De sombere voorspelling *Indië verloren, rampspoed geboren* is niet uitgekomen. De tijd en de omstandigheden zaten mee. Niettemin een grote prestatie, en een voorbeeld van teamwork. Premier Drees (PvdA) was met zijn no-nonsense aanpak een bron van inspiratie, en met zijn eenvoud bij uitstek een man om vertrouwen in te hebben.

Nu leven we ruim 60 jaar later. En de geschiedenis herhaalt zich, althans voor een deel. Zo worden we opnieuw geconfronteerd met te veel mensen en te weinig ruimte. In de randstad en in andere schaarstegebieden heerst toenemende woningnood. Ruimte vormt een groot probleem: sinds de periode 1950/1960 is het aantal inwoners met 50 procent toegenomen, zowel door de groei van de eigen bevolking als door immigratie. Bovendien worden er aan woonruimte, mobiliteit en recreatie heel andere eisen gesteld. Maar deze ontwikkeling heeft officieel niet tot overbevolking geleid. In Nederland bestaat namelijk geen overbevolking, zo schijnt van hogerhand te zijn besloten. Dit dogma vormt ons laatste taboe. Met de werkelijkheid heeft het niets te maken, zoals iedereen zelf kan constateren. Ook zijn er in de laatste halve eeuw nog andere problemen bijgekomen die met overbevolking samenhangen, zoals die van integratie, onderwijs, veiligheid en zorg.

Wat is er de laatste 50 jaar in ons land gebeurd?

Hier komen de gebeurtenissen uit de laatste halve eeuw opnieuw aan de orde, nu meer specifiek vanuit het perspectief van de verlinksing en verrechtsing. In 1960 was Nederland nog zo'n braaf, christelijk land, conservatief en gezagsgetrouw. De vier christelijke partijen bezetten in 1959 78 kamerzetels, een meerderheid. Maar sindsdien heeft het land een gedaanteverwisseling ondergaan Wie de laatste halve eeuw in het buitenland heeft doorgebracht, kent het land niet meer terug. Toevallig zíjn er van die ooggetuigen: in de jaren '50 zijn meer dan een half miljoen landgenoten geëmigreerd vanwege de overbevolking. Wat is er sindsdien veranderd?

Na 1960 raakte het behoudende land in de greep van de linkse tijdgeest, die gedeeltelijk links progressief was en gedeeltelijk links conservatief, georiënteerd op Marx en Mao. Deze omslag bracht belangrijke en noodzakelijke inzichten en vernieuwingen, maar is danig doorgeschoten. Kerken en zuilen werden neergehaald, gezag en hiërarchie, normen en waarden, alles verdween in de smeltkroes van het nieuwe gelijkheidsgeloof. Autoriteiten hadden afgedaan. Eerder moest alles en mocht niets, nu mocht alles en moest niets. Over onderwijs werd totaal anders gedacht. Geschiedenis, als besmet verleden, verdween vrijwel. Alles kwam zo veel mogelijk in het teken van de hulp aan kansarmen te staan. Uitkeringen breidden zich ongecontroleerd uit via openeinderegelingen. *De verbeelding aan de macht* en *links heeft ideeën, rechts heeft belangen,* heette het in de jaren '60. *Weg met die vréselijke prestatiemaatschappij* even later. Er kwam geen moord en doodslag aan te pas, maar verder leek het veel op een revolutie.

Deze beweging werd bekroond door het kabinet Den Uyl (PvdA) in 1973, *het meest linkse kabinet ooit.* Daar hoorde progressief immigratiebeleid bij. Niet dat er toen op dat punt al beleid was, want er was nog geen immigratie. Er waren alleen ongeschoolde gastarbeiders met wie was afgesproken, dat ze na afloop van hun contract terug zouden gaan. Begin jaren '70 was deze groep nog beperkt tot een aantal van misschien 200.000 mensen. Hun vertrek werd urgenter naarmate hun werk verdween. Maar bij nader inzien werd dit niet sociaal gevonden. Ze mochten blijven, het werden immigranten. Dit ondanks de protesten van prominente nationale klokkenluiders als vader en zoon Drees. Mede door gezinshereniging en later door gezinsvorming groeide de groep hard. Later kwam daar de veel grotere groep asielzoekers nog bij. In 2010 waren er tenslotte drie miljoen allochtone ingezetenen in het land, van wie iets meer dan de helft niet-westers. De instroom van kansarme immigranten is de laatste tien jaar sterk verminderd, al geven de grote steden door de concentratie een ander beeld.

Een voormalige grootmacht heeft vaak moeite met haar identiteit. Zo ook Nederland. Maar in de laatste 50 jaar is het nationaal besef nog meer in het gedrang gekomen. Het wegrelativeren van het nationale verleden noemde ik al. Maar ook de multiculti-ideologie is uitgesproken anti-nationaal. Daar zijn goede redenen voor. Wanneer je als land wordt geconfronteerd met zoveel immigranten, moet je je als nationale gemeenschap misschien opnieuw uitvinden. De nieuwe Nederlanders hebben ook hun rechten. Je kunt niet met de oude club van jongens onder elkaar blijven doorgaan met *God, Nederland en Oranje* als nationaal brandpunt. Maar of het verdacht maken van het nationale verleden daarbij veel helpt, is een tweede. Wie in het verzwakken van de nationale identiteit alleen winst ziet, vergeet de keerzijde. Integreren bijvoorbeeld doe je in een club die in zichzelf gelooft, waar je trots op kunt zijn, waar je bij wilt horen. De Amerikanen hebben dit psychologische mechanisme beter begrepen. Hoewel de integratie ook daar niet altijd even goed loopt.

Na de oliecrisis van 1973 was het kabinet Den Uyl ter bestrijding van de malaise nog meer geld gaan uitgeven. *Goed geld naar kwaad geld* zeiden de tegenstanders. Maar er zat systeem in. Het sleutelwoord was Keynes, de Brit die het anticyclisch investeren had bedacht waarmee een crisis kon worden bestreden. Bestreden, niet per se opgelost. Dat president Roosevelt met dit systeem Amerika niet uit de crisis had gekregen, was vergeten, maar mogelijk had hij het te kort geprobeerd. Al doende was er in Nederland ondanks het aardgas een grote staatsschuld opgebouwd, die eens zou moeten worden afgelost. Een tweede kabinet Den Uyl is er nooit gekomen.

Toch duurde het nog tot de crisis van 1982 voor de regering tot een echte ommezwaai zou worden gedwongen. De oplopende staatsschuld was niet meer te negeren. Een conservatiever beleid met drastische bezuinigingen en verkoop van het nationale tafelzilver bleek onder Lubbers en Ruding onvermijdelijk, ook de ambtenaren kregen loonsverlaging, drie procent Daarmee leek de *revolutie* van de jaren '60 pas echt uitgewerkt, haar effect tot normale proporties teruggebracht. Het herstel kon beginnen. Maar de gevolgen van de materiële en culturele kaalslag bleven merkbaar. De maatschappij was veranderd, omgevormd naar het linkse Progressief Nederland-model.

In 1989 viel de Berlijnse muur, hand in hand met de omwenteling in de Sovjet-Unie die in 1991 haar beslag kreeg. Het evenwicht tussen het kapitalistische Westen en het communistische Oosten verdween. Er ontwikkelde zich wereldwijd een nog sterker, ja alles overheersend materialisme. *Dansen om het gouden kalf* werd de nieuwe zingeving. De grote ideeën die de politiek tot dan toe hadden geïnspireerd, werden losgelaten. Er kwam een terugtrekkende overheid met een marktmodel voor in de plaats. Reagan en Thatcher zetten internationaal de toon. Toch ging het niet om een coup van rechtse partijen, het was eerder een mode, die bij de crisis van 1982 als noodzaak was begonnen en die vervolgens is doorgeslagen. Zoiets als eertijds de omslag naar links. Ook niet-rechtse partijen deden mee en lieten hun ideologische veren links liggen.

De Nederlandse variant ontwikkelde zich dus in de vorm van het rechtse BV Nederland-model. De politiek stimuleerde het en zette in op het kapitalisme, nu onder de dekmantel van neoliberalisme maar meedogenlozer dan ooit. *Kapitalisme zonder remmen,* zoals het door Maarten van Rossem wordt genoemd. De overheid stootte staatsbedrijven af en introduceerde bovendien marktwerking in eigen gelederen. Het afstoten van staatsbedrijven had op zichzelf goede redenen, maar er zijn nogal fouten bij gemaakt, zie hoofdstuk 4. Verder begon de overheid het bedrijfsleven na te doen, hoewel haar doelstellingen geheel andere zijn. Verzakelijking bleek allerminst de oplossing van elk probleem van de overheid, terwijl de bijwerkingen heftig zijn gebleken.

Consensus onder politici, niet onder kiezers

De omslag naar rechts was inhoudelijk tegengesteld aan die naar links. Zo streefde rechts naar een terugtrekkende overheid, terwijl links het omgekeerde beoogde. Mode gaat voorbij, maar deze en andere tegengestelde en soms doorgeschoten principes zijn naast elkaar blijven rondzingen. Zoals gezegd, politiek en bestuur raakten en bleven onder hun invloed, zeker in de jaren '90 en eigenlijk nog steeds. Wel deden partijen sinds 1989 hun best om elkaar niet te bezeren. De grote ideologieën hadden officieel afgedaan, het zou allemaal wat pragmatischer moeten. Vandaar de terugtrekkende overheid met haar marktmodel. Het leek aanvankelijk een neutrale en zakelijke oplossing voor een ideologische leegte. Maar naarmate het neoliberalisme dominanter werd, vertoonde het zijn donkere kant. Het neoliberalisme bleek evengoed een ideologie. Maar de geest was uit de fles en na 1989/91 ging het evenwicht verloren.

Het kapitalisme als monopolist, zou je kunnen zeggen. Marx zou zich in zijn graf hebben omgedraaid. Daar kwamen dan wel de zegeningen van de voorafgaande verlinksing bij. Veel modernisering dus, met onge- twijfeld veel goeds, maar traditionele normen en waarden gingen erbij overboord. Alles werd als voorheen opgeofferd aan totale vrijheid van handelen, lijkt het. In de praktijk kwam het nu neer op commerciële uit- buiting van iedereen en alles, met voorbijgaan van iedere norm. Dus an- dermaal: *alles moet kunnen*. Nu alleen gelegitimeerd door de voorwaarde dat het geld opbrengt. Ik denk dat de uit de hand gelopen industriële veehouderij in deze hoek zit. En bijvoorbeeld ook de reclameterreur op de televisie. Sowieso het immorele bonussysteem bij de banken, dat im- mers onverantwoorde risico's stimuleert.

Maar nu nog even terug naar 1989. De partijen waren sinds dat jaar naar het midden getrokken. In dit klimaat werd helder beleid moeilijk. Hoofdpijndossiers werden met rust gelaten. Er viel voor de kiezers weinig te kiezen. Ze stuitten steeds op dezelfde kleurloze coalities met vage orakeltaal en *uitstel als oplossing* (Chavannes). Het werd een politiek kwakkelklimaat.

Nu de grote politiek steeds vlakker en ondoorzichtiger werd, begonnen in plaats daarvan de kleine partijbelangen op te komen. Dit ging min of meer samen met de neergaande kwaliteit van de deelnemers. Daarnaast wonnen de partijgebonden beroepsbestuurders terrein. Het politieke bedrijf ontwikkelde zich steeds meer als belangenbehartiger van zijn di- recte deelnemers. Allengs profileerde zich, meer dan voorheen, een soort politieke klasse. De politiek werd daarmee voor sommigen een carrière- opstap en als zodanig een doel op zichzelf. De geloofwaardigheid van de politiek als belangenbehartiger van haar oorspronkelijke doelgroep, zijnde het hele volk, ging er niet op vooruit. Bovendien waren tegen het einde van de jaren '90 niet alleen de grote ideologieën maar ook de beide omslagen echt achterhaald. Die naar links al eerder, maar die naar rechts bleek evenmin te voldoen. De bizarre effecten in de praktijk lagen voor de hand: een zwak bestel plus te veel overheid én te veel managers.

De immigratie- en integratieproblematiek was intussen nog altijd meer een probleem van de burgers dan van de politici. De politiek als geheel had de kwestie aanvankelijk zo veel mogelijk als niet-bestaand afgedaan, hoewel lang niet alle politici. Ook de PvdA had een reeks staatssecretarissen voor Asielzaken die hun best hebben gedaan, van Kosto tot Cohen. Langzaam begon de zittende politiek als collectief toch nattigheid te voelen, ze begreep tenslotte dat er op de een of andere manier iets ingrijpends moest gebeuren, en ze bereidde wetgeving voor. Maar ze was er tegen de eeuwwisseling nog niet in geslaagd om op dit punt met concreet beleid vertrouwen te wekken. Misschien aarzelde de regering te lang. In ieder geval: in de leemte werd voorzien: Fortuyn kwam op en bracht het half weggestopte probleem dramatisch en met groot effect onder de aandacht.

Naast te veel overheid en te veel managers, bleken er volgens Fortuyn ook te veel immigranten te zijn. Die moesten naar zijn idee goed worden behandeld, maar in de toekomst zou het toelatingsbeleid strakker moeten. Daar zou iedereen belang bij hebben, in de eerste plaats de immigranten zelf. Het land zou een steeds maar aanzwellende stroom immers niet kunnen verwerken. Dus eerst orde op zaken stellen. Op zichzelf niet onredelijk, maar in strijd met de heersende, hoewel kwijnende ideologie. De bekwame, gematigde, misschien wat grijze premier Kok (PvdA) had daar even geen overtuigend antwoord op. Zijn beoogde opvolger nog minder. En ach, Fortuyn was maar een populist, en zou volgens regeringsgetrouwe optimisten al gauw een eendagsvlieg blijken. In zekere zin kregen ze gelijk, maar de politiek zat toen wel met 26 zetels voor een dode.

Economische crisis en eurocrisis

Zoals gezegd, de problemen begonnen met een hypotheekcrisis in de VS als aanleiding, in 2007/2008. Op de Amerikaanse huizenmarkt waren banken actief met mensen een lening te verstrekken voor een huis dat ze niet echt konden betalen. De risicovolle hypotheken werden ook nog *opgeknipt*, zeg omgekat, naar een vorm van lager risico, en met provisie en winst doorverkocht. Op die manier werd de bubble in de huizenmarkt gestimuleerd waarmee je snel rijk kunt worden. Of arm. Zolang de markt stijgt, verdient iedereen, zoals in een piramidespel. Maar als hij inzakt, zijn er veel slachtoffers. In de eerste plaats de eigenaren die hun huis uit moesten. Aanleiding en oorzaak zijn echter verschillende dingen. De besmette hypotheken bedroegen maar een beperkt deel van het Amerikaanse hypotheekvolume. Heleen Mees noemt 5 procent, ze wijst op de lage rente als veel belangrijker factor (Volkskrant, 14 jan. 2012). Dit zal zeker zo zijn, en in ieder geval geldt het laatste ook voor Europa, met name voor de zwakkere landen. Ik beschrijf de situatie in Spanje in hoofdstuk 11.

Vanuit de Verenigde Staten verbreidde de crisis zich door de besmette leningen, die overal terecht waren gekomen waar bankiers graag wilden verdienen en niet te nauw keken. Banken, vroeger conservatief en betrouwbaar, hadden zich laten inspireren door de woekerwinsten van zakenbanken en hedgefondsen. Ze waren gaan speculeren met geld van hun spaarders. In vroegere tijden was zoiets onmogelijk vanwege de strikte regels. Maar die beperkingen waren in een sfeer van neoliberale overmoed en optimisme grotendeels opgeheven.

Intussen waren veel banken door fusie en overname zo kolossaal geworden, dat omvallen riskant zou zijn voor de economie als geheel. De federale overheid in de VS kon zoiets niet laten gebeuren, dus steunde zij een aantal grote banken. Ook in Nederland werden uiteindelijk tientallen miljarden overheidsgeld naar getroffen banken gesluisd. Een handige constructie, want de banken konden dus elk risico nemen: de winst voor hen, het verlies voor de belastingbetaler De uitzondering onder de grote banken bij ons was de Rabobank. Verder bleken er ook nog hele landen te bestaan waar nog gewoon fatsoenlijk werd gebankierd: Canada en Australië.

In landen met een gezonde economie is deze tegenvaller redelijk verwerkt, al liep de staatsschuld overal op waar banken moesten worden gered. Zo ging de Amerikaanse staatsschuld in 2011 naar het niveau van het bbp, krap US $ 15.000 miljard. De eerste recessie in dit verband dateerde al van 2008 en was in 2010 redelijk hersteld. Maar een tweede volgde in 2011.

In Europa kregen de zwakkere leden van de EU het moeilijk. Griekenland, Ierland en Portugal moesten steun aanvragen. Italië moest voor het vernieuwen van zijn staatsschuld een steeds hogere rente betalen. Bij een schuld van € 1.900 miljard, 120 procent van het bbp, een riskante zaak. De Spaanse economie raakte, evenals de Ierse, in een diep dal door een eigen onroerend goed bubble als gevolg van goedkope eurokredieten. De staatsschuld liep er op naar ruim 60 procent bbp, dus dat ging nog, maar de economie was zwak. De schuld van Griekenland zou nooit kunnen worden terugbetaald, dus moest er schuldsanering plaatsvinden. Frankrijk bleek drie banken te hebben met veel Griekse vorderingen. Ook overigens zitten er veel vorderingen op zwakke landen in sterkere landen, iedereen is overal bij betrokken.

Het zwakke punt van het eurosysteem is de euro zelf, ingevoerd in landen die er niet aan toe waren. Met goedkope kredieten moet voorzichtig worden omgegaan. Het geld dient te worden besteed aan zaken die economisch zoden aan de dijk zetten. Als dit niet gebeurt, is het nadeel groter dan het voordeel. In dat geval is de euro het probleem, niet de oplossing. Het regime van bezuiniging dat de zwakke landen werd opgelegd om de euro te redden, kan alleen al niet werken omdat het de getroffen economieën nog verder verzwakt. Als de te vroeg ingevoerde euro erin slaagt de Europese Unie als geheel kapot te krijgen - Engeland heeft al een stap terug gedaan – zal de harde landing van de economie ons heugen. Het probleem zal in dat geval nog veel groter zijn dan wanneer alleen de euro verdwijnt. De euro is handig, behalve voor de zwakke landen die er het slachtoffer van zijn, maar de EU is onmisbaar.

Naast symptomen en achtergronden nu de concrete oorzaken van de malaise

Symptomen, achtergronden en oorzaken van een verschijnsel zijn soms alleen in theorie te scheiden, in de praktijk lopen ze door elkaar. En in dit geval zijn het er veel. Aan de oppervlakte van dit complex zie je veel genoemde oorzaken als *de buitenlanders, Brussel, de bezuiniging op de verzorgingsstaat en de privatisering,* of ook wel *de populisten.* Zulke factoren zullen zeker een rol spelen, maar je kunt er weinig mee. Er zitten weer andere oorzaken achter: de buitenlanders zijn hier niet vanzelf gekomen, Brussel is niet zomaar ontstaan, de bezuiniging en de privatisering hebben redenen gehad en de populisten zijn geen toevallige politieke gelukszoekers. Bovendien zijn de populisten denkelijk eerder gevolg dan oorzaak van de malaise. Maar oorzaak en gevolg tegelijk kan ook, als in een vicieuze cirkel. Het gaat in ieder geval om de samenhang, om het patroon van de oorzaken. Dit patroon moet zich in de laatste 50 jaar hebben ontwikkeld. De laatste tien jaar is het effect ervan in een versnelling geraakt.

Bij het zoeken naar de oorzaken van de malaise zien we om te beginnen dat er na 1960/1970 een omslag naar links is geweest met het Progressief Nederland-model. En daarop aansluitend na 1980/1990 een omslag naar rechts met het BV Nederland-model. De bronnen van deze principes zijn duidelijk: afgezien van de omstandigheden en de tijdgeest, was de neosocialistische ideologie gebaseerd op het 19de eeuwse marxisme, en de neoliberale ideologie op het 19de eeuwse angelsaksische kapitalisme. Het zijn van oorsprong ideologische ficties, maar in hun consequenties zijn ze feitelijk genoeg, zowel positief als negatief. Beide hadden een goede reden van bestaan, maar ze zijn doorgeschoten.

Ik zie de beide omslagen in chronologische volgorde als de eerste en de tweede oorzaak van de malaise. Dit vanwege hun negatieve bijverschijnselen. Bij de omslag naar links was het de doorgeschoten socialisering met haar overdreven nivellering en tolerantie, en alles wat daaruit voortkwam, van normvervaging tot een te ruim toelatingsbeleid. Bij de omslag naar rechts was het de doorgeschoten individualisering met haar overdreven verzakelijking en marktwerking, en alles wat daaruit voortkwam, van slecht functionerende ex-overheidsbedrijven tot culturele en sociale kaalslag. Het curieuze is dat ze daarnaast beide een late en mislukte echo zijn van enkele van de grote ideeën die eens de politiek beheersten en haar gewicht en prestige verleenden: de leer van Marx met de emancipatie van de arbeiders en de leer van Adam Smith met de opheffing van het nationale protectionisme.

Als derde oorzaak in deze volgorde van tijd zie ik het bestel, denkelijk de belangrijkste van de drie. Bij de verlinksing en de verrechtsing heeft het bestel steeds een rol gespeeld en de vervreemding van politiek en kiezers in de hand gewerkt. Toen de zuilen nog bestonden, was het consensusmodel dat wij hebben functioneel. Alle partijen met hun vaste electoraat moesten daarbij immers worden vertegenwoordigd, het beleid moest daarvan een afspiegeling zijn. Het model had ook een nuttige depolitiserende werking. De tegenstellingen werden erdoor verzacht en het schiep daardoor een werkbare atmosfeer.

Naarmate de zuilen verdwenen en de kiezers in hun politieke keuze geïndividualiseerd raakten, verloor het consensusmodel zijn functie en is het eerder averechts gaan werken. Wat controversieel is, kan bij de karteldemocratie met haar vaste afspraken buiten beschouwing blijven. Het is wat ik eerder bedoelde met vlees noch vis en één pot nat. De kiezer ziet dan te weinig effect van zijn politieke keuze. Bij een meerderheids-democratie heb je dat probleem niet. Hier sluit ik aan bij de gevestigde politicologische opvattingen van Andeweg, Thomassen c.s.

Dan de partijpolitiek, die scoort in de praktijk vaak hoger dan het landsbelang. Zoals gezegd, politici worden vooral gerecruteerd uit ijverige partijgangers, met hun partijervaring als belangrijkste geeste-lijke kapitaal. Bij doorstroming naar zware beleidsfuncties, politieke en bestuurlijke, ontstaan soms functioneringsproblemen. Mettertijd is de leiding van veel overheids- en semi-overheidsorganisaties in handen van oud-politici geraakt. Zij vormen een invloedrijke en vaak overbetaalde categorie van beroepsbestuurders.

Deze drie factoren zou je hoofdoorzaken kunnen noemen. De gevolgen die eruit voortkomen, wekken onvrede bij de burgers. Er is weinig draagvlak. Bovendien is met de combinatie van de drie in de praktijk weinig te beginnen. De combinatie schept een moeizaam politiek en bestuurlijk klimaat dat innerlijke samenhang mist. Wat mij heeft verrast, is hoe destructief de ideologieën met hun gebrek aan wederzijdse chemie op elkaar inwerken. Het onderwijs is hiervan een voorbeeld. Evidente onkunde van politici en bestuurders, uitgelokt door het ontoereikende bestel, is hier hand in hand gegaan met achterhaalde ideologie van links én van rechts. Zo hebben nivellering en marktwerking tot elke prijs, monsters gebaard in de vorm van inferieure diplomafabrieken. Voor de Nederlandse Spoorwegen is een soortgelijk model van toepassing, met als variatie vakbondsefficiency gecombineerd met privatisering en marktwerking.

Ondanks alles wordt deze mix van tegengestelde en doorgeschoten ideologie, achterhaald ook nog, aan de burgers stelselmatig als vanzelfsprekend voorgehouden. Politiek en bestuur zijn ervan doortrokken. De kwaliteit van het politieke bedrijf is onvoldoende om de geldende linkse en rechtse dogma's te doorbreken. Bovendien voorzien ze in een behoefte: de politiek kan erop terugvallen. Zoals eerder gezegd, ze zijn een surrogaat voor het grote verhaal dat in de politiek niet meer bestaat. Samengevat: in de laatste halve eeuw zijn de burgers van Nederland geconfronteerd met drie dingen die hun door de politiek zijn opgedrongen en waar ze niet veel in zien:

1 De neosocialistische omslag van na 1960 met het linkse Progressief Nederland-model, gericht op socialisering van de samenleving: met emancipatie, democratisering & nivellering, individuele vrijheid & collectieve verantwoordelijkheid, wegrelativeren van de eigen cultuur & geschiedenis, een dominerende overheid en de verzorgingsstaat.

2 De neoliberale omslag van na 1980 met het rechtse BV Nederland-model, gericht op individualisering van de samenleving: met persoonlijke prestatie & individuele verantwoordelijkheid, verzakelijking, privatisering & marktwerking bij een terugtredende overheid, sociale en culturele krimp en de prestatiemaatschappij met geld als maatstaf.

3 Het bestel met zijn consensusmodel en paarse karteldemocratie, medeoorzaak van het populisme, met afnemende kiezersinvloed op het beleid, met partijpolitici die niet naar hun kiezers luisteren en zelf soms ook weinig visie of idee hebben, met overbetaalde beroepsbestuurders deels uit dezelfde sector, en met verwording van zijn politieke functie.

Deze drie malaisefactoren zijn niet van strikt binnenlandse oorsprong, maar ze zijn wel door onze politiek in de hand gewerkt. Het zijn daarmee politieke factoren geworden, die in principe dus ook door de politiek kunnen worden herzien. Die herziening is wel nodig. De mensen zijn geconfronteerd met allerlei zaken waar ze niet om hebben gevraagd, ze zagen al die veranderingen toch al niet zitten en dan blijken ze nog gelijk te krijgen ook. Maar door de politiek wordt alles vooralsnog voorgesteld als onvermijdelijk. Hetzij in het kader van de eerste of de tweede omslag, hetzij van de veranderde politieke praktijk van het bestel.

Hieronder enkele gereconstrueerde vragen en antwoorden uit de praktijk. Tussen haakjes de verwijzing naar de corresponderende malaisefactor.

Vragen

'Waarom zijn er hier tot 2002 zo veel kansarme buitenlanders toegelaten, bijvoorbeeld in vergelijking met Denemarken of Zwitserland?'
'Omdat we als progressief en tolerant land die mensen wel moesten opnemen.' (1)

'Waarom is Nederland zo overbevolkt, hadden ze dat niet kunnen zien aankomen?'
'Nederland is niet overbevolkt, het is minder dicht bevolkt dan Shanghai, Bangla Desh en de Palestijnse gebieden.' (1)

'Waarom is het Nederlandse onderwijs zo slecht?'
'Het onderwijs is niet slecht, er worden veel meer diploma's gehaald dan vroeger. Spreiding van kennis noemen we dat' (1)

'Waarom moesten al die goed functionerende overheidsbedrijven worden geprivatiseerd?'
'Om het rendement te verhogen en de dienstverlening te verbeteren:dus goedkoper, efficiënter en nóg dichter naar de burger toe.' (2)

'*Waarom verdienen leraren, verpleegkundigen en politiemensen zo weinig?*'
'*Ze worden betaald naar hun verantwoordelijkheid, en het zijn nu eenmaal de managers die hen aansturen.*' (2)

'*Over managers gesproken, waarom verdienen de topmanagers bij de semi-overheid vaak veel meer dan de minister-president?*'
'*Het is de markt, anders lopen ze weg.*' (2)

'*Waarom zijn de leden van de Tweede Kamer voor het overgrote deel uit de overheidssector afkomstig? Mensen met bedrijfservaring zie je daar bijna niet. Dat is toch geen representatieve vertegenwoordiging?*'
'*Het is nu eenmaal gebruikelijk, maar er zit geen dwang achter. Iedereen met passief kiesrecht kan zich melden als kandidaat-lid.*' (3)

'*Waarom zijn er de laatste tien jaar zo veel ministers en staatssecretarissen zonder passende opleiding, vakkennis en ervaring geweest?*'
'*Dat zijn beroepspolitici, generalisten, verdienstelijke partijleden. Bovendien zijn het volksvertegenwoordigers, dus juist zij genieten het directe vertrouwen van de kiezer.*' (3)

'*Waarom worden hoge bestuursfuncties bij overheids- en semi-overheidsorganisaties meestal gereserveerd voor oud-politici of partijgebonden bestuurders uit de overheidssector? Op zo'n manier wordt bijna al dat topkader gerecruteerd uit actieve partijleden. Dat zijn naar schatting een paar procent van het totale aantal dat toch al beperkt is, dus misschien ruim 10.000 mensen, zeg 1 procent van de kiesgerechtigde bevolking.*'
'*Zij bezitten de ervaring die voor deze cruciale functies nodig is.*' (3)

Juist in de afgelopen tien jaar, de periode sinds Fortuyn, heeft de politieke malaise zich overal gemanifesteerd. Maar intussen heeft de tijd
niet stilgestaan. Het zelfreinigend vermogen van de politiek mag onvoldoende zijn, nul is het niet. Het immigratiebeleid is na Fortuyn flink
omgebogen. De vraag is, of dit niet al veel te laat is geweest. Bovendien:
contra-bewegingen lijken vaak op een tweetraps raket. Ze raken pas
goed op dreef als ze al los van de grond zijn. In dit geval concreet: ze
winnen aan dynamiek als het probleem van de oorspronkelijke oorzaak
al grotendeels is opgelost. De PvdA lijkt slachtoffer van zo'n revolutie-
mechanisme. De nieuwe vreemdelingenwet van het jaar 2000, de wet
waarmee minister Verdonk kon scoren, is uitgerekend afkomstig van de
toenmalige staatssecretaris Cohen.

3 | De neosocialistische omslag van na 1960 met het linkse Progressief Nederland-model, gericht op socialisering van de samenleving: met emancipatie, democratisering & nivellering, individuele vrijheid & collectieve verantwoordelijkheid, wegrelativeren van de eigen cultuur en geschiedenis, een dominerende overheid en de verzorgingsstaat

Verouderde ideologieën als bron van politieke vervreemding

De traditioneel heersende politieke stromingen, liberalisme, confessionalisme en socialisme, gaan uit van de sociale en ideologische tegenstellingen van eind 19de eeuw, die nu niet meer bestaan (Paul Scheffer in NRC/H. van 20/21 maart 2010). De liberale heren zijn bijna verdwenen, de georganiseerde christenen zijn een minderheid gaan vormen en ongeschoolde arbeiders zoals vroeger, moeten we nu in de lagelonenlanden zoeken. Wat valt te verwachten van partijen die de wereld van vandaag benaderen met ideologieën van gisteren? Ze vinden inhoudelijk steeds minder aansluiting. Hun geërfd vermogen bestaat uit aandelen kapitalisme en marxisme, aangevuld met christelijke emancipatie en met schoolstrijd ten behoeve van de minderheidsgroepen, alles uit de 19de eeuw, althans van voor 1917. Verleden tijd, zou je zeggen, voorgoed voorbij. Zo hadden wij als modern land vóór 1960 al afscheid genomen van dat 19de eeuwse gedachtengoed. Dachten we. Want wie had op de herleving van het marxistische rode vaandel gerekend, na 1960? Of op de kapitalistische reflex van een terugtrekkende overheid, na 1980?

Wie zich afvraagt waar de confessionelen in deze retrotheorie blijven, kan kijken naar de ChristenUnie, daar is ook een vernieuwing waar te nemen die tegelijk een verdieping van orthodoxie is. Maar deze partij zet vooral de orthodox-protestantse traditie voort, die van de *bible belt*, niet de protestantse traditie in het algemeen, die van ARP en CHU, en nog minder die van het confessionalisme als geheel. Een neokatholieke partij is er niet meer, in ieder geval niet landelijk. De laatste was de conservatieve KNP van Welter rond de dekolonisatie. Het CDA neemt de overige gelovigen voor zijn rekening, maar daarvan zijn er niet meer zo veel.

De verlinksing van de confessionelen

Het bij de naoorlogse ontkerkelijking verweesde ideologische denken bij de confessionelen, is na 1960 deels van richting veranderd en heeft bij links aansluiting gevonden. Dit aldus ontstane linkse smaldeel lijkt de achtergrond van de kloof in het CDA bij de gedoogconstructie met de PVV. De ChristenUnie is van huis uit wat behoudender ingesteld. De verandering van politieke koers van individuele confessionelen begon al veel eerder. De sociaaldemocratische premier Den Uyl bijvoorbeeld, was van huis uit gereformeerd. In de PvdA waren er meer, al vanaf het begin, en katholieken waren er ook, al was er dan geen echte doorbraak. De sociaaldemocratische premier Drees, een generatie eerder, was oorspronkelijk hervormd, maar eerder aan de vrijzinnige kant. Het is een geleidelijk proces geweest. Er was aanvankelijk moed voor nodig, maar later, toen de kerken politiek stelling begonnen te nemen op links, werd het bijna de hoofdstroom.

Twee landelijke kwaliteitskranten van progressieve signatuur, de Volks-krant en Trouw, zijn van huis uit katholiek resp. gereformeerd. Het Parool daarentegen, evenals Vrij Nederland (en daarmee Trouw) begonnen als verzetsblad, was qua herkomst niet-confessioneel links. Vrij Nederland kwam met H.M. van Randwijk en anderen oorspronkelijk uit de gere-formeerde hoek. Vanwege de linkse koers vond in 1943 een afsplitsing plaats en gingen enkele dissidenten rond de VU hoogleraar Gezina van der Molen met Trouw verder. Trouw is dus zoiets als een gematigde kloon van Vrij Nederland. Zowel de katholieke als de gereformeerde universiteit, Nijmegen en de VU, richtten zich later steeds meer op links, zeker in de jaren '70. Tilburg voegde zich daarbij. Tot zover de verlinksing van de confessionelen als achtergrondfactor bij de omslag van na 1960. Nu eerst terug naar de twee retrobewegingen in het algemeen.

Oude wijn in nieuwe zakken

Bij de omslagen van na 1960 en van na 1980, kwam verouderde ideologie nog eenmaal tot leven. Het was alsof afgedankte acteurs uit lang vervlogen tijden nog voor een laatste keer het toneel wilden betreden voor een hoofd-rol, nu gehuld in een eigentijds jasje. Het is hun gelukt, ze hebben hun oude wijn in nieuwe zakken aan de man weten te brengen: de jaren na 1960 resp. na 1980 hebben grote veranderingen gebracht in maatschappijopvatting, het neosocialisme en het neoliberalisme hebben diepe sporen getrokken. Beide opvattingen hadden bij hun doorbraak al een hoog retrogehalte. Hun onbruikbaarheid bij consequente en ongeremde toepassing was im-mers al gebleken. De quasi totale nivellering van de arbeidersparadijzen van na 1917 en het door God gewilde welvaartsverschil van de 19de eeuwse standenmaatschappij die daaraan voorafging, kwamen in laatste instantie op hetzelfde neer: uitbuiting van de massa door een elite van geprivilegi-eerden, de een niets, de ander alles.

Niettemin hebben deze ideologieën kans gezien om de maatschappelijke gelijkmatigheid en redelijkheid te doorbreken. Het succes is hun ijveraars naar het hoofd gestegen: beide zijn doorgeschoten. Als monomaan toegepast gedachtengoed zijn ze blijven rondspoken, zonder veel voeling met de realiteit. Concurrentie hadden ze weinig, behalve van elkaar. Meer nog dan de bevolking, zijn politiek en bestuur in de ban van deze ideologieën geraakt en gebleven. Van de overheid wordt nu eenmaal verwacht dat zij met een verhaal komt. Hoe meer oude zekerheden haar ontvallen, hoe meer ze zich aan iets zal vastklampen dat op een verhaal lijkt en dat structuur biedt.

Tegenstrijdigheid bij de overheid, onbegrip bij de burger

De overheid heeft daarmee een innerlijke tegenstrijdigheid opgedaan die voor de burger niet meer te volgen is. Natuurlijk zijn er de belangrijke verworvenheden van de omslag van na 1960, zoals de grotere vrijheid, de emancipatie van minderheidsgroepen, de betere toegang tot het onderwijs. En ze zullen er zeker ook zijn, of zijn geweest, bij de omslag van na 1980. Hier en daar krijg je meer waar voor je geld door lagere tarieven en een betere service, hoewel het omgekeerde vaker voorkomt. Hoe dan ook: positieve effecten, daar wordt niet steeds bij stilgestaan. Het zijn in de regel al gauw verworven rechten geworden. De aandacht richt zich vooral op de onbedoelde neveneffecten, de bijwerkingen. Daarvan zijn er nogal wat. De overheid is in het algemeen eerder goedbedoeld naïef dan pragmatisch professioneel te werk gegaan.

De burger wordt overvallen door zulke effecten, weet er geen raad mee. Hij voelt zich onzeker, een beetje van zijn land vervreemd, in ieder geval van de overheid. Hij kan de immigratie, het gedoogbeleid, de normvervaging en de criminaliteit niet plaatsen. Daarnaast voelt hij zich uitgebuit door de privatisering en marktwerking bij de overheid. De burger voelt zich van twee kanten belaagd. Hij weet nog dat er gezag was op straat en dat de mensen zich aan de verkeersregels hielden, dat het een plezier was om met de trein te reizen, of om op een efficiënt postkantoor simpele zaken af te wikkelen. De televisie bood een programma zonder schreeuwreclame en al dat .nl gezeur om te kijken hoe het afloopt. In het algemeen ziet hij alles wat verandert maar in zijn ogen niet verbetert, als resultaat van bewust gevoerd beleid, niet als neveneffect. De overheid krijgt van alles de schuld, de burger begrijpt de overheid niet meer. Nederland is toch een democratie, maar waar zijn de kiezers dan die zulke ontwikkelingen hebben goedgevonden? De burger kent er niet één.

Bij jongeren speelt de vervreemding van de politiek nog meer, maar in de moderne maatschappij zijn ze thuis. Bij hen is 1975 bijvoorbeeld al *van voor hun tijd* en dus niet belangrijk. Ook de politiek heeft tegenwoordig de neiging niet te ver terug te kijken, 1975 is daar al lang geleden. De stand van zaken in 1975 wordt dan als uitgangspunt genomen, als normaal beschouwd. Maar vóór die tijd waren zaken als overbevolking, om maar iets te noemen, nog gewoon bespreekbaar in de politiek. Ik verwees al naar de activiteiten van Willem Drees Sr en Willem Drees Jr. Sindsdien is overbevolking van de politieke agenda verdwenen. En nu weten althans jonge mensen niet beter, of overbevolking is altijd al een onfatsoenlijk onderwerp geweest. Waaróm dit zo zou zijn, vraagt niemand zich meer af: *het is iets met discrimineren of zo, in ieder geval foute boel en daarmee uit.*

Laten we daarom die twee ingrijpende omslagen eens wat nader bezien, de neosocialistische en de neoliberale. Het wordt een reis door de tijd, maar het blijft overzichtelijk want we gaan niet verder terug dan tot 1960, toen het allemaal begon *en geluk heel gewoon was.* In dit hoofdstuk, 3, verder aandacht voor de omslag van na 1960. In het volgende hoofdstuk, 4, komt de omslag van na 1980 aan de orde. In hoofdstuk 5 wordt het bestel behandeld en in hoofdstuk 6 het moeizame samengaan van de drie hoofdoorzaken van de malaise: de verlinksing, de verrechtsing en de verwording.

De vernieuwing van na 1960, mede geïnspireerd door Mao's Culturele Revolutie: aanslag op maatschappij en cultuur vanuit de politieke ideologie van totale nivellering

De vernieuwing van na 1960 werd ingezet met een geleidelijke overname van de Nederlandse sociaaldemocratie door Nieuw Links, opgericht in 1966, maar de verandering van het politieke klimaat was al eerder merkbaar. Deze ontwikkeling paste in de sfeer van het postmodernisme. Nieuw Links ontpopte zich als een vastbesloten voorhoede. Het werd terug naar af, qua socialisme. Alle onversneden ideologie die in de arbeidersparadijzen niet bleek te werken, werd, voor zover het aan Nieuw Links lag, onbekommerd op ons welvarende land losgelaten.

Weg met de kapitalisten en de regenten. Eigendom was diefstal van het volk. Dus een erfenis van ouders aan hun kinderen zou moeten worden wegbelast. Dit in een tijd waarin redelijkheid en fatsoen de norm waren voor verschillen in inkomen, de huidige graaicultuur was nog ver weg. Hiërarchie en autoriteit zouden zo veel mogelijk moeten verdwijnen. Wet en orde werden verdacht gemaakt. Nivellering, emancipatie en individuele ontplooiing & ontwikkeling kwamen voorop te staan. Deze doelen moesten democratisch en anti-autoritair worden bereikt, met zoveel mogelijk gedogen onder het motto *niets moet, maar alles moet kunnen.*

Enkele programmapunten van Nieuw Links, als neergelegd in Tien over Rood (1966).

- Ontwikkelingshulp naar twee procent van het nationaal inkomen (in 2011 0,7 %)

- Nederland een republiek na de regering van koningin Juliana

- Successierechten progressief, erfenissen boven ƒ100.000,-
  voor 99 % belasten

De nieuwe samenleving zou in de plaats moeten komen van *'die vréselijke prestatiemaatschappij.'* En zij zou gericht moeten zijn op *'de spreiding van inkomen, kennis en macht,'* allemaal woorden die Den Uyl graag gebruikte. Zoals gezegd was Den Uyl aanvankelijk allerminst een pleitbezorger van Nieuw Links, integendeel, hij probeerde vooral de boel bij elkaar te houden. Of er in de jaren '60 van de vorige eeuw voor het omhelzen van het traditionele socialisme even gegronde redenen bestonden als in de 19de eeuw, valt te betwijfelen. In de eerste plaats omdat er sinds de tijd van Marx en Engels het een en ander was verbeterd. In de tweede plaats omdat hun leer in de Sovjet-Unie en in de satellietlanden tot zodanige misstanden had geleid, dat een kind kon zien dat het middel erger was dan de kwaal. Nieuw Links was een minderheid, zij het een vitale. Maar veel gematigde leden van de PvdA vonden dat de sociaaldemocratie zoals die door premier Drees was opgebouwd, een staat van maatschappelijke aanpassing had bereikt waarmee vriend en vijand wel hadden moeten kunnen leven.

Ratio en revolutie zitten niet in dezelfde hoek, sentiment speelt bij revolutie eerder een rol. Het is ook te simpel om de oorzaak van de omslag van na 1960 alleen in de politiek te zoeken. Na de Tweede Wereldoorlog moesten de getroffen landen eerst weer enigszins op gang worden gebracht. Dat werd dus hard werken, er was geen tijd voor experimenten. Wel had de oorlog duidelijk gemaakt dat er dingen moesten veranderen. Koningin Wilhelmina heeft dit goed aangevoeld, maar het momentum was er nog niet. Vrijheid en onafhankelijkheid waren intussen overal courante begrippen geworden. In dat kader kwam de dekolonisatie op gang, vooral bevorderd door de Verenigde Staten, en ontstond er allerlei vernieuwing. In Europa begonnen vooral jongeren zich uit de knellende banden van burgermaatschappij, overheid en kerk te bevrijden. Aanvankelijk langzaam, maar na 1960 steeds sneller.

Het maatschappijbeeld in ons land veranderde rigoureus. Kerken en verenigingen verloren aan invloed, het zuilenstelsel begon te wankelen en de sociale samenhang verzwakte. De individuele vrijheid nam toe, emancipatie kreeg de ruimte en het voortgezet onderwijs werd breed toegankelijk. Zoals gezegd waren dit grote voordelen, maar er waren ook belangrijke neveneffecten. Nieuw Links was de drijvende kracht, maar als exponent van een vernieuwing die ook andere landen hebben doorgemaakt. Het zal de geest van de tijd zijn geweest. In ieder geval was het resultaat opmerkelijk: een politieke, sociale en culturele omwenteling. Behalve in strikt staatkundige zin zou je bijna van een revolutie kunnen spreken. Je zou het een kleine culturele revolutie kunnen noemen, als poldervariant van de gelijknamige topprestatie van de grote roerganger Mao (1893-1976) in China.

Deze geniale progressieve leider, die dus uitsluitend het belang van het volk diende, had met de *Grote Sprong Voorwaarts* van 1958 tot 1962 al veel bewonderende aandacht getrokken. Met de *Grote Culturele Revolutie van het Proletariaat*, rond 1966/69, heeft hij voor altijd zijn naam gevestigd bij hen die het hart op de juiste plaats dragen. Hoe het met beide bewegingen is afgelopen, werd in het midden gelaten, het ging om de goede bedoeling. Het Chinese volk werd de grote verliezer: mogelijk 65 miljoen mensen kwamen om, meest van de honger, en het cultuurlandschap van China werd grotendeels vernietigd. Al met al wel een heel hoge prijs voor de eenheid van het land. Buitenlandse barbaren hadden het niet erger kunnen doen. Daar hielp geen Chinese Muur tegen, de vijand kwam van binnenuit.

Mao inspireerde desondanks veel progressieve intellectuelen in het Westen, ook in Nederland. Wie denkt dat ik overdrijf, mag ik wel wijzen op de marxistische hoogleraren in Amsterdam die Mao verdedigden. Die 45 miljoen slachtoffers, alleen al van de Grote Sprong Voorwaarts door honger, folteringen en executies, waren hun niet opgevallen, daarover hoorde je in hun colleges nooit iets. Overigens is het aantal slachtoffers recentelijk door de sinoloog Frank Dikötter wetenschappelijk benaderd in zijn studie 'Mao's Great Famine'; New York, Bloomsbury, 2010. Er is in 2011 een Nederlandse vertaling verschenen bij Het Spectrum. Oscar Garschagen schrijft erover in NRC/Handelsblad van 11 nov. 2011. Eerder was er de al genoemde Fransman Courtois met zijn zwartboek van het communisme.

Ook buiten de universiteit was Mao's evangelie aangeslagen. Niet dat het bij ons tot massamoord op dissidente burgers is gekomen, niet dat musea en bibliotheken met de grond gelijk werden gemaakt, maar het verschijnsel was qua achterliggend mechanisme toch enigszins vergelijkbaar: een geweldige aanslag op de maatschappelijke structuur en op het culturele erfgoed, alles ten dienste van een politieke ideologie.

Bijwerkingen, met als voorbeeld het wegrelativeren van de Nederlandse cultuur en geschiedenis en de gevolgen daarvan voor de Nederlandse identiteit en daarmee voor de integratie

Hoe effectiever een medicijn, hoe heftiger soms de bijwerkingen. *Nivellering tot elke prijs* en *iedereen heeft recht op alles* bijvoorbeeld, zijn zulke medicijnen. *Alles moet kunnen.* Dat hebben we geweten. Het begrip loon naar werken verloor zijn vanzelfsprekendheid, er kwamen allerlei uitkeringen waar je al gauw recht op had, normen en waarden werden uitgehold en het niveau van het onderwijs daalde dramatisch.

Er werden van 1960 tot 2000 op grote schaal meest ongeschoolde buitenlanders toegelaten. Aanvankelijk tijdelijk om het werk te doen waarvoor geen Nederlanders meer te vinden waren, daarna permanent *omdat we deze mensen natuurlijk moesten accommoderen.* Deze ideologische overwegingen vormden vanzelf ook de achtergrond van het Nederlandse asielbeleid. Hoe kansarmer hoe beter, lijkt het uitgangspunt te zijn geweest. De VS, Canada, Australië en andere immigratielanden deden het anders. Zij stelden om te beginnen bij immigratie hoge eisen en zetten ook andere nieuwkomers die mochten blijven, zo snel mogelijk aan het werk. De buitenlanders zelf is overigens niets te verwijten. Zij hebben alleen gedaan wat wij in hun plaats ook zouden hebben gedaan: een beter leven zoeken.

De vernieuwing van na 1960 heeft dus een reeks van vaak onbedoelde, maar ingrijpende gevolgen met zich meegebracht. Sommige daarvan komen in hun praktische consequenties later nog aan de orde. Maar hier wil ik alvast wat uitvoeriger stil staan bij één belangrijk aspect: de herziening van het denken over de Nederlandse cultuur en geschiedenis en de verbreiding van dit gedachtengoed via het onderwijs. Het komt neer op de relativering van onze eigen cultuur en nationale identiteit, mede ten behoeve van de multiculturele samenleving, het nieuwe ideaal. Het multiculturalisme kwam niet uit de lucht vallen, het is een praktische toepassing van het cultuurrelativisme. Het had ook te maken met de omvang van de immigratie en met het daaruit voortvloeiende probleem van integratie: de multiculti samenleving werd als oplossing gepresenteerd.

Je ziet een samen doorleefde geschiedenis, een gemeenschappelijke cultuur en een gedeelde identiteit in het algemeen in elkaars verlengde liggen. Niettemin kunnen uiteenlopende culturen met behoud van hun eigenheid ook heel goed onder één dak wonen, zoals de Verenigde Staten bewijzen. Assimilatie is niet direct nodig, zeker niet om aan het werk te gaan. Maar wil zo'n samenleving functioneren, dan is er wel een sterke overkoepelende cultuur nodig, met een daarop gebaseerde zelfbewuste nationale identiteit en solidariteit. Dit in combinatie met respect voor de cultuur van de immigranten, dus niet of of, maar en en. Ook is een sterk ontwikkeld nationaal gevoel belangrijk voor de integratie van nieuwkomers. In de VS is het idee, dat het gastland zich moet presenteren als een land dat iets voorstelt, een land om trots op te zijn, een land waar je bij wilt horen. Vóór alles ook: een land dat de immigranten nodig heeft en dat ze graag ziet komen ter versterking van de eigen positie. In Nederland is een omgekeerde redenering gevolgd. Waarom?

Voor de links-progressieve denkers die de vervlakking van de nationale cultuur vermoedelijk in gang hebben gezet, is bewust gekoesterde nationale identiteit een soort vals sentiment, ook al bestaat zoiets niet, of iets provinciaals. Het gaat in ieder geval om een opvatting die de verlichte, rationele en moderne wereldburger niet past. Als je cultuurrelativisme nastreeft, kun je het nationale gevoel beter een laag profiel geven. Het onderwijs is van deze anti-nationale tendens of zelfs ideologie doortrokken geraakt. Jonge mensen is bijgebracht zich zo veel mogelijk als rationele individuen te laten gelden die zelfbewust in de wereld staan, zonder veel boodschap aan het verleden, en zeker niet het nationale verleden. Tegelijkertijd is dat verleden verdacht gemaakt. Kortom, de Nederlanders is geleerd, hun eigen nationale geschiedenis te relativeren en te bagatelliseren, zo niet te minachten.

Deze educatieve indoctrinatie lijkt niet erg gelukkig uit te pakken. Relativeren kan meestal geen kwaad, maar mensen en gemeenschappen in hun identiteit te treffen, brengt in de regel niet veel goeds. Wie of welke groepen het betreft, doet er niet toe. Identiteit is een ongrijpbaar, een kwetsbaar maar tegelijk ook een taai gegeven, juist omdat de notie ervan niet op ratio maar op sentiment berust. Terwijl de immigranten in hun prachtwijken veelal aan hun lot werden overgelaten, zagen de Nederlanders hun eigen nationale cultuur en identiteit langzaam maar zeker verzwakken. Dit proces werd via het onderwijs mede gestimuleerd door de eigen overheid, met de linkse mode mee. Haar beleid lijkt mij de voedingsbodem te zijn voor de vervreemding van de Nederlanders van hun eigen identiteit, dit met negatief gevolg voor allerlei zaken, de integratie voorop.

Pardon? Ja, want het onderdrukken van de historisch gegroeide nationale identiteit is gevaarlijk. Het ondermijnt de nationale zelfbewustheid. Dit proces kan onzekerheid, angst en agressie uitlokken. Niet alleen tegen de nieuwe Nederlanders, maar ook tegen de eigen overheid. Agressie komt immers vaak voort uit angst en onzekerheid. Op deze manier bewerkt de anti-nationale mentaliteit het omgekeerde van wat zij beoogt: segregatie in plaats van integratie. Neem Rotterdam, daar zijn de meeste bewoners langzamerhand niet-westers. Die mensen brengen allemaal hun eigen cultuur mee. Dat is prima, maar dan praat je wel over meer dan 175 culturen. Dus als je dan de Nederlandse cultuur laat ondersneeuwen, krijg je een situatie waar niemand gelukkig mee is. Dit is precies de reden waarom Fortuyn daar als een verlosser is binnengehaald.

Met het bovenstaande wil ik niet suggereren dat het bagatelliseren van de nationale geschiedenis het monopolie van links zou zijn, of van linkse partijen. Daarvoor zijn er te veel links georiënteerden die zich met de nationale geschiedenis verbonden voelen en te veel rechts georiënteerden die überhaupt weinig met cultuur hebben. Ik schrijf dan ook: *met de linkse mode mee.* Zoals er in de jaren '80 en later, vooral na 1989, een rechtse mode zou ontstaan. De overheid ontkomt evenmin als de burgers aan de mode of de tijdgeest. Wel zou zij zich iets bewuster kunnen zijn van de noodzaak om zich tegenover de geschiedenis neutraal op te stellen. *Geschiedenis laat zich niet vastleggen door politici,* stelde Elsbeth Etty (NRC/H., 9 jan. 2012).

Als het over nationaal sentiment gaat, wordt er in sommige kringen zoals gezegd meteen gedaan of er op dat punt alleen bekrompen nationalisme bestaat, dat bovendien erg gevaarlijk kan zijn. Toch heb ik veel mensen gesproken die het jammer vonden dat het verleden van Nederland bij het grootvuil is gezet, en dat waren lang niet alleen oude Nederlanders. Over de hier bedoelde contraproductieve werking van het toen zo vanzelfsprekende anti-nationalisme lees je weinig. In de kwaliteitspers wordt begrip voor nationale gevoelens meestal verdacht gemaakt, blijkbaar onder het motto *go with the flow*. Een originele denker als Bas Heijne (NRC/Handelsblad) is hier een uitzondering. Niet dat hij een nationalist is, allerminst, maar hij neemt het verschijnsel als zodanig serieus. Laten we eens gaan zien, hoe de overheid heeft geprobeerd het nationale sentiment en de Nederlandse identiteit weg te relativeren.

De herziening van het overheidsdenken inzake het verleden van Nederland en de verbreiding van dit gedachtengoed via het onderwijs

De vaderlandse geschiedenis en de nationale identiteit

Toen het vak geschiedenis op school in zijn oude vorm nog bestond, vormde de vaderlandse geschiedenis vanzelf het uitgangspunt en anker- punt van de nationale identiteit. Om in scheepstermen te blijven: haar thuishaven. Het begon allemaal met de Friezen en de Bataven, dat waren wíj dus, oorspronkelijk dan en in ieder geval symbolisch. Vanaf het begin was het een spannend verhaal. Waar kwamen bijvoorbeeld die Bataven vandaan en wat kwamen ze hier eigenlijk doen? Wat had hun komst in ons land met de Romeinse aanval op Germanië te maken in het jaar 12 v.Chr., en later met die op Brittannië in het jaar 43 AD? Was het toeval of zat er een geheime strategie van de Romeinen achter? In mijn boek 'Bataven en Buitenlanders' geef ik een mogelijke verklaring.

Schoolkinderen werd bijgebracht dat het verleden van Nederland iets heel bijzonders was geweest, eigenlijk een aaneenschakeling van heldendaden te land, ter zee en in de lucht. Allicht was die voorstelling overdreven, maar zoiets gebeurde overal, je wist niet beter. Hun werd ook verteld, dat immigranten altijd een belangrijke rol hadden gespeeld: Zuidelijke Nederlanders, Duitsers, hugenoten, joden, noem maar op. Allen had- den hun bijdrage geleverd. Wie thuis problemen had, kon in Holland terecht. Tenminste als hij bereid was om aan te pakken en liefst ook een vak kende. De nationale ontwikkeling kon niet zonder de waardevolle bijdrage van zulke mensen.

Uit al deze elementen was Nederland ontstaan en het was een land dat het in de wereld ver had gebracht, een land om trots op te zijn. Later leerden ze om wat te relativeren, maar hun identiteit was dan gevestigd, ze waren

zelfbewuste en vaderlandslievende burgers geworden. De nationale sym-
bolen werden vanzelfsprekend en met overtuiging gerespecteerd. Waar
de mensen vandaan kwamen, is nooit van veel belang geweest, wél of ze
meededen. Nederland was wat dat betreft een typisch immigratieland.
De Nederlanders van voor 1960, dus voor de moderne massale immigratie, waren genetisch voor 25 procent uit het binnenland en voor 75
procent uit het buitenland afkomstig. Althans, dat is de uitkomst van
mijn berekeningen in *Bataven*.

De vaderlandse geschiedenis speelde traditioneel dus een centrale rol
in de vorming van de gemeenschappelijke, samenbindende nationale
identiteit, zoals overal. Toen deze rol in het progressieve Nederland van
de jaren '60 en '70 van de 20ste eeuw begon weg te vallen, zijn de gevolgen zoals gezegd niet uitgebleven. Zonder gist wil het deeg niet rijzen.
Inmiddels staat de nationale identiteit met zoveel woorden ter discussie,
al jaren. De Wetenschappelijke Raad voor het Regeringsbeleid noemde
in 2007 de uiteenlopende herkomst van de Nederlanders het problemati-
sche punt bij het bepalen van de nationale identiteit.

Misschien dat zoiets een beetje geldt na 1960, en in de grote steden. Maar
vóór die tijd speelde herkomst zoals gezegd nooit een rol. Het punt is
natuurlijk, dat nationale identiteit geen genetisch, maar een cultureel
begrip is. Onze monarchie is tot de generatie van koningin Beatrix genetisch voor 100 procent buitenlands, maar cultureel voor 100 procent
Nederlands. Trouwens, er zijn nog wel andere voorbeelden. En wie zou
op het idee komen om de Amerikaanse identiteit in twijfel te trekken op
grond van de uiteenlopende herkomst van de Amerikanen?

Het multiculturalisme hangt samen met anti-nationale opvattingen. Het
werd van overheidswege aan de bevolking gepresenteerd als vanzelfsprekend en als heilzaam voor het land. Het berust in principe ook wel op een
gezond uitgangspunt: respect voor identiteit en cultuur, ik noemde het

al. Alleen, de praktijk van het multiculturalisme of cultuurrelativisme is weerbarstig. Als er geen overkoepelende hoofdcultuur is, gaan groepen elkaar tegenwerken. Natuurlijk: een beetje kleur en wat vreemde cultuur kan een noordelijk en vlak land wat reliëf geven en opfleuren. Landen met een monocultuur zijn soms een beetje saai. Maar de ideologische multiculti-beweging kijkt een brug te ver. De achterliggende ideologie was er niet op gericht om aan een overkoepelende hoofdcultuur ruimte te laten, die immers essentieel is. Uiteindelijk schijnt die hoofdcultuur er nu weer wel te moeten zijn, althans de meeste mensen geven daaraan de voorkeur.

De nationale gedachte

De socialisten, voorlopers van de huidige sociaaldemocraten, waren van huis uit niet nationaal georiënteerd. Het ging hun immers om de internationale solidariteit van de arbeiders. Nationalisme blijft dan buiten beeld. Bovendien kan het tot conflicten leiden, zelfs tot oorlog. Allemaal bekend, wij behoeven dit niet van de heer Barroso, president van de Europese Commissie, te horen, die nationalisme met nazisme verwart. Poolse politici hebben daar ook een handje van. J.A.A. van Doorn heeft erop gewezen dat het socialisme in Duitsland zich mogelijk vanwege die internationale gezindheid nooit heeft doorgezet, hoewel het er in de 19de eeuw zo veelbelovend uitzag (Duits socialisme: Het falen van de sociaaldemocratie en de triomf van het nationaal-socialisme. Amsterdam, Mets & Schilt, 2de druk, 2008, 2007). De socialistische revolutie van 1918 in Duitsland is dan ook niet gelukt. Over het misverstand dat die revolutie communistisch was, geeft Sebastian Haffner opheldering (die deutsche Revolution 1918/19. Berlin, Kindler Verlag, 2de druk, 2007, 2004).

In Nederland hebben de socialisten het beter aangepakt. Weliswaar was er een onverstandige uitschieter als de poging van Troelstra in november 1918 om de koningin af te zetten, maar voor het overige was er respect voor *de nationale gedachte*. Wiardi Beckman zag er nog een prominente plaats voor weggelegd (Jelle Menges en Thomas Hendrikx in De Volkskrant van 6 mei 2011). De premiers Drees en Den Uyl hebben zich danig geweerd ter verdediging van het Koninklijk Huis, de parel in de kroon van de nationale zelfbewustheid. De afbraak kwam uit de hoek van Nieuw Links. En het is juist die onvruchtbare anti-houding die in de PvdA is blijven rondzingen en steeds weer de kop opsteekt. Het lijkt mij niet helemaal toevallig, dat de teruggang van de PvdA recht evenredig is met het impliciet verwerpen van *de nationale gedachte* in haar gelederen.

Hollands Glorie

Op de achtergrond van de nationale geschiedenis tekent zich een begrip af dat inmiddels bijna is vergeten: Hollands Glorie. Het is een symbool van Nederland zoals het zich door de eeuwen heeft geweerd. Het gaat over onze nationale eenheid en haar prestaties. Het is een romantische mythe, die een eigen leven is gaan leiden. Maar natuurlijk zijn er rationele verklaringen voor. En er waren ups en downs. Wel wist het land zich na moeilijke perioden steeds weer op te richten, al werd zijn profiel steeds lager. Hollands Glorie is vooral verbonden met de zeevaart van vroeger. Meestal wordt dan gedacht aan het succes van de Gouden Eeuw, rond 1650, en aan de mentaliteit die dit mogelijk maakte. Maar andere grote prestaties zoals de opbouw van het land uit het water of de wereldwijde zeesleepvaart zijn er ook mee in verband te brengen. De berging van de Kursk in 2000 was nog een staaltje Hollands Glorie.

De achterliggende mentaliteit zal een combinatie zijn geweest van teamgeest, een goed moreel en een sterke nationale fighting spirit. De inspiratie zal in het vaste geloof in God, in de overheid en in het vertrouwen van de Nederlandse natie in zichzelf hebben gelegen. Dit ondanks alle tegenstellingen, want er was in onze geschiedenis wel altijd gemeenschapszin, maar meestal geen eensgezindheid.

Het begrip Hollands Glorie staat dus ook voor 20 eeuwen worstelen en bovenkomen. Tenslotte zijn wij, althans driekwart van onze voorouders, hier eens begonnen als vreemdelingen, als immigranten in een land dat er in het begin nog niet eens was. Meer moeras dan iets anders. Van de grond af aan beginnen of er hopeloos voorstaan, en er ondanks alles toch iets van maken. Kort gezegd: pompen of verzuipen. Dat is het recept voor Hollands Glorie. Het begrip is een constante factor geweest in onze geschiedenis. Het is feit noch verdienste, maar voor zover niet uitsluitend fictie, dan toch vooral een spirituele factor. Het begrip is abstract. Maar het is wel een factor van belang: want inspiratie voor een mentaliteit die ons er steeds weer bovenop heeft geholpen. Aan de andere kant, ik schreef het al, de tijd van God , Nederland en Oranje als drie-eenheid is nu wel voorbij. Ik pleit niet voor een *Bronbeek revisited*. Maar ik vind wel dat wij onze nationale cultuur en traditie moeten respecteren. En met *wij* bedoel ik niet alleen de oude Nederlanders.

Een roemrijk verleden

Terug naar de feiten. Het toeval wil dat in ons land iets heel bijzonders is gepresteerd: het Nederlandse handelsrijk ter zee in de 17[de] eeuw. De Gouden Eeuw is het bekendste voorbeeld van nationale visie, vindingrijkheid en vooruitgang in onze geschiedenis. De Republiek, zo werd het land toen genoemd, wordt in 2007 door de Chinees-Amerikaanse hoogleraar Amy Chua zelfs een *hypermacht* genoemd. Dat is een supermacht die geen vergelijkbare concurrenten heeft, en op een bepaald terrein daadwerkelijk de wereld heeft gedomineerd. Er zijn er, volgens deze visie, in de wereldgeschiedenis maar zeven van geweest. Van de westerse landen worden alleen de Hollanders, de Britten en de Amerikanen genoemd. In chronologische volgorde, dat wel natuurlijk.

Het lijkt bijna een beetje te veel van het goede, maar professor Chua heeft haar eigen originele criteria gehanteerd. De Republiek heeft deze ereplaats gekregen vanwege haar onaantastbare positie ter zee. Gedurende korte tijd, dat moet er wel bij worden gezegd. Maar in de 17de eeuw, zo tussen 1625 en 1675, was de Hollandse handelsvloot groter dan die van Engeland, Frankrijk, Spanje, Portugal en Pruisen bij elkaar. En de Hollandse oorlogs-vloot was altijd nog zo groot als die van Engeland en Frankrijk samen. De auteur is Amy Chua, hoogleraar aan Yale Law School, met haar boek 'Day of Empire: How Hyperpowers Rise to Global Dominance - and Why They Fall.' (New York, N.Y., Doubleday, 2007; er is een Nederlandse verta-ling uitgekomen bij Nieuw Amsterdam). Amy Chua is intussen misschien beter bekend als *de tijgermoeder.*

Zo'n plaats in de westerse top drie krijg je niet vanzelf. In dit verband zijn er natuurlijk allerlei spannende dingen gebeurd. De Hollanders waren met hun immense vloot met afstand het meest gevreesd op de zeven zeeën. Ze waren niet alleen koopvaarders maar ook piraten, al naar de omstandig-heden. In 1672 kon de Nederlandse oorlogsvloot nog tegen de Britten op, zoals De Ruyter (1607-1676) bewees toen hij de Britse vloot voor het laatst versloeg. In 1667 was de admiraal hun schepen op de Engelse marineba-sis Chatham zelfs nog in brand komen steken. In 1688, toen stadhouder Willem III van Oranje-Nassau koning van Engeland werd, verplaatste het maritieme zwaartepunt zich naar dat land, eerst qua marine, later qua han-delsvloot. En rond 1740 was het met Amsterdam ook gedaan als financiële hoofdstad van de westelijke wereld.

Een beetje docent maakte wel iets van zo'n scenario. Die lessen vaderlandse geschiedenis behoefden dus niet vervelend te zijn. Trouwens, ons land was tot na de Tweede Wereldoorlog nog altijd de derde koloniale macht in de wereld. En met Nederlands Oost-Indië het tweede moslimland, na Engeland met Brits-Indië. Het wereldcentrum van Islamstudies bevond zich in Leiden. Er werden in de 20ste eeuw in Nederland 18 Nobelprijzen gewonnen. Onze KLM was in 1919 de eerste luchtvaartmaatschappij ter wereld. Dit zijn, alweer, feiten. Dus ja, er was op school wel iets te vertellen. En zo'n club, daar wilde iedereen wel bijhoren.

Wat dit fabelachtige succes nog interessanter maakt is het feit, dat het is voortgekomen uit een oorlog, oorspronkelijk een opstand tegen de wettige heerser van de Nederlanden in het verre Madrid. Die opstand leek aanvankelijk geen kans te maken, Spanje was dé grootmacht van de 16de eeuw. Aan onze kant was het maar provinciaal amateurisme, althans in het begin. Maar het kwam anders: niet alleen werd de oorlog gewonnen, maar ook de vrede. Gewoonlijk kosten oorlogen alleen maar geld, maar deze bracht geld binnen en zette het land op de kaart.
De Republiek werd in die oorlog tot verdere ontwikkeling van haar scheepvaart gedwongen. Zo werd ze de eerste zeevarende natie ter wereld, vóór Engeland, en al gauw het rijkste en modernste land van Europa en daarmee internationaal toonaangevend.

Weg met het verleden van Nederland

Maar in de periode na 1960 werden vreselijke ontdekkingen gedaan. De prestaties van ons land bleken achteraf gezien niet door de beugel te kunnen. Welke beugel? Die van de moderne morele inzichten toegepast op het verleden. De rijkdom van het land bleek kapitalistisch, ja imperialistisch te zijn verworven, zo al niet direct bij elkaar gestolen in de koloniën of met slavenhandel verdiend. Ook bleken de Javanen niet vrijwillig in dienst van Jan Pieterszoon Coen (1587-1629) te zijn getreden. Je reinste imperialist, die Coen. Het koloniale systeem ontpopte zich als een as van het kwaad: niets dan uitbuiting en racisme in dienst van het verfoeide kapitalisme.

De soldaten die naar Indië werden gestuurd, waren volgens deze inzichten dus eigenlijk oorlogsmisdadigers geweest in dienst van kapitalistisch imperialistische koloniale uitbuiters. Nog een geluk, achteraf gezien, dat het meer Duitsers dan Hollanders waren, die soldaten bij de VOC. Dit laatste volgens Roelof van Gelder: *Het Oost-Indisch avontuur. Duitsers in dienst van de VOC (1600-1800). Nijmegen, SUN, 1997.* Ik heb nooit van protest gehoord tegen het feit, dat in de Tachtigjarige Oorlog (1568-1648) met scherp is geschoten, maar veel zal het niet hebben gescheeld.

Het uitgangspunt in linkse kring was dit: *de rijkdom van Nederland berustte voornamelijk op bloedgeld verkregen door koloniale uitbuiting en slavenhandel.* Met feiten heeft deze overtuiging weinig te maken, het is eerder een ongefundeerd geloof waarbij schuldbesef werd opgeroepen dat goed paste in het protestantse verleden van veel Nederlanders. De calvinistische erfzonde ging overboord, maar kreeg een effectieve vervanger in de vorm van het koloniale schuldcomplex. Emotie speelt begrijpelijk genoeg een grote rol bij mensen die zich bij het onderwerp betrokken voelen. Maar dit leidt tot veel aannames die niet bestand zijn tegen wetenschappelijk onderzoek. De specialist op dit terrein, de Leidse oud-hoogleraar Piet Emmer, schreef er nog eens over in NRC/ Handelsblad van 21 november 2011, de titel: 'Slavinnen werden niet massaal verkracht.'

Voor het gemak werd bij de voorstelling van zaken dat de Gouden Eeuw gebouwd was op koloniaal geld, vergeten dat de koloniale activiteit lang niet de grootste inkomstenbron van de Republiek was. De vaart op de Oostzee en op de Middellandse Zee was veel belangrijker, en daar kwam geen koloniale onderdrukking aan te pas.

In de periode van 1602 tot 1795 zijn er maar 3354 schepen uit Azië teruggekeerd, er waren er 4721 vertrokken (KITLV/KNAW). Veel schipbreuken waren er niet, dus er moet een aantal in de Oost zijn gebleven. Gemiddeld kwamen zo'n 17 schepen per jaar met retourvracht binnen. Wel waren het grote schepen, zeg 800 ton, en de lading was kostbaar. Maar als je dan rekent dat de Nederlandse handelsvloot als geheel in de Gouden Eeuw een aantal duizenden schepen in de vaart had, zij het gemiddeld kleinere, de helft van de wereldvloot, wordt alleen daarmee al duidelijk dat het grote geld niet door de VOC kan zijn verdiend. De VOC is in de 17de eeuw nog wel winstgevend geweest, maar na 1688 niet meer. En de verliezen tot aan het einde van de 18de eeuw waren veel groter dan de winsten vóór die tijd.

De slavenhandel is en blijft een zwarte bladzijde in onze geschiedenis, geen twijfel. Wat hiermee door de Nederlanders een half miljoen mensen is aangedaan, is niet meer goed te maken. Het was onrecht en een schanddaad. Toch verdienen ook hier een paar weinig bekende feiten aandacht.

De slavenhandel was geen uitsluitend blanke aangelegenheid en was ook niet door de Europeanen bedacht. De Europese slavenhalers hadden natuurlijk bloed aan hun handen, maar zij ontnamen geen mensen hun vrijheid. Dat hadden de zwarte broeders van de slaven al gedaan, die deze slachtoffers als handelswaar aanleverden. We hebben het over een oude traditie. In Noord- en in Oost-Afrika heeft slavernij altijd al bestaan, al voor de jaartelling. Sinds de verbreiding van de Islam waren de Arabieren en de Noord-Afrikanen in dit bedrijf dominerend, de Arabieren in het noordoosten. Een belangrijke inkomstenbron van de Noord-Afrikaanse zeerovers was het in slavernij brengen van hele scheepsbemanningen uit Europese landen, vanwege het losgeld. En anders dienden de Europese slaven op de galeien van hun Barbarijse meesters tot ze erbij neervielen. De Ruyter is bij een actie tegen deze zeerovers gesneuveld en de Amerikanen stuurden er rond 1790 hun eerste twee zelfgebouwde troepenschepen heen met een paar duizend mariniers.

Tenslotte de omvang van het Nederlandse aandeel in de slavenhandel. Emmer schat het op 450.000, op een totaal aantal van alle landen gezamenlijk van 10 miljoen, een kleine 5 procent dus. Anderen houden het op 550.000 slaven voor Nederland. De geschatte totalen variëren en lopen tot 14 miljoen. De hoogleraar Caraïbische geschiedenis Gert Oostindie spreekt van 12 miljoen (volgens Maarten Huygen in NRC/H. , 11 nov. 2011). Emmer schat het aantal schepen dat op het hoogtepunt van die activiteit, in 1770, slaven vervoerde, op 30. Het betrof nog niet één procent van de vloot, in die tijd geschat op 4.000 schepen. Niet dat het moreel enig verschil maakt en een verontschuldiging is het al helemaal niet, maar Nederland was dus, zeker in verhouding tot zijn vloot, geen grote speler vergeleken bij de andere koloniale machten. De WIC, die de slavenhandel bedreef, was financieel nog minder succesvol dan de VOC. Onbetekenend is de slavenhandel financieel echter ook weer niet geweest. Emmer schat het aandeel op 15 procent van de waarde van de invoer in de Republiek.

Tenslotte speelt ook de context van de tijd een rol. Het kolonialisme werd in de 19de eeuw in Afrika en Azië nog volop aanvaardbaar geacht, terwijl het in de Amerika's al goeddeels was verdwenen. Vooral het noorden van de VS was relatief ontwikkeld en modern, met industrie. Het zuiden was eerder agrarisch, met onder meer katoen en tabak. Op de plantages daar was slavernij nog gebruikelijk. De zuidelijke Confederatie was in 1861 nog voor uitbreiding van de slavernij naar nieuwe gebieden, de noordelijke unie was tegen. De bestaande slavernij zou volgens de nieuwe president Lincoln mogen blijven. Na afscheiding van de Confederatie begon de Amerikaanse Burgeroorlog (1861-1865). Zonder iets aan het verwerpelijke van de slavernij af te doen, of aan de schuld van onze slavenhalers, kun je toch een vraagteken zetten bij de vraag, of je in Amerika de zuidelijken en bloc als misdadigers moet bestempelen. Nogmaals, ik praat niets goed, maar de context van de tijd kun je niet buiten beschouwing laten.

Dan het kolonialisme als systeem. Georganiseerde koloniën kreeg je eigenlijk pas laat in de 18de en in de 19de eeuw. In de 17de eeuw ging het meestal nog niet om koloniaal bezit, maar om het vestigen van handelsposten met een monopolie, zij het dat dit vaak werd afgedwongen. Een koloniale verhouding wordt per definitie kenmerkt door onderdrukking. Geen twijfel, daar is alles mis mee, zeker naar de normen van vandaag. Ook zijn er in koloniale tijden dingen gebeurd die volgens de normen van toen ook al niet in de haak waren. Coen heeft zich daaraan schuldig gemaakt, onmenselijk zware straffen bijvoorbeeld, of de massamoord op de Banda eilanden. Hetzelfde geldt ook nog wel voor Van Heutsz en Colijn. De na-oorlogse politionele acties hebben wat dit betreft evenmin een vlekkeloze reputatie.

Het is duidelijk, met dit systeem zijn steeds weer vuile handen gemaakt. Toch ging het meestal om uitwassen in oorlogssituaties. Die ontstonden aanvankelijk in een soort handelsoorlogen met rivaliserende landen, zoals Portugal en later Engeland. Daarna waren het lokale opstanden en de onderdrukking daarvan, die militaire operaties met zich mee brachten.

Voor de bekende gevallen zoals Rawagede op Java, zou tijdig excuus moeten zijn aangeboden en compensatie betaald. Hier heeft Nederland het systematisch laten afweten totdat de zaak naar Nederlandse opvatting formeel was verjaard. Deze kleinzieligheid kenmerkte ook de houding tegenover de terugkerende joodse overlevenden van de naziterreur, om maar een voorbeeld te noemen. Het is blijkbaar moeilijk voor een klein land om een dergelijk gebaar te maken. Dat de rechter de Nederlandse staat na 64 jaar nog aansprakelijk heeft moeten stellen ten behoeve van de laatste zeven nabestaanden van Rawagede, is genant. Maar om naar aanleiding van dit soort excessen nu te beweren dat het Nederlandse koloniale bestuur een permanent schrikbewind heeft gevoerd, is onjuist.

Het is zelfs zo, dat de Nederlanders als bestuurders naar verhouding nog verantwoord te werk zijn gegaan. In dit verband is het misschien goed je te realiseren dat in de 19de eeuw zelfs mensen als Marx en Multatuli geen principiële tegenstanders van het kolonialisme waren (J.L. Heldring in NRC/H., 5 mei 2011). Multatuli bijvoorbeeld pleit steeds voor behoorlijke behandeling van de inlanders, dat is zijn punt. Hiermee werd hij de wegbereider van de latere ethische politiek in het koloniale Indië van de 20ste eeuw. Het was de tijd van de afschaffing van de slavernij en van de emancipatie van de arbeiders. In ons eigen land werd de kinderarbeid pas in 1874 afgeschaft. Sociale wantoestanden waren in de 19de eeuw overal nog schering en inslag, niet alleen in de koloniën. En wat de kolonie Nederlands Oost-Indië in eigenlijke zin betreft: het bestuur, het rechtssysteem, de infrastructuur, de gezondheidszorg, golden in de 20ste eeuw als eerste klas. Het land stond in de wereld bekend als modelkolonie. Indonesië zou zonder die voorganger niet in de huidige vorm hebben bestaan. Het rechtssysteem bijvoorbeeld geldt er nog steeds.

Nogmaals: kolonialisme is moreel onrecht en slavenhandel morele misdaad. Zeker naar onze huidige maatstaven. Maar wie moet je dat koloniale verleden verwijten? Die buitenlanders in de 17de eeuw die thuis niet te eten hadden en naar het rijke Holland kwamen om op de vloot in de kombuis aan te schuiven? Die jonge mannen die het kleine Nederlandse vaderland achter zich lieten om door hard werken in de koloniën hun gezin een betere toekomst te geven? Of al die militairen, meest buitenlanders, die in de jaren van onze koloniale expansie, de 19de eeuw, via het depot in Harderwijk brood en avontuur zochten in Indië?

Het zou een idee zijn geweest om het geschiedenisonderwijs nadrukkelijk met deze inzichten aan te vullen. Want zulk besef is belangrijk, maar het dringt te langzaam door. Zo moest minister Luns van BZ de Nederlandse Nieuw-Guinea politiek pas onder Amerikaanse druk opgeven. Binnenslands waren er nog veel mensen, zoals ik, die meenden pal te moeten staan voor vrije verkiezingen door de Papoea's. Wij waren toen het nationale verraad aan de Molukkers nog niet vergeten. En ik groeide op samen met veel Indische Nederlanders. Ik deed naar mijn overtuiging alleen maar mijn plicht door mij als vrijwilliger voor Nieuw Guinea te melden. In mijn omgeving was zoiets even normaal als deelname aan het verzet tegen de Duitsers een generatie eerder. Er werd geen woord aan vuil gemaakt.

Ook kritiek verrijkt de geschiedenis. Wij moeten ons realiseren dat Julius Caesar (100 v.Chr.-44 v.Chr.) en Karel de Grote (742-814) als oorlogs-misdadigers postuum hoge ogen gooien. Caesar met zekerheid want hij heeft zijn daden zelf opgetekend, zo heeft hij in 58 v.Chr. driekwart van de Helvetiërs vermoord en dat was nog maar het begin van zijn bloedige verovering van Gallië. En ach, het waren maar Kelten en dus barbaren. Dit betekent niet dat wij zijn boek daarover gaan verbranden. Gebeurd is gebeurd, dat hebben wij te accepteren, goedkeuren is iets anders. Je kunt de geschiedenis niet herschrijven. Al helemaal niet om door het beschuldigen van anderen jezelf vrij te pleiten. Wordt dit wél geprobeerd, dan is het echt foute boel die tot niets leidt. Van de DDR tot Nieuw Links, het mechanisme is steeds hetzelfde, het monster bijt zichzelf in de staart. Voormalig politiek correct heeft het met haar gemoraliseer en haar in-troductie van taboes niet handig aangepakt. Marcia Luyten stelt in haar artikel 'De Neger is terug' hoe de reactie eruit ziet. Bij het slopen van de taboes wordt de beschaving zelf gesloopt (NRC/H. 19 nov. 2011).

En wat gebeurde er verder in de jaren '60 en later? Men draafde door. De geschiedenis van Nederland werd achteraf van een strafblad voorzien op grond van het kapitalistisch imperialistische koloniale verleden en andere historische misdrijven, bedreven in naam van Oranje en het vaderland. Erger kan het niet, het werd dus meteen de doodstraf, zo lijkt het. De hele vaderlandse geschiedenis werd verder vrijwel doodgezwe-gen. Hiermee was de band die Nederlandse kinderen via de school met de rijke en avontuurlijke ontwikkeling van hun land verbond, verbroken. Dat sprookje werd hun ontnomen. Op die manier werd de Nederlandse identiteit ontdaan van kleur en achtergrond, ze verloor haar diepte en iets van haar vanzelfsprekendheid. Het trotse verleden van Nederland werd bijgezet als een lijk in de kast, alsof het land collectief lid van de NSB was geweest.

De Nederlandse identiteit weggerelativeerd

Voor Nederlandse kinderen werd het moeilijker om zich met de eigen nationaliteit te identificeren, althans op de manier van hun ouders. Zij moesten het zoals gezegd stellen zonder interessante geschiedenis, en het doen met de hedendaagse werkelijkheid. En die was, of werd al gauw, die van de steeds groeiende buitenlandse, niet-westerse aanwezigheid in de grote steden. Een nationaliteit zonder verleden en een toenemend buitenlands aandeel in de bevolking in het heden, daar kwam het voor veel kinderen op neer. Dus ja, wie waren zíj nu helemaal? Soms vreemdelingen in eigen land. Het voordeel was dan misschien, dat het besmette verleden had afgedaan. Maar hun, de kinderen, zei dit weinig. Dus wat nu, waar moesten de docenten zich op richten?

Geen nood, daar gloort al gauw het morgenrood, en wel van een nieuwe glansrol. De Nederlanders zouden weer iets hebben om trots op te zijn: een nieuw maatschappelijk model: Progressief Nederland. Weg met dat reactionaire nationalisme, met die gruwelijke VOC-mentaliteit en dat afschuwelijke koloniale oorlogsverleden. De Nederlandse identiteit werd grondig witgewassen, en was trouwens niet meer van veel belang, een beetje achterhaald, de mensen waren nu multiculti wereldburgers geworden, *global citizens* zogezegd, dat klinkt ook veel interessanter. Heel wat beter dus en moreel verantwoord ook nog. Al doende werd vergeten, dat de Nederlanders als ondernemers altijd al een soort wereldburgers waren geweest, en dat die status dus niet de verdienste was van een nieuwe ideologie. Trouwens, hoezo verdienste? Veel mensen willen helemaal geen wereldburger zijn, de status van Europeaan gaat hun al te ver. Ze voelen zich vooral thuis in hun eigen omgeving.

Nog eens: het multiculturalisme

Jarenlang zijn een ruim toelatingsbeleid voor kansarmen en in aansluiting daarop het multiculturalisme als belangrijkste wapenfeiten van het superieure Progressief Nederland-model verkocht. Het beste bewijs van de morele voortreffelijkheid van Nederland en een garantie voor het welzijn van zijn inwoners: *Nederland gidsland.* Intussen is daar de glans wat af. Het is nu eindelijk ook tot de overheid doorgedrongen, dat voor zoiets maatschappelijk draagvlak nodig is. En dat draagvlak vind je nauwelijks bij de brede laag van minder hoog geschoolden die met de nadelen van dat beleid te maken hebben. Het is typisch een links elitebeleid. Maar de wal keert het schip: de breed gedeelde bezwaren tegen de massale immigratie, praktijk van 40 jaar, zijn inmiddels in de veranderde koers van de afgelopen tien jaar zichtbaar. En het is een harde landing geworden, die met verstandig beleid had kunnen worden voorkomen.

Natuurlijk hebben we in Nederland een multi-etnische en multiculturele samenleving. Het woord pluriform wordt ook wel gebruikt. Dat is een feit. Maar dan gaat het over de werkelijke situatie, over de praktijk. Onze maatschappij is er een van vele culturen, waarbij niettemin de hoofdcultuur de Nederlandse geacht wordt te zijn en de taal het Nederlands. Althans, op dit moment zijn de meeste Nederlanders, ondanks alle indoctrinatie van eigen bodem, deze mening toegedaan. De diversiteit beschouw ik op zichzelf als een voordeel, maar wel als een voordeel bij een nadeel. Dit gezien de disproportionele aantallen niet-westerse immigranten in de grote steden. Want ook al kan diversiteit verrijking betekenen, ook daarbij is méér niet altijd beter.

Het multiculturalisme was echter van ideologische aard en misschien ook wel een soort bedenksel. Toen het volk begon te morren over de aantallen buitenlanders, over de internationale samenleving waarin zij zich ongevraagd waren gaan bevinden, is het de mond gesnoerd met het multiculturalisme. Zo werd van overheidswege van de nood een deugd gemaakt. Een geweldig voordeel daarvan springt direct in het oog: alle etnische groepen en culturen hadden daarbij gelijke rechten, om te beginnen dus ook het recht om hier te zijn en te blijven. *Want wie zijn wij dat wij alleen recht hebben op dit land?* Deze overtuiging sprak bij de linkse voorhoede vanzelf. De vreemdelingen hadden die rechten evengoed en hun normen en waarden dienden vanzelfsprekend te worden omarmd. 'At a price,' dat wel natuurlijk, want naar de mening van de eigen burgers werd niet gevraagd.

De Nederlanders moesten volgens de bevlogen deskundigen maar eens een toontje lager gaan zingen, ze waren hier tenslotte geen *colonial masters* meer, zoals vroeger in hun gebiedsdelen overzee. Dan past bescheidenheid, vooral met zo'n besmet verleden. Nederlands als algemene omgangstaal werd niet belangrijk meer geacht, overheidsbedrijven begonnen hun informatie ook in tal van exotische talen uit te brengen, dit volgens zeggen om de integratie nóg meer te stimuleren. Eigenlijk konden we maar beter Engels gaan spreken, dat was ook veel beleefder tegenover de asielzoekers. Uiteraard waren alle gewoonten uit de landen van herkomst hier welkom, want die betekenden uitsluitend verrijking. Nederland kon er alleen maar op vooruitgaan. Niets dan voordelen dus.

De overheid is nu doende onder invloed van het populisme de pas in te houden. Ze begint zelf in te zien dat ze te ver voor de muziek uit is gaan lopen, en hopelijk begrijpt ze ook dat het multiculturalisme de integratie eerder heeft tegengewerkt dan bevorderd. Maar dan wordt ze geconfronteerd met reacties als de volgende: ...*'Provinciaals is daarom ook de Haagse omhelzing van noties als 'natie, de nationale cultuur' en 'ge-*

schiedenis' als dragers van een 'samenbindende identiteit'... (Mohammed Benzakour in NRC/H. 08.02.10). Zo'n reactie is op zichzelf wel begrijpelijk en ook niet onredelijk. Althans vanuit de positie van de schrijver, die een succesvolle Marokkaanse Nederlander is. Journalistiek ook een goed artikel trouwens. De heer Benzakour is niets te verwijten, hij is perfect aangepast. Toch zal hij door menige oude Nederlander worden gezien als een *paard van Troje.*

Want wat is dat voor standpunt? Van wat voor scholing is die man het product? Wie heeft 50 jaar lang het klimaat geschapen, wie heeft het voorbeeld gegeven, wie heeft de schrijver op dat spoor gezet? Kortom, wie heeft hem op het idee gebracht dat het hechten aan onze Nederlandse natie, aan onze nationale cultuur en geschiedenis als dragers van een samenbindende identiteit, provinciaals zou zijn? In zijn land van herkomst zou een dergelijk standpunt hem denkelijk in grote moeilijkheden brengen. In die cultuur heeft hij het vast niet opgedaan. De *weg met ons mentaliteit* is dan ook typisch Nederlands en zij dateert van vóór de geboorte van de schrijver. Zijn standpunt verraadt *his master's voice.* Het treurige van deze situatie is, dat de schrijver op het verkeerde been is gezet en op weg is gegaan in een doodlopende steeg in de grachtengordel. Die hij voor een hoofdweg hield.

Dus nog eens en hopelijk ten overvloede: het waren niet de buitenlanders die met deze omgekeerde aanpassing zijn gekomen. Het waren de Nederlandse politiek en overheid die zich door van alles lieten inspireren, vooral door linkse ideologie, maar niet door het landsbelang in enge zin, *zo dubieus en achterhaald,* en niet door de opvattingen van haar eigen burgers, *zo bekrompen en racistisch.* Ideologie ging immers vóór alles. *De verbeelding aan de macht* was niet voor niets eens haar bevlogen uitgangspunt. Maar zij heeft daarmee bij haar eigen burgers het zaad van onbegrip en onvrede gezaaid. En *wie wind zaait, zal storm oogsten* (Hosea 8:7). Wie naar de achtergrond van de veronderstelde tegenstelling tussen overheid en volk zoekt, stuit al gauw op deze radicale verandering en op dit onhoudbare model. Achterhaald als het nu is, heeft het wel generaties beïnvloed. Niet Bolkestein is de wegbereider van het populisme, het zijn de ideologen van links.

Andere aspecten van het Progressief Nederland-model

Paars kan de schuld niet meer krijgen, maar Progressief Nederland heeft als maatschappelijk model na 40 of 50 jaar nog altijd invloed. Dit politiek correcte ideaalbeeld van Nederland was aanvankelijk bijna allesoverheersend, tot Paars II in 1998 nog zeer invloedrijk, daarna in afnemende mate. Fortuyn heeft voor het doorbreken van het opiniemonopolie gezorgd, die Bolkestein, hoe moedig nagestreefd, via de VVD niet was gelukt. De tijd was er blijkbaar nog niet rijp voor. Sinds Fortuyn is Progressief Nederland gaan kwakkelen, maar het is taai.

Een stilzwijgende aanname in het Progressief Nederland-model is, dat links altijd beter is dan rechts, progressief altijd beter dan conservatief. *Links heeft ideeën, rechts belangen.* Dit curieuze idee verraadt de bekrompenheid, de domheid, de partijdigheid en zet meteen de toon voor een hoog dogmatisch en moraliserend gehalte. Niet alle kiezers zijn daarvan gediend. Nogmaals, Nederlanders betuttelen misschien graag, maar worden niet graag betutteld. Niet iedereen heeft het beruchte artikel in de Volkskrant in november 2006 gelezen waarin werd onthuld, welke groep kamerleden in de duurste huizen wonen. Het waren niet die van de VVD. Niet iedereen weet dat in George Orwell's Animal Farm staat geschreven: 'all animals are equal, but some are more equal than others' en evenmin waarom. Maar ook zonder die informatie weten de kiezers wel hoe laat het is. Ze kunnen zelf ook theorie en praktijk vergelijken. Dit komt de politici van de SP zeer ten goede. Hoe onuitvoerbaar sommige van hun ideeën ook mogen zijn, ze gaan ervoor, geven zelf het voorbeeld en moraliseren niet.

Het wegrelativeren van de historische Nederlandse identiteit en het daarmee verbonden multiculturalisme, zoals nu besproken, is misschien het opvallendste negatieve aspect van het Progressief Nederland-model. Maar zoals we gedeeltelijk al hebben gezien, lang niet het enige. Wie de onderwerpen wil vinden waarop overheid en volk elkaar na 1960 in de praktijk steeds minder zijn gaan begrijpen, kan bij dit model verrassend goed terecht. De totale tolerantie ofwel het grote gedogen, is een andere zwarte parel in de links-progressieve kroon.

4 | De neoliberale omslag van na 1980 met het rechtse BV Nederland-model, gericht op individualisering van de samenleving: met persoonlijke prestatie & individuele verantwoordelijkheid, verzakelijking, privatisering & marktwerking bij een terugtredende overheid, sociale en culturele krimp en de prestatiemaatschappij met geld als maatstaf.

Context

Het is eenvoudiger om te constateren dat iets niet deugt dan uit te vinden hoe dat zo is gekomen. Voor dit laatste is nuancering en relativering nodig. De context laat vaak zien dat het in zo'n geval om een bijwerking gaat, een ongewenst gevolg van iets dat in aanleg zinvol was. Dit geldt zowel voor de omslag naar links als voor die naar rechts. De omslag naar links is oorspronkelijk voor een deel te verklaren als vlucht uit de bourgeois maatschappij. De strikte ordening, de hiërarchie en de vaste morele kaders waren te benauwend geworden. De omslag naar rechts zal op zijn beurt voor een deel een reactie op de omslag naar links zijn geweest. Zeker was het een reactie op een maatschappij die in Europa volgens het Rijnlandse model een verzorgingsstaat had opgebouwd die de economie in gevaar bracht. Want ja, ook brood dat wordt uitgedeeld, moet eerst worden verdiend.

De ideologie achter de omslag naar rechts is het neoliberalisme, dat in lijn ligt met het traditionele Angelsaksische model, maar met minder beperkende regels. Het gaat hier in oorsprong om het klassieke stelsel van Adam Smith (1723-1790) met zijn vrije markten. Smith heeft echter geen kapitalisme zonder regels gepropageerd, laat staan zonder moraal. Integendeel, hij is als moraalfilosoof en als kind van zijn tijd consequent uitgegaan van maatschappelijk verantwoord handelen. Zijn beroemde boek dat kortweg the Wealth of Nations wordt genoemd en dat van 1776 dateert, is daar duidelijk over. Hij keerde zich tegen het protectionisme en zag meer in vrije handel. Hij heeft er alleen op gewezen dat het volgen van eigenbelang ook gunstig kan uitwerken voor de gemeenschap. Het idee is dat er wederzijds voordeel moet zijn. Wie het huidige casinokapitalisme met zijn pathologische graaicultuur Adam Smith denkt te mogen verwijten, doet de man onrecht.

De praktijk bevestigt deze bewering. Groot Brittannië en de Verenigde Staten hebben beide al gauw het werk van Smith omarmd en beide zijn in staat gebleken de wereld langdurig als leidende natie voor te gaan. Ze waren kapitalistisch en moraliserend, maar financieel solide en niet onbehoorlijk. Die gouden tijden van het VK en van de VS dateren dan ook van ver vóór de moderne morele verloedering. Deze laatste is mogelijk oorspronkelijk in de hand gewerkt door de onbelemmerde vrijheid van de jaren '60 om tenslotte te worden overgenomen door het neoliberalisme en daarin een dieptepunt te vinden. Bij die omslag kregen het materialisme en het individuele egoïsme immers ruim baan. Maar alles moest nog steeds kunnen, er kwam geen sociale en morele retro-beweging aan te pas, geen poging tot herstel of ook maar behoud van normen en waarden. In dit vreemde mengklimaat zijn de beperkende regels voor de banken gesneuveld, tegelijk met andere vormen van fatsoen.

Daar kwam nog bij dat in 1989 de Berlijnse muur viel en in 1991 het Sovjet-regime verdween. Grote verwachtingen alom: kapitalisme en democratisering, de wonderen uit het Westen, zouden de ex-communistische wereld verrijken! Het weer was prachtig, die late zomerdag in Moskou dat Jeltsin de zaak redde voor de glasnost. De uitkomst stond overigens dezelfde ochtend nog lang niet vast, het was geweldig spannend. Eigenlijk dacht ik dat de tanks die de stad hadden afgegrendeld, de revolutie zouden smoren. Die middag werd het pleit anders beslecht, Jeltsin had het voor elkaar.

Maar waar zon is, is schaduw. Het kapitalisme dat zich mede door die omwenteling in Moskou onder de codenaam neoliberalisme zou gaan ontplooien was er dus een zonder regels, zonder correctiemechanisme, zonder fatsoen, voor het eerst in meer dan vijf eeuwen. Voor het Oostblok behoefde ook al geen schijn meer te worden opgehouden. Het neoliberale stelsel werd aan zichzelf overgelaten en degenereerde tot een karikatuur: een orgie van zelfverrijking. Het bederf bleek besmettelijk als de pest in 1350, en even gevaarlijk. De uit zijn krachten gegroeide bankensector speelde een rol, maar misschien toch geen echte hoofdrol. De oorzaak van de recessie, de schuldencrisis, is zeker niet uitsluitend de banken te verwijten. Daaraan is eerder de lage rente schuld. Maar nu eerst terug naar het veelbelovende begin, rond 1980.

In West-Europa, althans op het Europese continent, heerst het Rijnlandse model van maatschappelijke ordening. Dit model is aan de sociale kant, het is altijd goed samengegaan met de verzorgingsstaat. Er wordt wel gezegd dat het Duitse economische succes voor een deel op dit model berust. In Duitsland wordt graag op langere termijn gedacht, het gaat er niet om snelle winst. Een goed product staat er op de eerste plaats, een product waar je trots op kunt zijn. De binding tussen een bedrijf en zijn mensen is er vaak sterk. Als het slecht gaat, wordt er eerder aan arbeidstijdverkorting gedacht dan aan ontslag. Een bedrijf wordt er bij voorkeur als een soort familie gezien waar je voor elkaar opkomt. Sociale solidariteit is er belangrijk. Niet toevallig zijn pensioen, ziekteverzekering en vakantie voor de gewone man uit Duitsland afkomstig.

In de VS daarentegen, en ook wel in Groot Brittannië, heerst het harde Angelsaksische model met zijn belang van aandeelhouderswaarde. De Amerikaanse president Reagan en de Britse premier Thatcher waren de gangmakers van de politieke marktideologie. Milton Friedman, de ideoloog van het vrije markt-kapitalisme en de kleine overheid, was hun inspiratiebron.

Laten we even teruggaan naar de omstandigheden van toen. Als je vóór de tijd van Thatcher (1979-1990) met een schip in Londen lag, was vertraging door staking aan de orde van de dag. En ook als de mannen wél werkten, leek het voortdurend theepauze. Ik heb het meegemaakt. Op electrische locomotieven reed naar verluidt nog altijd een stoker mee omdat de bonden het zo wilden. De industrie was hopeloos verouderd, een fatsoenlijke auto werd in Engeland niet meer gemaakt. Verder hoge inflatie en voortdurend arbeidsconflicten. Dus ja, *The Iron Lady* is niet uit de lucht komen vallen. Ze voorzag in een behoefte en gaf het verpauperde land weer een beetje zelfrespect.

In het eerste regeringsjaar van de conservatieve republikeinse president Ronald Reagan, 1981, legden 17.000 luchtverkeersleiders het werk neer. Reagan die niet veel ophad met ambtenaren, vakbonden en linkse acties, laat staan met een combinatie, hield de stakers eraan dat ambtenaren in Amerika niet mogen staken en ontsloeg de 11.000 man die het werk niet wilden hervatten. Hij zette op de vliegvelden luchtmachtpersoneel in om de ergste gevolgen op te vangen. Het huis was te klein, een schande. *Wat dacht die domme B-acteur wel?* Maar Reagans reputatie bij de vakbonden was gevestigd. Er werd rekening met hem gehouden. Later werden de verkeersleiders weer aangenomen, want haatdragend was Reagan niet.

Vergelijk die situatie eens met het Spanje van 2011 onder de progressieve premier Rodríguez Zapatero, de voorganger van Rajoy. Daar verdienden luchtverkeersleiders tot in 2010 tot € 350.000,- per jaar, dat was vier maal zoveel als de premier. Dit terwijl de lonen in Spanje in het algemeen laag zijn en iedereen al jaren de broekriem moest aanhalen sinds de crisis van 2008. Er heerste een algemene werkloosheid van ruim 20 procent (begin 2012: 22) en een jeugdwerkloosheid van meer dan 40 procent (begin 2012: 50). Voor jongeren was er niets: geen werk, geen huis, geen toekomst. Vaak zelfs geen geld om te studeren. Verlaging van de lonen van de verkeersleiders met behoud van een inkomensgarantie van € 200.000,- per jaar, vond bij de *slachtoffers* geen begrip, leidde alleen maar tot stakingen. De linkse regering Zapatero, van eerlijk delen dus, heeft in die tijd van alles geprobeerd. Maar de situatie van *de één alles, de ander niets*, heeft zij niet kunnen keren.

Wat ik met deze voorbeelden wil zeggen, is dat zelfs een drama als het moderne kapitalisme heeft kunnen ontstaan uit wat 30 jaar geleden op zichzelf goede bedoelingen en redelijke besluiten zijn geweest. Een beetje meer markt was toen wel nodig. En zonder bezuiniging was de verzorgingsstaat onderuit gegaan. En wie weet, misschien gebeurt het alsnog. Maar hoe heeft die omslag zo kunnen doorschieten? Voor de overzichtelijkheid zal ik mij hier verder beperken tot de gebeurtenissen binnenslands. We moeten dan beginnen met een situatie die op het eerste gezicht vreemd lijkt: een rijk land met een grote schuld.

De staatsschuld van 1983 als gevolg van overbesteding

In de vroege jaren '80 zag de Nederlandse economie er slecht uit, dit ondanks de aanzienlijke aardgasbaten. Deze kapitaalbron was het land in de schoot gevallen als een onverwachte nalatenschap. Klein begonnen in 1959, zouden de baten in de 50 jaar tot 2009 toch een bedrag van € 211 miljard bereiken. Sindsdien is de opbrengst bijna € 10 miljard per jaar, dus tot 2012 iets van € 240 miljard in totaal. Dan loopt het jaarbedrag zelfs op tot een € 12 miljard, dit als gevolg van de olieprijs, om daarna snel te verminderen. Want op is op, ook bij aardgas.

Het woord aardgasreserve was goed gekozen. Het kapitaal had bij elke vorm van behoorlijk beheer kapitaal moeten blijven en worden geïnvesteerd. Zelfs in een huishouden, waar het boekje moet kloppen, zou conservatieve besteding zijn gekozen, zoals aflossen van schuld of deponeren op een spaarrekening. Eventueel investeren in een verbouwing en in het uiterste geval misschien aankoop van duurzame gebruiksgoederen. Het geld gewoon uitgeven, opmaken, er doorheen jagen, dat doen serieuze beheerders met kapitaalgoederen alleen in geval van uiterste noodzaak. In Nederland bestond die noodzaak niet.

Toch is het in de Nederlandse politiek zo gegaan: het geld werd in de schatkist gestort en met gulle hand uitgegeven, uitkeringen en subsidies werden voor een belangrijk deel de bestemming. Een en ander conform de gewijzigde koers van de omslag van na 1960. Alleen al aan sociale zekerheid werd bijna een kwart uitgegeven. Investeringen in infrastructuur kwamen niet hoger dan 15 procent. Zie hierover Cees Banning in *NRC/Handelsblad van 13 juni 2009* met commentaar van Flip de Kam en Sweder van Wijnbergen. De progressieve politiek van de jaren '60 en daarna is vooral een bestedingspolitiek geweest, een politiek van potverteren. Op zijn best was het een sigaar uit eigen doos. Want het aardgas was bezit van het Nederlandse volk en had als zodanig moeten worden gerespecteerd en dus gereserveerd.

Op korte termijn waren de gevolgen van deze politiek nog te overzien: niet goed, geld weg. Jammer dus, maar ook geen drama. De bijverschijnselen waren ernstiger: een onnatuurlijk harde gulden met dalende export en stijgende werkloosheid. Daar kwam nog iets bij: de massale komst van buitenlanders, aanvankelijk gastarbeiders, daarna asielzoekers. Daar had de overheid even niet op gerekend, hoewel zij zelf de voorwaarden had geschapen: de ruime uitkeringen gecombineerd met een ruim toelatingsbeleid zouden hun uitwerking op asielzoekers niet missen.

Op langere termijn zou dit beleid zelfs voor een onaangename verrassing zorgen: openeinderegelingen met niet op te brengen blijvende verplichtingen voor het land, dit in zijn nieuwe rol als verzorgingsstaat. Of er veel minder asielzoekers zouden zijn gekomen zonder stimulerend beleid, weet ik niet. De VS bijvoorbeeld heeft strikte toelatingsregelingen en slechte uitkeringen, maar kan desondanks op grote belangstelling rekenen. Migratie heeft daar overwegend een economisch motief en biedt dus het beeld van een vacuüm dat wordt gevuld. In Europa is het niet anders.

Tegen deze achtergrond van aansluipende chronische overbesteding deed de oliecris van 1973 zich voor. Daar kwam een zekere malaise bij. Wat te doen? De malaise zou eventueel met pijnlijke bezuinigingen op termijn kunnen worden bestreden.

Waarom bezuinigingen, dan knijp je het herstel toch juist af? De PvdA zegt het bijna 40 jaar later nog steeds: 'je moet de boel niet kapotbezuinigen.' Dus waarom als overheid geen investeringen gedaan om de economie te stimuleren?

Correct, je werkt het herstel tegen, daarom zijn bezuinigingen als het slecht gaat ook dubbel pijnlijk. Zo lang moet je dus niet wachten. Maar welke politicus durft het aan om te bezuinigen als het goed gaat? Wat het investeren betreft, dat is het recept van Keynes (John Maynard Keynes, 1883-1946). Maar Keynes kwam met zijn plan in 1936. Toen hadden landen meestal niet zulke grote tekorten als tegenwoordig, althans niet structureel. In 1973 waren die tekorten er wel, als gevolg van overbesteding, het probleem lag dus anders. Als je al boven je stand leeft, help je jezelf niet door extra geld te lenen om nog meer uit te geven. Trouwens, het recept van Keynes was in de jaren vanaf 1936 ook al niet afdoende om Amerika echt uit de nasleep van de crisis te halen. Misschien doordat president Roosevelt er te vroeg mee ophield. De VS houden er inmiddels al jaren een oorlogseconomie op na, maar dan op permanente basis. Ook de Britten drukten geld bij om de boel aan de gang te houden, de inflatie van het pond reageerde alvast volgens het boekje en kwam boven de vijf procent.

Niet dat het gevaar van nog meer lenen bij een hoge bestaande staatsschuld in 1973 al door iedereen werd ingezien. In ieder geval niet door het kabinet Den Uyl, dat onvervaard begon met de progressieve therapie van dr Keynes: extra geld uitgeven in een tijd van malaise. Anti-cyclisch investeren heet het, in dit geval goed geld naar kwaad geld vanwege de al bestaande overbesteding. Het kabinet Van Agt zag geen kans om het roer echt om te gooien. Wel werden met Bestek '81 daartoe pogingen gedaan. Een geldkraan die eenmaal is geopend, krijg je niet zo maar weer dicht. Je zou zeggen dat Den Uyl als econoom beter had moeten weten, in 1973, maar dat is achteraf en te makkelijk. De ook internationaal zeer gewaardeerde Wim Duisenberg (1935-2005), was zijn minister van Financiën. Later zou Duisenberg bekend worden als Mister Euro, maar dit terzijde.

Tien jaar daarvoor werd ons aan de Universiteit van Amsterdam al bijgebracht dat anti-cyclisch investeren dé oplossing van elke malaise was. Dat die domme Colijn daarvan niets had begrepen, had de crisis in Nederland onnodig verlengd, zo heette het daar. Zo zal Den Uyl ook nog min of meer hebben geredeneerd. Dat het in werkelijkheid iets genuanceerder lag, komt nog aan de orde. De premier zat ook met een politieke erfenis hem door uiterst linkse ideologie en praktijk in zijn partij nagelaten. En toezeggingen blijven je als partij achtervolgen. In ieder geval was de financieel-economische besluitvorming eerder politiek dan objectief wetenschappelijk gefundeerd. In de eurocrisis van nu zien we hetzelfde.

De gevolgen na 1973 waren voor een deel te verwachten, voor een deel ongekend. De inflatie kreeg de wind in de rug. De rentestand kwam rond 12 procent te liggen, in Engeland waar men ook zoiets deed, zelfs rond 15 procent. Na midden 1978 bereikten de huizenprijzen een top. Daarna ging het snel bergafwaarts. Er zat een serieuze recessie aan te komen, zo geen crisis, de werkloosheid steeg. Mensen konden hun huis niet meer kwijt en als ze zonder werk raakten, konden ze de oplopende rente niet meer betalen. Ze bleven na executie vaak met grote schulden zitten in een huurhuis. Nu zouden we zeggen *Spaanse toestanden*. De overheid kreeg steeds minder inkomsten om alle uitgaven te dekken.

Nog even terug naar Colijn. Waar je in de tijd van Den Uyl weinig over hoorde, was het koopkrachtverlies van veel gepensioneerden. Pensioenen van voor de oorlog liepen nog, maar waren vaak niet geïndexeerd. De betrokken gepensioneerden hadden hun premies in harde guldens betaald, maar zagen hun pensioeninkomsten door inflatie wegsmelten, een vergeten groep. De overheid had het probleem door haar roekeloze bestedingspolitiek ten behoeve van de verzorgingsstaat zelf veroorzaakt. Maar toen het zich in volle omvang manifesteerde, had zij andere zorgen: het handhaven van diezelfde verzorgingsstaat waar iedereen welkom was en vooral moest blijven. Ruimte- en geldgebrek mogen dan geen rol spelen, het gaat om het grote gebaar. De eigen mensen die voor hun pensioen altijd premie hadden betaald, moesten het zelf maar uitzoeken. En je behoeft geen bewonderaar van Colijn te zijn om in te zien dat zoiets hem niet zou zijn overkomen. Hij zou het verraad hebben gevonden.

In 1982 was de recessie er in volle omvang. De voorafgaande gang van zaken had tot een grote staatsschuld geleid. De kabinetten Van Agt hadden zoals gezegd het tij niet kunnen keren. Daar moest nu eindelijk iets aan worden gedaan. De politiek had lang genoeg een beleid gevoerd dat neerkwam op het uitgeven van geleend geld. Geld moet in principe eerst worden verdiend, voordat het kan worden besteed. En anders moet het

worden geleend, maar ook in dat geval moet het eens worden terugbetaald. Met rente, want gratis is het nooit.

Misschien dat deze oude waarheid steeds opnieuw moet worden ontdekt.
De oude Grieken zullen dit toch al wel hebben geweten? Zij hebben het
woord economie uitgevonden. Na de progressieve euforie van de jaren
'60, voortgezet door Den Uyl in de jaren '70, kwam de klap hard aan.
Het begrip economisch huishouden werd herontdekt. De overheid zag
zich gedwongen met drastische bezuinigingen te komen. Zo gingen de
salarissen van ambtenaren en trendvolgers met een paar procent omlaag.
Lubbers had dan misschien wollig en wel *een progressieve grondhouding*,
maar hij bleek als premier een realist en geen dromer.

Efficiëntere bedrijfsvoering

In dit verband werd het hoog tijd om de omvang van de overheid eens
kritisch te bezien. Ook werd gezocht naar efficiëntere bedrijfsvoering.
Marktwerking zou daarop het antwoord zijn. De marxistisch bestuurde
landen met hun centraal geleide planeconomie hebben vooral op papier
gefunctioneerd. In de praktijk konden ze niet zonder tariefmuren en
soortgelijke beschermende maatregelen. Hun staatsbedrijven konden
niet concurreren. Toen in 1989 de Berlijnse muur was gevallen en Oost-
Duitsland, de voormalige DDR, in 1990 met West-Duitsland samenging,
is er een moeizaam proces van economische aanpassing en opbouw
begonnen, dat nu na ruim twintig jaar nog niet geheel is voltooid. De
achterstand die in de DDR was opgelopen, zowel economisch als mentaal,
was groot. Het land leek in 1990 meer op Polen dan op West-Duitsland.
Het kostte dan ook 1900 miljard euro om er iets van te maken, netto
misschien een kwart minder.

Privatisering en marktwerking

De Nederlandse overheid had dus goede redenen om werk te maken van afslanking van de overheid en van efficiëntere bedrijfsvoering. Om dit proces te bevorderen én om aan geld te komen, werden plannen voor verzelfstandiging en privatisering van overheidsbedrijven ontwikkeld. De overheid had toen al ruime ervaring opgedaan met het verkopen van tafelzilver in de vorm van aardgas. Dus met die gerenommeerde staatsbedrijven zou het ook wel lukken. Er werd een driesporenbeleid op touw gezet door een overheid die eerst flink wilde afslanken en incasseren om vervolgens ook zelf marktwerking te gaan toepassen in haar eigen, overblijvende activiteiten. Incasso, privatisering en marktwerking werden het devies. De term incasso werd nooit gebruikt, maar dat is wat het was, en het was hard nodig ook.

Zowel bij privatisering als bij marktwerking in eigen gelederen is zorgvuldige afweging geboden. Sommige goederen en diensten zijn van zo vitaal belang voor de burgers, dat ze beter in handen van de overheid kunnen blijven. Spoorwegen zijn er wat mij betreft een voorbeeld van, energie- en waterbedrijven misschien ook. Hoewel, ook daar moet je relativeren. Sweder van Wijnbergen zegt in NRC/Handelsblad van 1 okt. 2011, *dat voedsel net zo'n publiek belang is als water, maar dat we Unilever toch nooit hebben genationaliseerd.* Die bewering is juist, maar water en energie zijn basisproducten. Aan de andere kant weten we van de arbeidersparadijzen, wat er van hun voedseldistributie terechtkwam. Maar toch, als ik op mijn eigen ervaringen bij de geprivatiseerde energielevering afga, ben ik blij dat de waterlevering nog in handen van de overheid is. Ik wil bijvoorbeeld graag een rekening zien die ik kan begrijpen. Hoe het zij, het beeld is gemengd, een *one-size-fits-all* oplossing lijkt niet de aangewezen weg.

Verder waren en zijn er tal van activiteiten van de overheid waarvan de meerwaarde niet, of niet alleen, in geld is uit te drukken. De overheid is ook geen bedrijf, zij heeft geheel andere doelstellingen en verantwoordelijkheden dan het maken van winst. Wel moeten ook haar financiën in evenwicht zijn. Met winst houden bedrijven zich bezig en ook daar zijn de bedrijven die alleen gericht zijn op snelle en maximale winst, meestal niet de beste bedrijven. Een goed bedrijf weet dat termijnvisie belangrijker is, en dat zijn grootste kapitaal in zijn medewerkers zit. Het zijn de mensen die het moeten doen. Puur winstbejag door aandeelhouders en door winstdelend management garandeert nog geen continuïteit van de onderneming. Integendeel, de banken zijn daarvan een voorbeeld.

Over traditionele banken uit de tijd van voor de verloedering valt veel goeds te vertellen. Sinds de late Middeleeuwen heeft het internationale bankwezen een essentiële rol gespeeld bij de economische ontwikkeling in het algemeen en bij de internationale handel in het bijzonder. Amsterdam is in de 16de en 17de eeuw mede op poten gezet door Zuid-Nederlandse ondernemers en Portugese joden, die daar kwamen met hun geld en met hun bankrelaties. Zonder een functionerend internationaal bankwezen zou die ontwikkeling niet mogelijk zijn geweest. De recente ontsporingen vormen een hoofdstuk apart, een zwarte bladzijde, die niet noodzakelijkerwijze behoeft te worden voortgezet. Althans als de politiek wereldwijd de moed opbrengt om met de huidige graaimentaliteit korte metten te maken. De vraag is wel, of dit nog haalbaar is, of de competentie van de politiek nog zo ver reikt. Bij de banken misschien nog wel, vanwege hun publieksfunctie, maar bij het bedrijfsleven in het algemeen zie ik het nog niet zo.

Het kapitalisme als ideologie

Zo veel is duidelijk: het kapitalisme zal er goed aan doen, tot een meer sociale variant terug te keren. Het Angelsaksische model zal zich in ieder geval zonder op zijn minst duidelijke regels voor de financiële sector, niet kunnen handhaven. Het kapitalisme überhaupt is langs die weg een versteende ideologie geworden, een dogmatisch geloof. Een interessant artikel in dit verband van Caroline de Gruyter in *Boeken van NRC Handelsblad van 30 april 2010*. De auteur haalt literatuur aan waarin voor regulering van markten wordt gepleit: John Cassidy's How Markets Fail: The Logic of Economic Calamities, London, Penguin, Allen Lane, 2009, wijst op de feilbaarheid van economische theorieën. Economische modellen gaan uit van rationele keuzes, maar het zijn mensen die die keuzes moeten maken. Daarbij zijn ze geconditioneerd op het bestaande kapitalistische systeem. Op die manier is het kapitalisme niets meer dan een ideologie, die niet altijd rationeel of creatief, maar vaak ook dogmatisch zal worden gevolgd.

Als je bedenkt dat er samenlevingen zijn geweest waarin het systeem heel anders was, verbaast dit standpunt niet. Interessant is ook, dat het falen van het kapitalisme hier in feite wordt herleid tot het falen van de mens. Die moet tegen zichzelf worden beschermd. Dit lijkt dus verdacht veel op de situatie bij het falen van het socialisme. Ook dat is mensenwerk. Ook daar een te optimistische voorstelling, een ideaalbeeld, een droom waarin alles alleen maar beter wordt. In werkelijkheid dient de praktische vraag te worden gesteld: wie bewaakt de bewakers? Het Rijnlandse model is voor ons dichter bij huis, ook voor Duitsland. Dat komt goed uit want wij zijn economisch nauw met Duitsland verbonden. Aan het Rijnlandse model is wel een voorwaarde verbonden: er is een goed functionerende overheid bij nodig, anders gaat het richting DDR. Dit laatste zie ik in Duitsland nog niet gebeuren. De Duitsers weten te goed wat daar is aangericht, hebben te lang moeten bloeden om de zaken weer enigszins in het gareel te brengen. Maar nu eerst terug naar de *zegeningen* van het BV Nederland-model.

Privatisering en publiek: wat ergert de burgers en waarom?

De slagzij die het kapitalisme van Angelsaksische snit maakt, zou een waarschuwing moeten zijn. *Een schip op het strand is een baken in zee.* Des te meer reden voor een overheid in deze tijd, zou je zeggen, om zich nog eens te bezinnen op plannen van verdere privatisering. Iémand zal er wel beter van worden, lijkt het, maar meestal niet het publiek. En daarvoor is de overheid toevallig verantwoordelijk. Maar het is hier niet de plaats om het privatiseringsbeleid van de overheid nu eens integraal tegen het licht te houden.

Want eigenlijk zijn we op zoek naar oorzaken van onvrede. Wat ergert de burgers en waarom? En in dat verband is het privatiseringsbeleid relevant, althans hoe erover wordt gedacht. Dit laatste zelfs na de overgang in particuliere handen. De overheid krijgt namelijk al gauw de schuld wanneer de burgers zich een vroegere situatie herinneren, of menen te herinneren, die in hun opvatting beter was. Of NS nu wel of geen structuurvennootschap is en de overheid als aandeelhouder daar dus minder of meer zeggenschap heeft, het zal de reiziger een zorg zijn. Waar hij mee te maken heeft, is de puinhoop die er van het toenmalige modelbedrijf is geworden.

De Postbank

Neem de vroegere Postbank: eenvoudig, ouderwets, degelijk. *Giroblauw past bij jou.* Zette de traditie van de Postcheque- en Girodienst en de Rijkspostspaarbank voort. Met afstand het grootste aantal particuliere rekeninghouders in het land, orde van grootte 6 of 7 miljoen, zelden een fout en nooit een risico. Geen breed assortiment bankdiensten in de aanbieding, maar daar vroeg niemand om. Bescheiden hypotheken en andere leningen, alsmede eenvoudige spaarrekeningen, veel meer was er niet. Het was overzichtelijk en het was genoeg. Voor een fancy hypotheek moest je ergens anders zijn, dat wist je, bij de Postbank was alles mid-delmaat, rust en redelijkheid, door en door betrouwbaar. What you see is what you get, wat wil je meer?

Wat er zou mankeren aan die aardige, oude, vertrouwde tante met al die tevreden klanten, daarvan heb ik het fijne nooit begrepen. De bank werd voor ouderwets versleten, ze leed aan vergrijzing. En dat is in onze maatschappij natuurlijk wel een probleem. Maar misschien zoek ik het te ver en was de financiële nood van de verspillende overheid de doorslag-gevende factor. Om tante in haar slaap om zeep te helpen.

Hoe het ook zij, de Postbank werd in 1986 geprivatiseerd en in 1989 vond een fusie plaats met de NMB, zo ontstond de NMB Postbank Groep. Deze organisatie ging opnieuw in de etalage en trok de aandacht van het voortvarende Nationale Nederlanden verzekeringsconcern. Er kwam een fusie in 1991 onder de naam ING. Beide banken werden ingelijfd, maar aanvankelijk met laag profiel van de holding. Alleen de NMB werd in 1992 herdoopt in ING, de Postbank hield haar eigen, vertrouwde identiteit. Nu was de Postbank bij alle soberheid - of juist daardoor - een sterk merk. Haar omvang kon niemand ontgaan, haar reputatie van betrouwbaarheid stond als een huis, en haar trefzekere promotie met de blauwe leeuw blijft je bij. Die was veel beter dan het slappe gezeur van de commerciële concurrentie. Je keek met plezier naar die spots: wat er daarin gebeurde weet ik niet meer, maar het was altijd lachen met Jan Mulder en die spannende assistente met de giroblauwe ogen.

Bovendien deed de Postbank nog iets anders, iets dat de mensen niet eens wisten maar waar ze wel plezier van hadden. De Postbank was namelijk voor de helft eigenaar van de postkantoren, samen met PTT. Maar goed, dat zal bij de overname geen grote rol hebben gespeeld want die postkantoren hadden hun tijd ook wel gehad, want wat moet je nu nog met een postkantoor? Het versturen van pakketten gaat toch veel handiger bij de sigarenzaak? En waarom in een buitenwijk geld pinnen, dat is in de binnenstad toch veel veiliger? Dat deze en dergelijke overwegingen bij de huidige generatie managers in de sfeer van geavanceerde communicatiesystemen een rol spelen, is wel te begrijpen. Maar er is ook nog een wat ouder publiek om rekening mee te houden, zou je zeggen. De overheid had een dergelijke eis bij de verkoop van dit overheidsbezit misschien toch wel mogen stellen.

In 2007 werden de bakens verzet. De financiële hogepriesters van de holding hadden uitgemaakt dat het zo niet langer kon, met al die beperkte bankdiensten van die burgerlijke Postbank, zó gedateerd. De klant, zo wisten deze échte bankiers, wil keuze, de klant is koning. Hij wil een nette bank waarmee hij op de golfbaan voor de dag kan komen. *En wij kunnen hem misschien een van onze nieuwe onmisbare financiële producten aansmeren*, maar dat zeiden ze er niet bij. Dus moest het in 2009 allemaal ING worden. Er gingen managers aan het werk om de ramen bij die suffe tent eens flink open te zetten. Zij zetten de kroon op het werk door alles oranje te verven, de voorname huisstijl van deze firma. Succes verzekerd. Wat nog blauw was, kon weg, pasjes, enveloppen, formulieren, alles. Zoiets kost een paar centen, maar dan heb je ook wat. Belangrijke voordelen waren ook dat je creditcard van pinnummer veranderde en dat je spaarrekening geen kapitaalrekening meer heette, maar onder de naam comfortspaarrekening verder ging. Een en ander om u nog beter van dienst te zijn.

De broodnodige mega huisstijloperatie was op tijd voltooid, juist voor het dreigende tekort aan het licht kwam. Het ING concern werd nu pas echt beloond voor de overname van de Postbank, het bleek namelijk *too big to fail*. De overheid kwam er dus opnieuw aan te pas, maar nu met betalen: samen met Fortis kreeg ING voor grote bedragen steun aan belastinggeld, ABN-AMRO, ook zo'n kampioen van het vrije ondernemen, werd zelfs door de staat overgenomen.

De eenvoudige burger raakt dus eerst *zijn* vertrouwde blauwe bank kwijt waarmee hij tevreden was. Vervolgens mag hij die oranje reus op lemen voeten, die wankelende financiële King Kong, van zijn eigen belastingcenten overeind houden. Hoera, dat is wel een bonus waard. Nu hoor je wel dat de situatie in Nederland nog meevalt. En het is waar: de bankiers zijn hier nog redelijk fatsoenlijk vergeleken bij de graaipraktijken in het Wilde Westen. Niet iedere bank is een Rabobank of Triodos, maar toch. ING betaalt zijn schulden tenminste terug, en komt bovendien goed uit de verschillende onderzoeken. Dat is al heel wat. Nu het vertrouwen van de rekeninghouders nog.

Ik heb nog nooit een rekeninghouder van de Postbank gesproken aan wie iets is gevraagd, of ook maar één die iets in die vernieuwing zag. Nou vooruit, eentje dan, in de trein toen we voor station Haarlem een tijd stilstonden. Hij gaf hoog op van de voordelen van de schaalvergroting op automatiseringsgebied, maar of hij ook zelf rekeninghouder was, weet ik eigenlijk niet meer. Klachten over banken heb ik vaak genoeg gehoord, maar nauwelijks over de Postbank.

Dan nog een ander punt. Schaalvergroting van banken is natuurlijk een eerste vereiste bij een modern banksysteem. Anders wordt het nooit wat met die bonussen. Alleen al vanuit dit perspectief was de overname van de Postbank een noodzaak. De concurrenten ABN/AMRO en Fortis zouden immers zo groot mogelijk moeten worden en NN of ING kon als toekomstig bankverzekeraar moeilijk achterblijven. Conservatieve landen als Canada en Australië, die er anders over dachten, hebben het geweten. Daar zijn geen banken omgevallen, ze waren ouderwets solide en niet modern topzwaar. De belastingbetalers bleven daar buiten schot. Misschien dat de banken in die landen van hun centrale bank andere adviezen hebben gekregen inzake schaalvergroting.

De Nederlandse Spoorwegen

Neem de Nederlandse Spoorwegen. Lang geleden ontstaan uit een aantal elkaar beconcurrerende ondernemingen. In de tijd vóór de verzelfstandiging in 1995 was het een voorbeeldig bedrijf. Het genoot ook in het buitenland een uitstekende reputatie. Ik weet hoe over de NS in Europa werd gedacht want ik ben jaren conducteur geweest bij Wagons Lits. Een volledig staatsbedrijf is de NS nooit geweest, wel was de overheid enig aandeelhouder. Bij de verzelfstandiging is het bedrijf gesplitst in NS en ProRail. Het idee was om ProRail met de railinfrastructuur wat dichter onder toezicht van de overheid te houden, intussen onder Verkeer en Waterstaat, pardon Infrastructuur en Milieu. Maar overigens is de juridische structuur in 1995 niet veranderd. De overheid heeft de aandelen behouden. En daarbij de verantwoordelijkheid. Hoe is zij daarmee omgegaan? '*De NS betrouwbaarheid is ondergeschikt gemaakt aan het marktdenken*' volgens Arie van der Zwan (NRC/H., 22 feb. 2010).

Wat is het verschil met vroeger? Kort gezegd: alles. Er is altijd wat. De lijn Den Haag Amsterdam via Schiphol gaat nog wel. Op dat traject schijnen nogal wat kamerleden te reizen. Maar Amersfoort of verder, vergeet het. Vorst of sneeuw, blijf maar thuis. Er zijn buitengewoon veel hinderlijke storingen, ook zonder bijzondere weersomstandigheden. Weliswaar zijn de reizigers volgens de ter beschikking staande statistieken tevreden, maar het vreemde is, dat ik die reizigers nooit tegenkom. Treinen vertrekken wel redelijk op tijd, maar hebben vertraging waardoor je je aansluiting mist. Het personeel is trouwens goed. Het probleem ligt elders.

Op zichzelf zou dit tot daaraantoe zijn, als de informatie over die storingen gecoördineerd en efficiënt zou plaatsvinden. Daarvan is echter geen sprake. In Utrecht maak je mee, dat mensenmassa's tot drie maal toe naar andere perrons worden gestuurd. Ook zo handig voor rolstoelrijders. Je krijgt als reiziger soms de indruk dat de informatie in het geheel niet wordt gecoördineerd. Nog even en je mag blij zijn als er tijdig een machinist voor je trein kan worden gevonden. *Safety first*, zonder machinist laten ze die trein niet vertrekken. Voor wie dit niet gelooft: Den Haag Centraal, perron 1, intercity naar Eindhoven, zaterdag 28 mei 2011 kort na 1300 uur. Geen machinist voor die trein beschikbaar.

Dan laat ik nog maar even zitten, dat dit eigenlijk niet de trein van mijn keuze was. Ik wilde naar Den Bosch via Utrecht, zoals normaal is. Maar de trein naar Utrecht was door de chaos eerst niet te vinden en daarna niet te bereiken. Zoiets moet ook die verdwaalde machinist zijn overkomen. Ik heb de meeste stations van Europa gezien, ook wel als er werd verbouwd, zoals Leipzig of Antwerpen. Maar zoiets als in Den Haag maak je zelfs in Binnen-Mongolië niet meer mee.

Dat je om strategische redenen soms omwegen moet maken, komt meer voor. Bij sneeuw is het schering en inslag. Het is dan mooi meegenomen als je nog wat aardrijkskunde hebt geleerd, zodat je weet dat je ook via Rotterdam naar Utrecht kunt komen. Op een winterdag, 4 december 2010, was mijn reisdoel Lunteren waar ik te eten was gevraagd. Ede-Wageningen was mijn NS doel, dan een particuliere lijn richting Amersfoort, uitstappen in Lunteren. Zoiets moet zelfs bij sneeuw in een uur of zes toch wel te doen zijn. Aanvankelijk verliep de reis vlot. Dat wil zeggen, niet dat er een trein naar Utrecht ging, maar daar reken je op zo'n dag al niet meer op. Het probleem - er is altijd een probleem – zat in Zoetermeer. Rotterdam lag dus voor de hand, een beetje om maar allez, Gouda is vandaar niet ver. Toen ik na een uur of vier Gouda had bereikt, begreep ik dat de excursie zou uitdraaien op een hotel in Utrecht. Geld teruggekregen, dat weer wel.

Treinen worden op grote schaal nieuw aangeschaft, maar of ze bij vorst of sneeuw ook functioneren, is een tweede. Helaas, de electronica kan daar niet tegen, en aanvullende voorzieningen hebben ze niet. In Duitsland en in Zwitserland hebben ze die bij dezelfde treinstellen wél. In een sprinter kan de reiziger niet naar de WC. In verband met de korte afstanden wordt die voorziening niet nodig geacht, en zo'n trein staat ook nooit langere tijd stil voor een defecte wissel natuurlijk. Sprinter betekent in NS turbotaal trouwens stoptrein. Die neem je ook wel eens voor de langere afstand als het zo uitkomt. In zo'n geval kan de afstand Den Haag Utrecht lang duren. Onlangs zat ik in zo'n trein van Enschedé naar Münster, maar dat was een Duitse, dus die had wél toiletten aan boord. En schoner dan ik ze in Nederland in 20 jaar heb gezien, maar dit terzijde.

Ik denk dat de oorzaken niet moeilijk te vinden zijn. De splitsing van NS en ProRail is op zichzelf al vragen om moeilijkheden. Verder is er op alles bezuinigd, tot op het bot. Als je je technische infrastructuur verwaarloost, zoals kennelijk gebeurt, zal dat zeker goedkoper uitkomen, maar dan moet het niet gaan sneeuwen. Het besluit om de spoorwegen te splitsen in een deel voor de technische voorzieningen en een deel voor de normale bedrijfsvoering is in theorie begrijpelijk, de overheid wil meer controle houden op de infrastructuur, maar dat is ook alles. Samenwerking wordt in zo'n geval moeilijk. Partijen geven elkaar de schuld. Overigens kunnen spoorwegen heel goed door de staat worden gerund, Frankrijk bewijst het. In Zwitserland, met de beste spoorwegen ter wereld, zijn er ook weer veel particuliere maatschappijen bij, maar wel goed geïntegreerd in het nationale systeem. En waarschijnlijk niet op een koopje. De aanpak in Nederland is even incompetent als halfzacht. Het ergste is nog wel, dat dit besef nog steeds niet tot de hoogste leiding is doorgedrongen.

Want geloof het of niet, de splitsing van NS en ProRail wordt in de top van het bedrijf nog vlijtig verdedigd. Een commissaris van ProRail werd gevraagd om als interim-president de bedrijfsvoering over te nemen. Als een kandidaat wordt geacht om dat bedrijf, die moeizame en moedeloze bende, adequaat te kunnen leiden, moet het wel iemand met een bijzondere visie zijn. Welnu, het eerste dat de nieuwbenoemde topfunctionaris de pers toevertrouwde, was: '*Het probleem zit niet in de structuur...*' (NRC/H., 6 jan. 2011). Humor heeft de betrokkene blijkbaar wel.

Kort daarna werd een topfiguur binnengehaald die volgens de Tweede Kamer voor een cultuuromslag zou moeten kunnen zorgen. Haar eerste uitspraak in dezelfde krant was, dat haar *prioriteit niet bij de reizigers ligt.* (NRC/H., 9/10 en 11 april 2011). Maar gelukkig is mevrouw tot een ander inzicht gekomen. De Telegraaf van 10 december 2011 onthult haar nieuwe prioriteit: '*Eind 2015 heeft het spoor geen last meer van verwijtbare storingen. We willen naar 0 procent.*' Over *de weeffout van de splitsing* hoor je haar niet. Maar anderen wel. '*De NS had nooit gesplitst moeten worden...*' aldus Sweder van Wijnbergen (NRC/H., 1/2 okt. 2011).

Wat er in de late winterweken van het seizoen 2011/2012 op het spoor gebeurde, overtrof alle voorafgaande malheur. De minister beloofde de Zwitsers erbij te halen. Je zou zeggen dat ze beter kon beginnen met de NS en ProRail samen te voegen. Daarover geen woord. Het zou aan de wissels liggen, en daar wisten de Zwitsers meer van. Je vraagt je af waar de directies hun tonnen mee verdienen, als de minister zich met wissels moet bezig houden. Overigens zijn de Duitsers even serieus en dichterbij. Er wordt nogal eens beweerd dat de Zwitsers veel meer geld aan hun spoorwegen besteden, dat Nederland veel meer wissels heeft enz. De expert Paul Blumenthal, die de Zwitserse planning en organisatie heeft bedacht, maakt met dit soort sprookjes korte metten. '*Zwitsers spoor is niet duurder, wel veel beter*' stelt Blumenthal in een artikel in NRC/Handelsblad van 9 februari 2012.

De PTT

Neem de post en de telefoon. De Nederlandse PTT, dat was wat, een voorbeeld in de wereld. Technisch geavanceerd, organisatorisch doordacht. Een beetje bureaucratisch waarschijnlijk. Soms waren de wachttijden wat lang voor deze of gene dienstverlening. Maar voor het overige kan ik me geen problemen herinneren, zeker niet met de post. Een boek dat net niet door de bus ging, of een pakje, kwam bij de buren, bij de fietsenmaker op de hoek, of in het uiterste geval bij het postkantoor terecht, twee straten verder. Nooit een klacht, nooit een probleem, alles was rust en regelmaat bij dat door en door betrouwbare overheidsbedrijf.

Nu gaat het anders. Met KPN heb ik geen problemen, integendeel, een serieus bedrijf. Ik heb daar telefoon, vast en mobiel, en ADSL internet. Als er iets is, krijg je ook werkelijk iemand aan de telefoon. Bij de Post daarentegen heeft de verzakelijking schade aangericht. Post komt op de gekste tijden, die ook nog eens wisselen. Of raakt weg. De brieven die ik krijg, zien er soms uit alsof ze eerst met opzet in een prop zijn gefrommeld. Rouwkaarten die je na de begrafenis bereiken, zijn normaal. Een klein pakje is geen probleem, tenzij je niet thuis bent. Vroeger lag er dan een simpel formulier, soms was er legitimatie nodig, zoiets stond er dan bij. Nu gaat het anders. Een onduidelijk kaartje met allerlei keuzemogelijkheden, een dito site. Verificatiecode, wachtwoord en wat niet al, is nodig om dat pakje naar het hulppostkantoor te krijgen. Aldaar weer wachtwoord en legitimatie. Alles moeizaam te lezen en te begrijpen. Geen ondersteunend telefoonnummer of e-mail voor vragen.

Het gaat ook om beveiliging, dat begrijp ik wel, maar waarom alles zo amateuristisch en ingewikkeld georganiseerd? Deze manier van opereren is alleen te vergelijken met die van de Gemeente Den Haag bij haar nieuwe parkeerbeleid. Als je iemand met een auto op bezoek krijgt, moet je voor het parkeren op saldo betalen, wat betekent dat je per bezoek twee maal 24 toetsen moet indrukken, in totaal 48. Er zijn mensen bij mij in de straat die zoiets door hun leeftijd niet meer foutloos kunnen.
Een doos is werkelijk een probleem. Die komt weer via een andere club van vrije jongens die het allemaal zo efficiënt aanpakken. Ze bellen wel,

maar als je pas na 20 seconden de deur open doet, zie je de auto nog juist wegrijden. Dus die doos moet je afhalen. Maar waar? De firma zelf weet niet waar het afhaaladres dat ze opgeven, zich bevindt. Ze verwijzen naar de autonavigatie. Op zichzelf begrijpelijk, maar je vraagt je toch af: wat moeten oude mensen zonder auto? De belasting van de burger met deze ongein van de ex-overheid en de gemeente is een bron van ergernis voor iedereen. Wat de overheid of ex-overheid hier doet, is niets anders dan mensen uitsluiten door leeftijdsdiscriminatie.

Deze drie voorbeelden komen uit de privatiseringspraktijk. Postbank, NS en PTT, oorspronkelijk stuk voor stuk organisaties die stonden als een huis en met een internationale reputatie. Mensen waren er trots op als ze daar werkten. Beweer ik nu dat daar geen privatisering had mogen plaatsvinden? Nee, want ik kan niet overzien waar het allemaal goed voor is en ik hoop er het beste van. Maar ik weet wél, dat de dienstverlening aan het publiek bij alle drie dramatisch is verslechterd. KPN is de enige echte uitzondering, voor mij althans. Natuurlijk, de overheid heeft op geprivatiseerde ex-overheidsbedrijven weinig invloed meer en draagt er ook geen verantwoordelijkheid meer voor. Tenzij als aandeelhouder zoals bij NS en ProRail. Maar door de burgers wordt zij nog wel vaak voor verantwoordelijk gehouden. En zo krijgt ze dan toch nog wat ze door al dat geknoei verdient: een koekje van eigen deeg.

Bij verzakelijking hoort profiel en promotie

Bij de verzakelijking van de overheid kwam de behoefte op om zich te profileren en te promoten. Zo ontstonden de promotieteksten, waarmee politiek en overheid inmiddels al jaren proberen de burgers te overtuigen. Promotieteksten? Ja, want wie iets te verkopen heeft, moet reclame maken, aan promotie doen. Tussen de beide wereldoorlogen heeft dit systeem grootscheeps ingang gevonden, afkomstig uit Amerika. In de Nederlandstalige literatuur is het milieu van reclame en promotie, met alle klatergoud van dien en de hele en halve oplichters die daar als vanzelf ook opduiken, door Willem Elsschot (1882-1960) geïntroduceerd. Als Vlaming was Elsschot een van de grootste schrijvers in het Nederlands. Maar praktisch was hij ook. Uit zijn werk blijkt, dat wie geen reclame maakt, niet vooruitkomt in de wereld, *of hij nu sigarenfabrikant, begrafenisondernemer of producent van ijzeren dan wel houten bedden is.*

Voor een beetje overheid geldt dit principe natuurlijk ook. Niet dat Elsschot in zijn tijd daar al aan dacht. De overheid was er toen nog niet aan toe zichzelf op die manier aan te prijzen. Politieke propaganda op zichzelf is natuurlijk veel ouder, is van alle tijden. Maar een bedrijfsmatige marketing om politiek beleid op de kaart te zetten, bestaat nog niet zo lang. Een onbekend genie moet een keer hebben bedacht, dat politiek beleid een product is als elk ander. En dat het als zodanig in principe op dezelfde manier aan de man kan worden gebracht.

Deze geniale ontdekking zal iets te maken hebben met de voortgaande verzakelijking van de politiek. Religie en andere ideologie, inclusief die van de Verlichting, zijn als politieke drijfveren in de westelijke wereld teruggetreden ten gunste van een meer pragmatische en zakelijke aanpak. Er is vrijwel geen spirituele basis meer, het gaat nu vooral om geld. En om trucs om eraan te komen. Hier zitten we weer in de wereld van Elsschot. Hij is de Vlaamse meesterschilder van de gebakken lucht, dus dat kwam goed uit. In zo'n klimaat voelen managers zich thuis.

Managers

Oorspronkelijk werden ondernemingen en andere organisaties uitsluitend door vakmensen geleid. Ze hadden verstand van het werk dat er werd gedaan, dus bijvoorbeeld van de producten die er werden gemaakt of verhandeld, of ze hadden verstand van geld. Een machinefabriek werd geleid door een ingenieur, een farmaceutisch bedrijf door een apotheker of een chemicus, een ziekenhuis door een arts. Toen bedrijven en organisaties groter werden en ingewikkelder, werd er in de top gespecialiseerd. Juristen en economen kwamen erbij. De meerwaarde van deze functionarissen lag nog steeds in hun vakmanschap in een bepaald segment van de organisatie. Degenen die zich wisten te onderscheiden en in de leiding terecht kwamen, kenden de organisatie en de mensen en wisten dat zij via hen de doelstellingen moesten zien te verwezenlijken. Continuïteit stond te allen tijde voorop.

De goede manager is onmisbaar, ook nu nog. Meestal heeft hij wel een vak geleerd, maar heeft hij zich later als generalist ontwikkeld. Hij heeft overzicht en visie. Hij is in staat zijn mensen te inspireren. Zijn medewerkers vormen zijn grootste kapitaal. Zelfs bij kapitaalintensieve ondernemingen als Shell, waar dus relatief weinig mensen werken, is men zich dit terdege bewust. Je kunt de echte manager trouwens herkennen aan zijn taalgebruik. Als een president van Shell spreekt, is hij vóór alles goed te begrijpen. Competente managers zijn meestal goed te begrijpen, competente politici trouwens ook.

Rond 1913 kwam het vak management op. Het ging toen vooral om productieprocessen, die werden ontleed en in cijfers uitgedrukt om de efficiëntie te bevorderen (Taylor, 1913). Dit soort technisch management bleef globaal tot het einde van de Tweede Wereldoorlog maatgevend. Sindsdien heeft zich professioneel management ontwikkeld vanuit de bedrijfseconomie. Management om het management. Daar valt ongetwijfeld veel goeds van te zeggen. Nijenrode heeft zelfs een minister-president opgeleverd die zijn kennis aanvankelijk bij een vakbond in praktijk had gebracht. Daar kan ieder vrede mee hebben, het vak voorziet blijkbaar in een behoefte. Ik heb er verder geen verstand van. Maar omdat ik niet blind ben, heb ik wel gezien dat het *niet allen koks zijn, die lange messen dragen.*
Knoeiers heb je in elk vak. Op een gegeven moment is er een slecht uitgevallen kloon van de professionele manager, de quasi manager of

jargonmanager zou je hem kunnen noemen, opgedoken. Deze spookrij-
der verschijnt overal op terreinen waar hij geen verstand van heeft. En
dat zijn dus bijna alle terreinen. De naam zegt het al: het gaat hier om
een nieuw soort manager, die het vooral van zijn methode en van zijn
jargon moet hebben. Zijn specialiteit is gebakken lucht. Zo'n manager
kan nergens worden gemist. Al is het maar omdat hij als enige zijn eigen
methode en vakjargon begrijpt. Hij blinkt vooral uit in die sectoren waar
geen geld behoeft te worden verdiend en waar het eindproduct niet zo
eenvoudig kritisch kan worden beoordeeld. Waar die beoordeling wél
plaatsvindt, zoals in het bedrijfsleven, valt de jargonmanager al gauw
door de mand. Daar blijkt immers spoedig dat het rendement van
constante veranderingen, begeleid door al die onbegrijpelijke teksten,
schema's en organogrammen, nul is, of zelfs negatief. Dus wijkt hij uit
naar een veiliger omgeving.

Dat treft, want politiek en overheid, in het bijzonder de slecht geleide
departementen en organisaties - je zou het niet zeggen maar die bestaan
- zijn toevallig dol op dat soort acties en op zulke stukken. Hoe onbe-
grijpelijker hoe beter. Je kunt er dan alle kanten mee uit en je kunt je er
bovendien achter verschuilen. En geld speelt geen rol als het om zulke
onmisbare beleidsstukken gaat. Een sociaal-wetenschappelijk rapport
over de opzet van een *democratiseringstraject* wordt niet gauw te duur
betaald. Toch? Let wel, ik zeg niet dat de conclusies op voorhand worden
gemanipuleerd, want zoiets gebeurt natuurlijk niet in Nederland.

Bij de meeste organisaties die met publiek geld worden betaald en die
met toestanden in het nieuws komen, is sprake van tonnen of miljoenen
voor ingehuurde externe managers. Met de betaling van interne managers gaat het intussen iets beter. *'Het aantal grootverdieners in de (semi)
publieke sector is vorig jaar licht gedaald'* meldt NRC/Handelsblad op
24/25 december 2011. In 2010 verdienden in totaal 2.165 functionarissen
bij 470 organisaties een boven-ministerieel salaris, dus meer dan het

toen geldende norminkomen van 193.000 euro. Het gemiddelde aantal per organisatie bedraagt dan 4,6. Overigens moet wel worden gezegd dat met de nieuwe Wet Normering Topinkomens de overschrijdingen van de norm kunnen worden gecorrigeerd. Nu worden ze alleen nog gemeld.

Quasi-managers als verkeerde vrienden bij de overheid

Dus ja, daar zijn ze al, de verkeerde vrienden van zwakke politici en topambtenaren. Managers in het algemeen, ook de vele goede, zijn in die sector vooral binnengekomen toen de overheid moest bezuinigen en mensen moest ontslaan, begin jaren '80 van de twintigste eeuw. Een belangrijk voordeel van hun komst was, zoals al even aangeduid, dat ze via een omweg de dienstdoende politici en ambtenaren van hun verantwoordelijkheid ontsloegen. Nu konden deze functionarissen zelf hun handen wassen in onschuld, terwijl de ingehuurde manager de problemen oploste. De managers kwamen aanvankelijk slechts op uurbasis en niet ten laste van het personeelsbudget, ze noemden zich consultants. Dus wat ze kostten, deed er minder toe. Bovendien gingen de geplande ontslagen van ambtenaren gewoon door.

Helaas waren niet al deze managers voor hun taak berekend. En het probleem daarbij was zoals gezegd, dat in de non-profitsector de kritische beoordeling van hun meerwaarde niet zo eenvoudig is. Wat managers overigens gemeen hebben, ik denk de goede én de slechte, is dat ze een voorkeur hebben voor kwantitatieve methoden. Die zijn al gauw overtuigend, vooral als je niet al te kritisch bent. Dit verschijnsel zie je vooral waar mensen nog niet helemaal zeker zijn van hun acceptatie onder vakmensen van andere disciplines. Sociologen waren er lang bekend om. Het probleem wordt dan soms wel, dat kwalitatieve problemen kwantitatief worden aangepakt. De stopwatch in de thuiszorg zit in deze hoek. Managers staan voor verandering, want alles moet steeds beter gerund worden, anders waren ze niet nodig, en uit die veranderingen blijkt weer hun noodzaak. Een profijtelijke vicieuze cirkel met een *self fulfilling prophecy*. In tijd van ja en nee waren de managers op sommige departementen onmisbaar geworden, de goede en de slechte. Toen de managers er eenmaal waren gekomen voor speciale projecten, gingen ze zich vanzelf ook bezinnen op nieuwe structuren voor een nóg effectievere overheid in het algemeen. Tegenwoordig regelen ze van alles, ze kunnen nergens meer worden gemist. Nee, als we die managers niet hadden, je moet er niet aan denken. Het resultaat was onder meer de voortdurende verandering van alles, het hijgerige ADHD gedrag.

Intussen zijn er zonder twijfel ook bij de overheid en de semi-overheid veel goede managers aan het werk. Er is een groot aantal diensten met een uitstekende reputatie. Van werkelijk incompetente topambtenaren op ministeries hoor je ook maar heel weinig. Bij problemen gaat het meestal om bestuurders van een van de genoemde 470 organisaties met boven-ministerieel gesalarieerde topfunctionarissen. Het betreft dan ziekenhuizen, hogescholen, woningcorporaties en zo meer. Daar zitten waarschijnlijk de managers die al die projecten bedenken die op niets uitlopen. Misschien zijn het er trouwens veel minder dan je zou denken. Vanwege de publieke functie van hun organisatie zijn zulke mensen heel zichtbaar. Wat er in een ziekenhuis misloopt, bij een hogeschool of een woningcorporatie, wordt meteen breed uitgemeten in de media.

Trouwens, een beetje bewindspersoon is zelf eigenlijk ook manager. Het in het oog springende voordeel daarvan is, dat de betrokkene nergens verstand van behoeft te hebben. Zo hadden we onder Balkenende eens een minister van Defensie die de rangonderscheidingstekens op de uniformen niet kende. Hij zag dus geen verschil tussen een kapitein en een kolonel, al die balken en sterren maakten hem draaierig, laat staan dat de man ooit een schot heeft gelost. Maar voor een echte manager is zoiets natuurlijk van geen betekenis, zelfs eerder een voordeel. Hij bekijkt de zaak dan met een frisse blik. Op het departement van Economische Zaken werd het Nederlandse bedrijfsleven aangestuurd door een bewindspersoon die in een kabinet daarvóór het onderwijs onder beheer had. Dat moet dus ook wel een manager zijn geweest, anders zou dat op zulke verschillende departementen nooit goed zijn afgelopen. Nu moet gezegd, dat op Onderwijs het tafelzilver al eerder was verdwenen.

Politiek en overheid als bedrijf en het promotietheater

Politiek en overheid zijn onder de invloed van de managers steeds bedrijfsmatiger gaan denken. Voor zover ze weten wat dat is, want hun ervaring ligt meestal in de non-profitsector. Zij veronderstellen dat hun optreden naar buiten het belangrijkste is. De indruk die je dan maakt, hoe je jezelf of je eigen product bij het publiek op de kaart zet, daar gaat het om. Brave huisvaders die een of ander vak beheersten, werden via professionele mediatraining en dito make-over, strak in het pak dus, tot gehaaide autoverkopers gemaakt. Reclamemakers zijn inventief, creatief, en niet in hun eerste leugen gebarsten. Dus die gingen de politici vertellen hoe het moest. Niets was te gek, het werd een dolle boel. Wat er vooral toe deed, was het profiel van het eigen ego in de etalage. De rest werd bijzaak. De inhoud raakte ondergesneeuwd, het ging om de verpakking.

Terwijl moderne managementtechnieken, hier en daar terecht, hun intrede in het landsbestuur hadden gedaan, leek dit in de communicatie met volksvertegenwoordiging en kiezers ook te gebeuren, maar zo mogelijk nog consequenter. En daar zit een probleem. Er hoort immers bij, dat de eigen effectiviteit onder alle omstandigheden voorop staat en naar buiten wordt gebracht, pardon, gecommuniceerd. Vroeger heette dat opscheppen, of *preken voor eigen parochie*. Voor wie die uitdrukking niet meer kent, het is zoiets als: *wij van WC-eend adviseren WC-eend*.

5 | Het bestel met zijn consensusmodel en paarse karteldemocratie, mede-oorzaak van het populisme, met afnemende kiezersinvloed op het beleid, met partijpolitici die niet naar hun kiezers luisteren en zelf soms ook weinig visie of idee hebben, met overbetaalde beroepsbestuurders deels uit dezelfde sector, en met verwording van zijn politieke functie

De praktijk van het bestel

Dit hoofdstuk gaat over de praktische problemen van ons democratische bestel met zijn consensusmodel. Ook zaken die met het bestel verband houden en problemen opleveren, komen aan de orde. Het bestel is in dit overzicht chronologisch als derde en laatste hoofdoorzaak van de malaise geplaatst, maar het negatieve effect is waarschijnlijk het grootst. De problemen van het bestel, maar ook die van het politieke functioneren daaromheen bestaan al ruim 40 jaar, ze zijn met het vervagen van de zuilen opgedoken of toegenomen.

Het disfunctioneren van het bestel is objectief waarneembaar en staat los van politiek beleid of politieke ideologie. Stemmen op de gevestigde middenpartijen lijkt steeds minder effect te hebben. Vooral sinds paars kwam de praktijk van het beleid in toenemende mate op hetzelfde neer. Daardoor is de opkomst van partijen van buiten met meer uitgesproken opvattingen gestimuleerd, zowel op de linker- als op de rechterflank. De oude middenpolitiek wordt door de nieuwkomers links en rechts gepasseerd en heeft het nakijken. Verder is de functionaliteit van het politieke bedrijf binnen het bestel achteruitgegaan, je zou kunnen zeggen dat het bestel aan verwording lijdt. Het gaat om een praktisch probleem dat ook praktisch oplosbaar is.

De twee andere hoofdoorzaken, verlinksing en verrechtsing, liggen politiek gevoeliger, ze zijn gebaseerd op ideologie. Er zijn mensen, die met het onderwijs tevreden zijn omdat er meer diploma's worden uitgereikt dan vroeger. Zo'n standpunt is niet onredelijk, als je democratisering en nivellering boven kwaliteit stelt. Ik bedoel dit niet ironisch, maar neutraal feitelijk. Er zijn immers ook mensen die in inflatie de ultieme oplossing zien van de eurocrisis en de redding van de euro. Anderen menen weer dat de nutsbedrijven erop vooruit zijn gegaan sinds de privatisering. Evenmin onredelijk, als je ervan uitgaat dat bezit van zulke bedrijven door de overheid een misstand is.

Er is van alles wel iets waar, maar nuancering is geboden. De tegenstelling tussen neosocialistisch en neoliberaal zal nog wel even blijven bestaan, het gaat daar immers meer om sentiment dan om ratio. Overigens is het vreemd om de moderne nivellering van het onderwijs, en daarmee niveauverlies, neosocialistisch te noemen. De vroegere socialisten, de echte, namen onderwijs juist heel serieus en stelden hoge eisen. Verheffing van de massa was het doel van de opvoeding. Natuurlijk was de toegankelijkheid voor hen belangrijk, maar vervolgens moesten de leerlingen bewijzen dat ze die kans verdienden.

Het verdacht maken van selectie is in oorsprong absoluut geen verschijnsel van het serieuze socialisme, maar eerder een waanidee van Nieuw Links. De studenten zouden in die tijd immers zelf wel bepalen wat de lesstof zou inhouden. Het onderwijs in de communistische landen was in het algemeen goed. Bij neosocialisme en neoliberalisme denk ik aan de doorgeschoten variant van op zichzelf al gedateerd gedachtengoed.

Maar ter zake, afgezien van de genoemde tegenstelling links/rechts zou voor vernieuwing van het bestel in principe nu al voldoende draagvlak te vinden moeten zijn. Daarom nu eerst naar de vraag: wat is er mis met het huidige bestel, om welk disfunctioneren gaat het? In parlementaire taal: welke probleemaspecten zijn er?

Probleemaspecten van het huidige bestel

1 Consensusmodel achterhaald?

Het Nederlandse consensusmodel heeft in eigen land en daarbuiten onder de naam poldermodel een goede reputatie. Er wordt vaak het overleg over arbeidsvoorwaarden mee bedoeld, waarbij alle partijen betrokken zijn. Maar het begrip wordt ook in meer algemene zin gebruikt. Het beoogde doel is in alle gevallen overeenstemming door multilateraal en coöperatief overleg waarbij alle partijen aan bod komen, ook minderheden. Hier ligt de oorsprong van de vergadercultuur. Het poldermodel zou teruggaan op de Middeleeuwen waarbij zich in de strijd tegen het water en bij de drooglegging van polders een neiging tot praktische samenwerking en gemeenschapszin zou hebben ontwikkeld. Roeland Oudenaerde van de Universiteit Leiden heeft op een mogelijk andere herkomst gewezen. Het model van consensus, samenwerking en overleg zou door de katholiek Schaepman en de protestant Groen van Prinsterer in de 19de eeuw zijn geïntroduceerd en ontleend aan Louis de Bonald (1754-1840), een Franse conservatieve denker (Het Parool, 17.11.2009).

Hoe het zij, een consensusdemocratie is bedoeld om alle wensen en belangen van groepen in de samenleving in het landsbestuur af te spiegelen. Die groepen waren in de tijd van de verzuiling tot eind jaren '60 nog echt nauw omlijnde en stabiele collectiviteiten, op grond van godsdienst of andere levensbeschouwing. Bij zo'n brede en vaste vertegenwoordiging was het zinvol, de politieke tegenstellingen te depolitiseren, de scherpe kantjes eraf te slijpen. Het resultaat van al dat plooien en schikken kon niet veel meer zijn dan de grootste gemene deler van al die standpunten, dus wel een beetje een slappe hap, maar de partijen konden ermee leven. En de kiezer als individu bestond nog niet, hij hoorde bij zijn partij. In de verdeeldheid van de verzuiling heeft het consensusmodel met zijn verzoenende werking dus nog een onmisbare functie gehad: het heeft voor politieke stabiliteit gezorgd.

Maar bij het verdwijnen van de zuilen werd de situatie anders. De kiezers raakten geëmancipeerd en geïndividualiseerd. Ze dachten minder of helemaal niet meer vanuit een vast partijverband. En ze verwachtten intussen wel, dat hun individuele stem effect zou hebben. De politiek zou zich daarop moeten instellen. Want of je met vaste partijblokken te maken hebt, of met individuele kiezers die steeds iets anders willen en ook van partij wisselen, dat scheelt nogal. Dus hoe ga je die kiezers bedienen? Het antwoord op deze vraag kwam maar niet van de grond. Een hoogtepunt van deze problematiek kwam tot uitdrukking bij Paars (1994-2002). De paarse coalitie had zogenaamd de handen vrij, want het CDA, die eeuwige regeringspartij, was even uitgeschakeld. Maar daar stond wel een nieuw probleem tegenover: links en rechts zaten in één regering.

Deze situatie vroeg om meer van hetzelfde, het consensusmodel was onmisbaar. In de politieke keuken werd het andermaal handjeklap, alles werd voorgekookt. Het resultaat was *vlees noch vis, meer smaken zijn er niet.* Nu was dit nieuw noch bijzonder, maar de kiezers hadden iets anders verwacht. Meer inbreng zou in de tijd hebben gepast, maar ze kregen eerder minder, ze hadden het nakijken. Hun emancipatie kreeg politiek geen concrete invulling. De issues werden meer dan ooit door de gevestigde politieke orde bepaald. Het werd *kartelpolitiek.* Wat daarin niet paste, kwam eenvoudig niet aan bod. Immigratie- en integratieproblemen leken voor de politiek niet te bestaan. Maar wie kaatst, moet de bal verwachten. Die kwam in de vorm van het optreden van Fortuyn. Andeweg en Thomassen verwijzen naar de opvatting van Lijphart in 1968 (Van afspiegelen naar afrekenen?, pp. 108, 109). Bij het bovenstaande heb ik deze onderzoekers gevolgd en mijn eigen interpretatie gegeven.

Bij het consensusmodel kan de overeenstemming zo ver gaan, dat er weinig meer te kiezen valt. Wil de kiezer lijsttrekker Bos met de PvdA niet als premier, dan verschijnt hij wel als vice-premier. Stemt de kiezer lijsttrekker Balkenende met het CDA weg, dan komt zijn opvolger Verhagen als architect van een nieuwe coalitie op, en wordt vice-premier. Steeds weer treden dezelfde spelers op tegen een nauwelijks wisselend decor. Ook al willen de kiezers verandering, de kans daarop is klein. En juist mensen van deze tijd willen iets te kiezen hebben. Ze gaan niet naar de stembus om steeds weer dezelfde politici te zien verschijnen en worden ontevreden.

Om deze reden bestempelen politicologen dit consensusmodel als een groter probleem dan het gebrek aan vertrouwen, dat volgens veel onderzoek immers maar zeer gedeeltelijk blijkt te bestaan. Zoals eerder besproken, lijken de politicologen daarbij een soort verglijdende schaal te zien: de democratie roept geen weerstand op, de politiek in het algemeen evenmin. Op de partijen is echter kritiek en met het bestel is het echt mis. Ik zeg het hier in mijn woorden.

De specialisten Andeweg en Thomassen zeggen het volgende: '*Onze diagnose heeft zo twee kernpunten: de individualisering van de samenleving maakt een democratisch bestel dat is gebaseerd op het afspiegelen van de wensen en belangen van collectiviteiten in de samenleving steeds moeilijker; en de toenemende onvoorspelbaarheid van de politieke agenda maakt een democratisch bestel dat het accent legt op beïnvloeden van toekomstig beleid steeds minder relevant...*' (Van afspiegelen naar afrekenen?, p.115). Op grond van deze overwegingen neigen zij in de richting van een meerderheidsdemocratie en naar het achteraf afrekenen op, in plaats van vooraf beïnvloeden van het beleid.

Lijphart dacht aanvankelijk ook in de richting van een meerderheidsdemocratie, maar is later weer naar het consensusmodel teruggekeerd. Ook Van Thijn wees op het belang van een herkenbaar alternatief, een geloofwaardige oppositie. Bij onvrede kan het beleid dan wisselen, en komt de politiek als zodanig niet in de tang (Lijphart, 1968 en Van Thijn, 1967, bij Andeweg en Thomassen, Van afspiegelen naar afrekenen?, pp. 109 e.v.).

In de Nederlandse politicologische opvatting wordt de consensus met zijn gebrek aan keuze min of meer als hét probleem gezien. Dit zal op zichzelf juist zijn, maar in landen waar wél afwisseling tussen de politieke blokken bestaat, heerst evenmin algemene tevredenheid. Ik noemde al het voorbeeld van Frankrijk en dat van Spanje. Interessant vond ik in dit verband wat Merijn de Waal in NRC/Handelsblad van 23 mei 2011 schreef over Spanje, naar aanleiding van de regionale verkiezingen van 22 mei 2011. Ook daar versplintering ten koste van de traditionele middenpartijen. '*In Spanje is dit vooral het gevolg van de onvrede over de voortdurende polarisatie tussen PP en PSOE*', zo stelt het artikel. PP staat voor de rechtse Partido Popular van Rajoy, sinds eind 2011 premier, PSOE staat voor de sociaal-democraten. Of dit inderdaad de reden van de onvrede is, kan ik niet beoordelen. Bij polarisatie zou je denken dat er in ieder geval wél wat te kiezen valt.

In Nederland is na de verkiezingen van juni 2010 een andere situatie ontstaan. De nieuwe partijen hebben doorgezet, ten koste van de oude met uitzondering van de VVD. Toch vertegenwoordigen de 31 zetels van deze grootste partij niet veel meer dan eenvijfde deel van de kiezers. Versplintering is misschien te veel gezegd, maar de gedoogconstructie geeft al aan, dat coalitievorming niet eenvoudig is geweest. VVD en CDA zijn op een aantal afgesproken punten met de PVV in zee gegaan, in het *gedoogakkoord*, en zouden verder afhankelijk blijven van wisselende steun van midden-links en links. Midden-links is bij de formatie in 2010 met lege handen achtergebleven.

Als je aan de hand van deze situatie aan een meerderheidsmodel denkt met twee alternatieve blokken, stuit je direct op een probleem. Waar moeten de nieuwe partijen in dit scenario heen? De SP zou als min of meer conservatief links eventueel nog kunnen aansluiten bij een midden-links blok, hoewel immigratie en Europa een probleem vormen. Maar waar kan de PVV aansluiten? Zelfs in theorie kun je de PVV niet op links of op rechts plaatsen, maar, even onhandig, juist op allebei. Dus ja, die twee blokken zijn nog niet zo eenvoudig te vormen. Het gaat hier wel om partijen die begin 2012 in de peilingen samen op bijna eenderde van de kiezers steunen. Aspect 1. Het achterhaalde consensusmodel. NB: deze formulering dank ik mede aan R. Andeweg en J. Thomassen c.s.

2 Introductie van het partijbelang in de regering

De politieke leiders van de regeringspartijen zaten in de vorige eeuw in de Tweede Kamer, maar tegenwoordig zitten ze in het kabinet. Deze vernieuwing heeft niet uitsluitend voordelen. Als het partijbelang in de regering zijn intrede doet, wordt de frontlinie van het politieke gevecht daarheen verplaatst. De eenheid van kabinetsbeleid wordt op deze manier een illusie. De regeerbaarheid komt onder druk te staan. Een verhelderend artikel in dit verband van J. van Putten: 'Stel regeerbaarheid voorop in campagne' (NRC/H., 26 feb. 2010).

Het probleem van partijbelang in de regering deed zich in het kabinet Balkenende/Bos duidelijk voor, in het bijzonder in de kwestie Uruzgan. De heren vochten elkaar de tent uit. En de sfeer tussen PvdA en CDA was zodanig verslechterd, dat van een nieuwe coalitie met elkaar geen sprake kon zijn. Een vorm van nieuw-paars zat er na het barsten van die bom dan ook niet in. De VVD was zich weer bewust geworden van een rechter vleugel, de tijd van Dijkstal was voorbij. De gedoogconstructie naar Deens model leverde de situatie op dat de gedogende PVV, tegen steun aan Griekenland, doorging met het gedogen van een kabinet dat met die steun instemde. Een relatief nieuw verschijnsel. Wel is hiermee opnieuw duidelijk geworden, dat eenheid van regeringsbeleid van belang is. Aspect 2. Introductie van het partijbelang in de regering. NB: deze formulering dank ik mede aan J. van Putten.

3 Voorrang van het partijbelang in de Tweede Kamer

Ook de Tweede Kamer biedt niet altijd een opwekkend beeld van samenspel. Nu is zij daarvoor ook niet in eerste instantie bedoeld. De Kamer behoort een afspiegeling te zijn van de maatschappij. Zoals bekend bestaan in de samenleving heel verschillende opvattingen, maar met wat geven en nemen komt men er in het algemeen toch redelijk uit. Werkgevers en werknemers zijn een voorbeeld van dat maatschappelijke evenwicht, al is het soms wankel. Van de kamerleden zou je ook zoiets mogen verwachten: ze behoren in ieder geval ook op compromissen te zijn gericht en niet alleen hun eigen standpunten te herhalen. In Buitenhof van 7 maart 2010 wees oud-minister Van der Laan er al op, dat de tegenstellingen in de politiek scherper zijn dan in de samenleving. En dít is in ieder geval waar: in de Kamer hoor je meer tegengestelde meningen uiten dan haalbare oplossingen zoeken.

Tijdens de formatie van het kabinet Rutte/Verhagen bijvoorbeeld waren de VVD-ers en de CDA-ers realistischer en zo je wilt opportunistischer in de relatie met de PVV dan de linkse partijen. Die zagen daarin vooralsnog helemaal niets en zouden haar 1,5 miljoen kiezers het liefst negeren. En wat je ook van die partij mag vinden, zoiets kan dus niet. Tijdens de formatieprocedure van het kabinet Rutte/Verhagen deelde minister Donner ieders bezwaren tegen samenwerking met de PVV, maar hij wees er steeds weer op dat er wel een kabinet moest komen. Donner toonde zich daarbij even begripvol als vasthoudend (Knevel & v/d Brink, 17 aug. en 3 sept. 2010).

In dit verband is het nog interessant dat de achterban van het CDA, de provinciale afdelingen en de partijleden, toen meer in een rechtse gedoogvariant zagen dan de kamerleden. Dit kan er ook op wijzen dat die achterban iets meer begrip heeft voor wat de 1,5 miljoen PVV-stemmers beweegt dan hun politici. Kort gezegd: terwijl de politiek verdeeld blijft, is de achterban meer geïnteresseerd in oplossingen. Hier werd bevestigd dat Van der Laan een punt heeft. Ook bij Kanne krijg je de indruk dat de politici strikter in hun standpunten zijn dan hun kiezers.

Dit laat onverlet, dat de mensen iets te kiezen willen hebben, dat ze wel partijen met duidelijke standpunten willen zien, standpunten die ze kunnen begrijpen en waar ze voor of tegen kunnen zijn. Ook in de Kamer verwachten ze een afspiegeling daarvan, ze willen zich immers vertegenwoordigd zien. Maar dit betekent ook weer niet dat ze niet in oplossingen geïnteresseerd zijn. Vóór alles willen ze duidelijkheid, afweging en tenslotte een keuze. De debatten over hulp aan Griekenland en later ook aan andere landen, en tenslotte over het Europese noodfonds en over eventuele Eurobonds, laten zien wat kiezers in ieder geval niet willen. Neem het debat over verdere steun aan Griekenland op 17 augustus 2011. Het ging om steun die niet verplicht is, integendeel: binnen de eurozone moet elk land zijn eigen broek ophouden.

Drie partijen waren helder in hun standpunt: SP, PVV en PvdD. Begrijpelijk, want ze waren tegen. Marianne Thieme sprak van een bodemloze put. Wat de overige partijen wilden, werd niet duidelijk. Althans, het werd niet duidelijk gezegd. Ook de regering draaide erom heen. En ook dat is begrijpelijk, want die andere partijen én de regering waren vóór. Maar ze wilden blijkbaar niet dat de kiezers zouden begrijpen wat er werkelijk speelt. Kamerleden en kiezers werd voorgehouden dat de Nederlandse regering ook in Europees verband alle bevoegdheden zelf in handen houdt. En dat al het aan Griekenland geleende geld zal worden terugbetaald.

Bij het integratiedebat, nu weer wat uit de mode, staan de opvattingen in de Kamer soms lijnrecht tegenover elkaar. Voor de een heeft alle allochtone cultuur uitsluitend voordelen, de ander heeft al moeite met hoofddoekjes. Pogingen om elkaar te respecteren, te begrijpen en tegemoet te komen zijn er maar weinig. Je ziet het verschijnsel van de scherpe tegenstelling bij meer dossiers. Serieuze en inhoudelijke discussie bestaat op veel terreinen nauwelijks meer. Morele veroordeling voert al gauw de boventoon, of het nu om asielzoekers of om sanering van de woningmarkt gaat. Feiten van de zaak zelf spelen een ondergeschikte rol. Bij een beetje controversiële kwestie blijken er aan weerskanten alleen heiligen en schurken te bestaan. Dus ja, die kunnen nooit door één deur. Althans, ze willen het niet. Op die manier blijft er nogal wat onbesproken.

Wat de tegenstanders over en weer niet schijnen te begrijpen, is dat zij allemaal volwaardige kiezers vertegenwoordigen, er zijn namelijk geen andere. Dat er toenadering moet worden gezocht om tot oplossingen te komen. Er moet dan ook wel gelegenheid voor toenadering worden geboden. Er is ook in deze dingen geen absoluut gelijk. Het lijkt op het eerste gezicht wel flink en principieel om partijen op voorhand uit te sluiten van samenwerking, of eigen opvattingen onaantastbaar te verklaren. Maar staatsrechtelijk gezien is het ongewenst en praktisch gezien is het onwerkbaar. Het is fundamentalisme, en nu eens niet van de Islam. Elkaar dogmatisch verketteren en bestoken met tegengestelde standpunten waaraan niet te tornen valt, dient hoogstens partijbelang. En dan nog alleen partijpropaganda, want er komt verder niets uit. Zo blijven de tegenstanders helden zonder glorie in een strijd zonder winnaars. Aspect 3. Voorrang van het partijbelang in de Tweede Kamer. NB: deze formulering dank ik mede aan E. van der Laan.

4 Politieke benoemingen op grond van partijverdiensten *& Politiek als carrière-opstap in plaats van omgekeerd*

Kritiek op politiek en overheid is er altijd geweest. Zo vonden wij in het leger veel verkeerd gaan, kankeren hoorde erbij. Toch herinner ik me niet dat de politiek daarom werd gewantrouwd, zeker niet op de huidige schaal. Trouwens, een minister had in het algemeen nog kennis van zaken en werd op zijn professionele kwaliteit geselecteerd. Het betrof dikwijls mensen die van verantwoordelijke posten in het bedrijfsleven kwamen of in de wetenschap als gezaghebbend hoogleraar. Een minister van Economische Zaken wist nog wat het bedrijfsleven inhield, een minister van Onderwijs hoe een universiteit functioneerde. En was er eens een echte beroepsminister die van het ene departement naar het andere ging, dan was het ook een zwaargewicht.

De politiek als zodanig werd serieus genomen. Een kamerlid, dat wás iemand, een minister was zelfs een autoriteit. Van zo iemand werd vanzelfsprekend visie verwacht. Zoals gezegd hadden ze zich elders bewezen. De politiek vormde meestal de afsluiting van een carrière. En liep het anders, dan was er geen man overboord: om zulke waardevolle krachten werd gevochten. Voor de Tweede Wereldoorlog had je bijvoorbeeld een minister-president die eerder de topman van Shell was geweest, na die oorlog een minister van Economische Zaken die als voorzitter een grote bank had geleid. Eerst een privé-carrière als springplank, dan de politiek om het land te dienen.

Tegenwoordig schijnt de volgorde omgekeerd. Eerst de politiek als springplank, dan een privé-carrière om zichzelf te dienen. Dit geldt voor ministers en staatssecretarissen, maar ook voor kamerleden. Een minister of staatssecretaris is met het bijbehorende netwerk bijna overal nog wel min of meer welkom. Een kamerlid heeft het moeilijker. Het bedrijfsleven is tegenwoordig niet speciaal op zoek naar oud-kamerleden, tenzij uitgesproken bekwame met een relevant netwerk. Maar omdat de Kamer steeds wordt verjongd, moeten de anderen ook wat, ze kunnen nog niet met pensioen. Zo worden kamerleden door hun partij nogal eens in een hoge managementfunctie bij de overheid of de semi-overheid getild.

De praktijk van het bestel wordt in toenemende mate gekenmerkt door partijpolitiek. De tijd van partijloze ministers is voorbij. Selectie van bewindspersonen uit beschikbare partijgangers, altijd al de normale procedure, behoeft ook geen bezwaar te zijn. Je had de rangorde van de departementen, en je had de persoonlijke selectiecriteria. Met rangorde van departementen bedoel ik eenvoudig dat sommige departementen belangrijker werden geacht dan andere. Er werd dan voor gezorgd dat op Financiën, Economische Zaken en Sociale Zaken bekwame mensen werden benoemd. Onderwijs en Buitenlandse Zaken hoorden er ook bij. Ook Landbouw werd hoog aangeslagen.

Bij persoonlijke selectiecriteria ging het om individuele geschiktheid, maar ook om politieke betekenis vanwege herkomst uit een bepaalde partijbloedgroep of regio. Zelfs geslacht speelde een rol. Zolang nu de mensen die om oneigenlijke redenen politiek van betekenis werden gevonden met de minder belangrijke departementen werden belast, ging het wel. Op Waterstaat bijvoorbeeld, kon waarschijnlijk niemand veel kwaad omdat het machtige Directoraat Generaal toch wel functioneerde.

Niet dat daar geen uitstekende ministers hebben gezeten, maar het omgekeerde kwam ook voor.

Maar in de laatste decennia zag je het vreemde verschijnsel, dat ook zware departementen in handen raakten van lichtgewichten. Economische Zaken en Onderwijs zijn voorbeelden. Het ziet ernaar uit dat politieke overwegingen in toenemende mate een rol gingen spelen boven het landsbelang. Het vakgebied van het departement werd niet meer van betekenis geacht, de kandidaat behoefde er niets van te weten, zou tenslotte toch in de eerste plaats manager moeten zijn. Aan opleiding of professionele ervaring werden überhaupt geen eisen meer gesteld. Zo deden de kleuterleidsters, verpleegkundigen en docenten basisschool hun intrede in regeringen, onder meer als staatssecretaris of minister van Onderwijs. Prima mensen waarschijnlijk, en in de partijpolitiek ongetwijfeld verdienstelijk, maar vaak een flinke maat te klein. In een zware functie die zo zichtbaar is, blijft zoiets niet verborgen.

Misschien is het aantal partijgangers uit wie de kandidaten moeten worden gekozen, ook wel te klein geworden. Als op 1 januari 2012 nog maar 2,1 procent van de kiesgerechtigde Nederlanders lid is van een politieke partij, wordt de keus beperkt. Het gaat dan om precies te zijn om 312.981 mensen (NRC/H. 29 feb. 2012). Van hen is zoals bekend steeds maar een paar procent actief. Je komt dan misschien op 10.000 actieve leden. Dat is nog geen 1 promille van de kiezers. Aspect 4. Politieke benoemingen op grond van partijverdiensten & Politiek als carrière-opstap in plaats van omgekeerd.

5 *Volksvertegenwoordigers vertegenwoordigen niemand*

Als van volksvertegenwoordigers íets mag worden verwacht, is het toch wel het vertegenwoordigen van het volk. Je denkt dan aan kiezers die zo veel vertrouwen in iemand stellen dat ze op die kandidaat hun stem uitbrengen. Als er ook voldoende andere kiezers op dat idee zijn gekomen, wordt de betrokkene gekozen en kan als kamerlid het gewonnen vertrouwen benutten om naar beste weten, maar zonder bindende instructies, de kiezers te vertegenwoordigen. Zo is het de bedoeling en zo suggereert de wet het.

Maar de praktijk is anders. Kiezers kennen de kamerleden vaak niet meer, en omgekeerd. De kamerleden lopen anoniem mee achter het vaandel van de fractievoorzitter, en worden vervolgens door de heersende fractiediscipline gedwongen zich qua opvattingen bij deze functionaris aan te sluiten. Ze zullen dan ook niet door hun kiezers worden aangesproken op hun meningen of verrichtingen. Individuele visie wordt althans van de kant van de partij niet van hen verwacht. Het gaat om de partij en de fractie, de kiezers blijven abstract. Na hun termijn zijn veel kamerleden nog even onbekend als voor die tijd. Maar ze kunnen dan wél een volgende stap in hun carrière zetten. Teken aan de wand is, zoals gezegd, de doorstroomsnelheid. De kiezer heeft het nakijken. Vooral de grote regeringspartijen van Balkenende IV, CDA en PvdA, hebben de rekening van dit systeem gepresenteerd gekregen, hoewel het een algemeen verschijnsel is.

Pieter van Os stelt in NRC/Handelsblad van 21/22 januari 2012 dat *de PvdA last heeft van oude successen.* Waar zijn analyse op neerkomt is ongeveer dit: de emancipatie heeft bij de oorspronkelijke doelgroep succes gehad, de zogenoemde arbeiders bestaan nauwelijks meer. Maar de partij is doorgegaan met emanciperen, ook van *anderszins behoeftigen.* En op den duur van iedereen en alles, zelfs van *'knellende' burgerlijke gedachten.* Ik citeer: *'Ziedaar het ideaal van individuele ontplooiing en autonomie. Wie naar dat ideaal opgroeit, moet zich wel afvragen wat hij te zoeken heeft bij een partij die beleid voorstelt uit naam van solidariteit met anderen. Anders gezegd: wie bereid is solidariteit uit te besteden aan de overheid en tegelijkertijd lof zingt van het individualisme, loopt het gevaar dat solidariteit verdwijnt – met het draagvlak voor de regelingen die minder fortuinlijken helpen.'* Ik denk dat het probleem van de PvdA niet beter kan worden verwoord.

Het moeizame contact tussen kamerleden en kiezers ligt zeker niet alleen aan de kamerleden. Ook de kiezers laten het afweten. Mark Bovens schreef met Anchrit Wille het boek 'Diplomademocratie, over de spanning tussen meritocratie en democratie' (Amsterdam, Bert Bakker, 2010). De auteurs constateren dat er een maatschappelijke kloof bestaat tussen hoger- en lageropgeleide burgers. De politiek wordt gedomineerd door de hogeropgeleiden en de lageropgeleiden voelen zich daardoor niet meer vertegenwoordigd. Ze staan kritischer tegenover de politiek dan de hoger opgeleiden. In 1975 was de verhouding nog in evenwicht, maar 30 jaar later was het significant anders. Wel wordt het verschil na 2002 wat vlakker, misschien door het alternatief van het opkomende populisme.

De malaise is na 2002 dan ook niet overeenkomstig afgezwakt, integendeel, ze wordt ook weer door het populisme gestimuleerd. Malaise en populisme horen bij elkaar, en de kloof tussen hoger- en lageropgeleiden zal daarbij wel blijvend een rol spelen. De PvdA heeft er veel last van, de partij wordt niet meer begrepen. Ironisch genoeg gaat het om het resultaat van haar eigen democratiserings- en emancipatiepolitiek, begonnen in de jaren '60 en '70, zoals Pieter van Os het stelt. Dit betekent dat de kloof van Bovens en Wille in de systematiek van dit boek als een afgeleide van de omslag naar links kan worden beschouwd. Maar vermelding op deze plaats, onder probleemaspect 5 van het bestel, leek mij praktischer. Aspect 5. De volksvertegenwoordigers vertegenwoordigen niemand. NB: deze formulering dank ik aan M. Chavannes, de inhoud mede aan M.A.P. Bovens en A. C. Wille.

6 Parlementaire controle onevenwichtig

Kamerleden die vooral zichzelf profileren en vervolgens hun partij, komen niet altijd toe aan het effectief controleren van de regering. Toch ligt juist hier hun belangrijkste taak. Dat zij die controle nogal wisselend uitvoeren, kan al jaren worden geconstateerd. De ene keer gaan ze graag op de stoel van de regering zitten en bemoeien ze zich met details, de andere keer laten ze de zaken op hun beloop. Het eerste levert soms onwerkbare wetten en regelingen op door te veel detaillering, het tweede soms slecht beleid door te weinig aandacht voor belangrijke punten. Ook wel eens een combinatie zoals bij het onderwijs. Ik ga nu niet inhoudelijk over het onderwijs beginnen, maar je vraagt je toch af, wat er daar tussen 1960 en 2007/2008, toen Dijsselbloem (PvdA) met zijn commissie de beerput moedig opengooide, is gebeurd. Qua parlementaire aansturing en controle.

Het ontwerp zorgstelsel, voorbereid door een departement dat even niet aan de gepensioneerde Nederlanders in het buitenland had gedacht, had door de Kamer moeten worden teruggestuurd omdat het voor deze groep onbehoorlijk en onwettig was. Toch is dat niet gebeurd, het is in 2006 gewoon ingevoerd. Een groot succes voor de minister. Dat wil zeggen, de minister heeft op dit punt wel water in de wijn moeten doen, maar dan gedwongen door de rechter en op particulier initiatief van getroffen expats. Ook de nationale ombudsman heeft zich nog voor de zaak ingezet. Aspect 6: Parlementaire controle onevenwichtig.

7 Politici luisteren niet, maar hebben zelf soms ook geen visie of idee

Wil de politiek goed functioneren, dan zal zij de problemen die haar worden aangereikt, serieus moeten nemen, zij zal naar de kiezers moeten luisteren. Dat is eenvoudig haar plicht. Ik verwees al naar Paul Schnabel die het woord *luisteren* in twee betekenissen bedoelde, namelijk niet alleen *horen* maar ook *doen* wat er wordt gezegd. Niet dat de kiezers opdrachten geven, maar de politiek wordt wel verondersteld iets met de problemen van de burgers te doen. Zij heeft zelf niet vooraf te beoordelen of iets belangrijk is, dat maken de burgers nu juist uit. Natuurlijk moet de overheid positief zijn, en liefst een beetje optimistisch. Maar ook een positieve houding moet realistisch blijven. Zeker, er bestaan querulanten met schijnproblemen. Maar aan zaken waar de burgers mee zitten, moet per definitie aandacht worden besteed.

Of het nu over immigratie gaat, over de veiligheid op straat of over de spoorwegen, de overheid heeft het recht niet om de problemen van het publiek op voorhand weg te redeneren of zelfs geheel buiten beschouwing te laten. Als het publiek meent dat het land overbevolkt is, mag de politiek die opvatting niet negeren. Toch is juist dat lange tijd de politieke reflex geweest en vaak nog, vooral als regering en volksvertegenwoordiging het eens zijn. Want ja, dan is de zaak democratisch gezien toch voor elkaar? Dit laatste is echter een misvatting, en een gevaarlijke bovendien. Wat niet wordt uitgelegd of opgelost, althans aangepakt, komt dubbel terug. In rond Hollands: *de politiek komt zichzelf tegen.*

Soms reageert men serieuzer. Zoals al vermeld, in verpleegkundig rekenen werden 1750 verpleegkundigen verplicht bijgeschoold. Gewoon rekenen schijnt sindsdien trouwens ook terug te komen. Zelfs de deskundigen zijn er nu achter, dat een beetje kunnen rekenen wel eens handig kan zijn. Van ministers en kamerleden mag niet worden verwacht dat zij zelf in probleemwijken wonen, maar wel dat ze enig begrip opbrengen voor de zorgen van mensen die op zo'n wijk zijn aangewezen. Mensen van niveau die daarbij ook visie hebben, bezitten dat begrip van nature. Burgemeester Van der Laan (PvdA) bijvoorbeeld, is zo'n man. Van der Laan wil ook de veiligheid van minderheidsgroepen als orthodoxe joden en homo's garanderen door strikte handhaving. Hoog tijd en onbegrijpelijk dat zoiets niet eerder is aangepakt.

Hoewel, onbegrijpelijk. *De boel bij elkaar houden* is een nobel principe, maar het heeft zijn prijs. Concessies zijn dus onmisbaar, maar ze kunnen verleiden tot het ontkennen van problemen. Angstvallige voorzichtigheid is niet in alle gevallen de aangewezen weg. Maar veel moderne politici lijken op ambtenaren. Ze krijgen geen greep op de problematiek en missen visie. Ze steken hun nek niet uit en verschuilen zich achter politieke procedures.

Moed en visie zijn in de politiek misschien de meest noodzakelijke, maar minst voorhanden eigenschappen. De huidige generatie politici is op geen enkele manier op die criteria geselecteerd, eerder op het tegendeel: het systeem kweekt meelopers. Waar fractiediscipline heerst, is weinig ruimte voor de eigenzinnigheid die voor moed en visie nodig zijn. De jaren '90 hebben ons ook al niet met politieke visie verwend, maar het eerste decennium van de 21ste eeuw spant de kroon. En er is nog iets anders aan de hand. Juist nu de politicus met achtergrond, overzicht en visie begint te verdwijnen, dienen zich problemen aan die zonder die kwaliteiten niet meer zijn op te lossen. Die situatie zie je op internationale schaal in de VS en in de EU. Zelfs de beste stuurlui weten er geen raad meer op. En dan gaat het nog maar om de zelf veroorzaakte schuldencrisis en de euro, niet om de positie van de VS of van Europa in het algemeen. Aspect 7. Politici luisteren niet, maar hebben zelf soms ook geen visie of idee. NB: deze formulering dank ik voor wat het luisteren betreft aan P. Schnabel.

8 Geen beleid, maar uitstel als oplossing

Bij zaken die gevoelig liggen, is de regering geneigd te zoeken naar politieke oplossingen. Dat zijn oplossingen waar de politiek mee verder kan, maar zij als enige. Ze lossen namelijk niets op. '*Uitstel als oplossing*' is een treffende term, die door Marc Chavannes wordt gebruikt. Hij is overigens niet de enige die het mechanisme beschrijft. Zelfs de vicepresident van de

Raad van State Tjeenk Willink, tot februari 2012 in functie, maakte zich al jaren bezorgd over het verschijnsel.

Hele beleidsterreinen zijn langs deze weg van behoorlijke behandeling uitgesloten. Een voorbeeld is het huisvestingsbeleid. Dat is nauwelijks beleid, maar een kluwen van tegenstrijdige belangen die om politieke reden niet wordt ontward maar in stand gehouden. Voor mensen met een inkomen tussen modaal en zeg anderhalf maal modaal is er in Nederland geen huis te krijgen. Een gesubsidieerd huurhuis, daarvoor verdienen ze volgens Brussel te veel. En een hypotheek voor een koophuis, daarvoor verdienen ze volgens de banken te weinig.

Geen geld wordt ook nogal eens als excuus aangevoerd om geen beleid te voeren. Daarbij wordt soms te weinig gekeken naar de mogelijkheid om middelen anders aan te wenden en te veel naar de vastgelegde kaders. De afweging van belangen hoor je maar zelden, behalve bij de populistische partijen. Maar daar is zij vaak wel erg radicaal en kort door de bocht.

Nu is niet alles een kwestie van geld, maar als je het als argument gebruikt, moet je ook op de besteding kunnen worden aangesproken. Bij de harde bezuinigingen van het kabinet Rutte/Verhagen heeft het CDA in 2010 vastgehouden aan een bescheiden 15 procent besparing op ontwikkelingshulp. In 2011 ging het budget van 0,8 naar 0,7 procent van het bbp. Het was wel veel geld, orde van grootte € 700 miljoen, maar in binnenlandse subsidies is procentueel soms veel harder gesnoeid. Toch werd nauwelijks protest gehoord. Je vraagt je wel eens af, of de kiezers zich zoiets realiseren. Dit te meer omdat de media vaak met absolute bedragen komen. Alleen een enkeling als Bolkestein durfde de bescheiden bezuiniging op ontwikkelingshulp en de massieve bezuiniging op nationale cultuur reëel te vergelijken, namelijk naar verhouding. Hij zou dan ook een echte keuze maken, bijvoorbeeld de ontwikkelingshulp terugbrengen tot het gemiddeld Europese niveau, ruim 0,35 procent. Aspect 8. Geen beleid, maar uitstel als oplossing. NB: ook deze formulering dank ik aan M. Chavannes.

9 ADHD-overheid met vernieuwingswoede en ad hoc-beleid

Was er bij het vorige aspect sprake van tekort aan beleid, er zijn ook klachten over het omgekeerde. Het gaat dan over de overdreven stroom van beleidsmaatregelen. Er schijnt vooral bij de makers behoefte aan te zijn, in ieder geval niet bij de burgers. Deze beleidsstroom is denkelijk het gevolg van de huidige vernieuwingswoede en het ad hoc-beleid. Wat daarbij wordt gemist, is logische samenhang en historische continuïteit. Politici profileren zich graag en gaan dan blijkbaar voor *de alles is anders show*. Of iets praktisch en haalbaar is, is daarbij niet een eerste vereiste.

Vroeger kon je bijvoorbeeld de overwegingen van nieuwe belastingwetgeving eenvoudig volgen, als je de principes eenmaal doorhad. Nu veranderen ze steeds. Want als er wat te scoren valt, is er volop partijpolitieke inbreng. De ene regeling buitelt over de andere. Soms lijken de insiders zelf niet veel meer te begrijpen van de voortdurende veranderingen. Je vraagt je af of er überhaupt nog systeem in zit, behalve dat er steeds meer geld op tafel moet komen. Dat de politiek hier het grootste probleem is, zal duidelijk zijn. Het moet immers allemaal steeds eerlijker en eenvoudiger. Behalve dat het niet gebeurt. Ik wil hiermee zeker niet het beleid van de ministers van Financiën in twijfel trekken. Het gaat om een trend.

Dan de uitvoering. De Belastingdienst als organisatie heeft altijd een goede naam gehad, traditioneel een voorbeeld van ambtelijke competentie. Maar de laatste jaren is het anders. Het lijkt soms wel of de boel is geprivatiseerd. Het wordt de burger zogenaamd steeds makkelijker gemaakt, dat wel natuurlijk. Bijna zo makkelijk als bij de IT providers. Sommige wijzigingen op het aangiftebiljet lijken onnodig en verwarrend. Communicatie wordt moeizaam: brieven worden door de dienst soms

niet meer begrepen. Telefonische toezeggingen, hoewel meermalen gedaan, gedocumenteerd en gecontroleerd, worden soms niet uitgevoerd.
Als het om veronderstelde misstanden gaat, bijvoorbeeld door wange-
drag, laat de overheid helemaal graag zien hoe actief zij wel niet is. Er
wordt dan gesuggereerd dat er iets aan de misstanden wordt gedaan. En
het is waar, er worden nieuwe regels gemaakt. Maar het probleem zit nu
juist niet in de regels, maar in de handhaving. Sommige bewindspersonen schijnen zulke eenvoudige feiten niet te kennen of te begrijpen. Als
je als overheid geen kans ziet om burgers zich ook maar aan de simpelste
verkeersregels te laten houden, bijvoorbeeld het richting aangeven door
fietsers maar ook door automobilisten, of het respecteren van oversteek-
plaatsen van voetgangers door snelverkeer, moet je vooral een blaastest
voor voetgangers gaan bepleiten.

Ik vrees dat de grote omslagen van na 1960 en van na 1980 een permanente vernieuwingswoede in gang hebben gezet. Toenmalig Buitenhof-
columnist Jos de Beus sprak van een *ADHD overheid*. In ieder geval, de
overheid van na 1960 is het met haar voortdurende veranderingen, bij
veel mensen steeds slechter gaan doen. Haar *bandenplakkersbeleid* wordt
niet gewaardeerd, ondanks de gepolijste promotie. Aspect 9. ADHD-
overheid met vernieuwingswoede en ad hoc-beleid. NB: deze formulering dank ik aan J. de Beus.

10 Communicatie wel professioneel maar niet effectief

Waarschijnlijk is ook de communicatie van belang, vooral de externe.
Politiek en overheid zijn voortdurend bezig hun beleid nóg beter uit te
leggen, nóg dichter naar de mondige burger toe. Hoe het resultaat eruit
ziet? De communicatie is geprofessionaliseerd en in de bekwame handen
van daartoe opgeleide deskundigen gelegd. Dat zit dus wel goed, zou je
zeggen. Alleen, het werkt niet altijd. Sterker nog, het werkt soms negatief.
De deskundigen sturen immers vooral de presentatie, de buitenkant. De

inhoud doet er voor hen minder toe. Dit effect zie je vooral optreden bij onderwerpen die van groot gewicht zijn, maar die door de professionals blijkbaar verkeerd worden ingeschat. Zo kon het gebeuren dat een essentieel onderwerp als de Europese *grondwet* in 2005 werd aangeprezen met: *Europa best belangrijk.*

Bij de gelegenheidsglossy *Gerda* ging het juist om de inhoud, heb ik me laten vertellen. Een reuze manier om met die prachtuitgave het landbouwbeleid neer te zetten. Via drie damesbladen nog maar liefst, 850.000 exemplaren. Typisch de doelgroep van dat departement natuurlijk. Aan de andere kant is het waar, dat mannen die bladen ook lezen. Maar misschien toch niet om zich te ontspannen met het boeiende landbouwbeleid van die interessante amazone op de cover.

De doorsnee burger ergert zich waarschijnlijk aan zulke ongevraagde reclame die trouwens niet gratis is, maar een sigaar uit eigen doos: kosten € 400.000,- . *'De vette knipoog'* achter dit project, in de woorden van het departement, zal door de meeste burgers niet zijn gewaardeerd. Als de desbetreffende bewindspersoon geen kans ziet haar beleid op een normale manier onder de aandacht te brengen, kan ze beter iets anders gaan doen, moet menige kiezer hebben gedacht. Trouwens, het hele project was overbodig. Nederland neemt landbouw etc. zeer serieus, er zijn grote economische belangen bij betrokken en het departement is nooit een sluitpost geweest. Niet voor niets is er nu de combinatie met EZ.

Dat het ook anders kan, suggereert de volgende anekdote. Een bij uitstek bekwame minister als Winsemius – van wie je in de politiek dus nooit meer iets hoort - kreeg in een nieuwe situatie door zijn voorlichter eens de vraag voorgelegd, welk imago hij zou wensen, hoe hij zou willen overkomen. Hij weigerde die vraag serieus te nemen. Dit lijkt me geen toeval. Aspect 10. Communicatie wel professioneel, maar niet effectief.

Het bestel is ontspoord, zijn politieke functie verworden

Er zijn nu tien concrete probleemaspecten van het huidige bestel in ruime zin naar voren gekomen. Alleen het eerste en belangrijkste aspect heeft uitsluitend betrekking op het type bestel. Ik denk dat je op grond van deze lijst van een ontspoord bestel kunt spreken. Zijn politieke functie is verworden want de probleemaspecten doen afbreuk aan het functioneren van het bestel in de politieke praktijk. Daarbij zijn ze structureel. Niet ieder aspect is even belangrijk en niet iedereen zal het met alles eens zijn. Over de formulering en de rubricering valt te twisten. Wel hoop ik dat de meeste punten herkenbaar zijn.

Wijziging van het bestel

De vraag rijst, of wijziging van het huidige bestel de malaise kan bezweren. Sommige auteurs kijken inderdaad vooral naar het bestel als oorzaak van het probleem, dus naar wijziging als remedie, onder hen politicologen als Andeweg en Thomassen. Beiden neigen naar een meerderheidsdemocratie, waarbij een alternatief te kiezen valt. Volgens de oud-politici Hoogervorst en Van Rij moet het bestel radicaal anders (twee afzonderlijke artikelen in NRC/H., 16 maart 2010). Een hogere kiesdrempel, een gekozen minister president, gekozen burgemeesters en een ander kiesstelsel zouden de aangewezen middelen zijn. Ik denk dat hier veel in zit. Je kunt het bestel daarmee aanpassen aan de eisen van de tijd. Dan heb je de veroudering bestreden.

Maar naast veroudering bestaat er ook ontsporing, met verwording van de politieke functie als resultaat. Daar moet ook iets aan worden gedaan. Een punt is nog dat grootscheepse formele wijzigingen de herzieningsprocedure zouden kunnen afremmen. En ze brengen in de regel ook weer eigen, nieuwe problemen met zich mee. Misschien dat op korte termijn alleen het hoognodige zou moeten worden veranderd.

Op sommige punten kun je niet om zo'n aanpassing heen. Het bestel zoals het nu bestaat, is immers verouderd. De lage kiesdrempel bijvoorbeeld heeft een te groot aantal partijen mogelijk gemaakt. En het zou beter zijn als er een duidelijker afbakening zou bestaan, liefst een soort tweepartijenstelsel. Een overzichtelijke verdeling in blokken zou al iets kunnen helpen. Maar nogmaals, zelfs van twee uitgesproken blokken mogen geen wonderen worden verwacht. Duitsland, Engeland, Frankrijk en Spanje hebben dat systeem.

Wat kwaliteit betreft, zou het in de Tweede Kamer, en in de politiek in het algemeen, wel ietsje meer mogen zijn, wat kwantiteit betreft ietsje minder. De uitgaven voor eigen consumptie van de overheid als geheel, zijn ruim bemeten: 25 procent van het bbp (HSBC/World Bank, 2011, cijfers 2008). De regering heeft goede professionele ondersteuning, maar het is ook van belang dat kamerleden behoorlijk worden ondersteund. Nu komt het voor dat delen van wetsvoorstellen zo slecht gesteld of gecompliceerd zijn, dat ze door de politici zelf niet worden begrepen. Kwaliteit en kwantiteit zijn verschillende dingen. Kwaliteit zou in de Kamer voorop moeten staan. Als je daarvoor zorgt, zou je terug kunnen naar tweederde of de helft van het huidige aantal kamerleden, dus 100 of 75. Dergelijke voorstellen zijn inmiddels wel gedaan, maar niet gehonoreerd. Natuurlijk is een professionele staf duur, maar het afslanken van de Kamer zou de operatie tot op zekere hoogte budgetneutraal maken. Elk kamerlid zou dan toch wat meer assistentie kunnen krijgen.

Verder zal binnen elk bestel behoefte blijven aan een zekere mate van zelfreinigend vermogen. Ook de controleurs moeten worden gecontroleerd, maar je kunt niet alles in regels vatten. Door het verlies van de grote concepten is de politiek in het algemeen al wat banaal geworden. Met een achterhaalde consensus, aangescherpte partijbelangen en partijgebonden beroepsbestuurders, is het bestel er ook niet op vooruitgegaan. De kwaliteit van de deelnemers is minder geworden en is steeds meer op het partijpolitieke functioneren toegespitst geraakt. Daarbij is het politieke bedrijf zich steeds meer als belangenbehartiger van zijn directe deelnemers gaan ontwikkelen. Allengs profileerde zich een soort politieke klasse van belanghebbende insiders. De politiek werd voor sommigen een carrière-opstap, op zijn minst naar een hoge bestuursfunctie, en als zodanig een doel op zichzelf. De geloofwaardigheid van de politiek als belangenbehartiger van haar oorspronkelijke doelgroep, zijnde het hele volk, is daardoor uitgehold.

Politiek blijft een moeilijk vak, het is de kunst van het haalbare. Daar is talent voor nodig. Hopelijk zal onze politiek de ideeën van Plato (428-347 v.Chr.) op dit punt weer oppakken. In het Athene van zijn tijd werd er nog van uitgegaan, dat de staat moest worden bestuurd door de besten, een streng geselecteerde elite met de hoogste academische kwalificaties. Trouwens, in 1960 gold dit bij ons ook nog wel. Hoogleraar bestuurskunde Mark Bovens ontdekte echter dat uitgerekend onze huidige democratische praktijk verrassend veel op deze ideale staatsvorm van Plato lijkt (Lonneke Bentinck en Erica Meijers, interview met Mark Bovens in De Helling, 2010/3). Dit is een curieuze ontdekking, formeel tot op zekere hoogte juist. Maar hoe is deze te rijmen met wat ik hierboven heb beweerd onder punt 4? Dat was immers dat partijpolitieke overwegingen tot verkeerde benoemingen kunnen leiden. Ik denk dat het allebei opgaat, het een naar de vorm, het ander naar de inhoud.

Alles is immers betrekkelijk. Als we de bewindspersonen op Onderwijs van de laatste decennia eens op een rij zetten, dan denk je niet direct aan *een streng geselecteerde elite met de hoogste academische kwalificaties*. Je denkt dan eerder, met permissie, aan *een stoet van dwergen*. Gemiddeld genomen zal het zeker waar zijn dat hoogopgeleiden in de politiek de dienst uitmaken, terwijl ze maar 30 procent van de bevolking vormen. Dat lijkt me niet iets om van te schrikken. Ik geloof niet dat er succesvolle vormen van organisatie bestaan waar het wezenlijk anders is. Het arbeiderszelfbestuur in Joegoslavië, zoals het mij door mijn marxistische docenten nog als ideaal werd voorgehouden, is nu wel buiten beeld geraakt.

Een gekozen burgemeester en een referendum om democratie te bevorderen, daar ben ik het mee eens. Maar dit laat onverlet, dat ook kennelijk ondergekwalificeerde politici een rol spelen bij het afschrikken van burgers van de politiek. Ongeschikte bewindspersonen blijven namelijk niet onopgemerkt, ook niet bij de lageropgeleiden. Verder heeft competentie maar zeer ten dele iets met opleiding te maken. Maar wie meent dat de politiek echt eerste keus in huis heeft, is in ieder geval een optimist.

6 | Het demasqué van de drie hoofdoorzaken; sociale desintegratie en populisme als bijkomende factoren; verantwoordelijkheid en verwijtbaarheid van politiek en bestuur

Het demasqué van de drie hoofdoorzaken: hun combinatie als politieke patstelling

In de hoofdstukken 3, 4 en 5 zijn nu drie ontwikkelingen behandeld die als de belangrijkste factoren achter de politieke en bestuurlijke malaise kunnen gelden, de hoofdoorzaken. De beide omslagen met het neosocialistische Progressief Nederland-model resp. het neoliberale BV Nederland-model, hebben met elkaar een politiek-ambtelijk klimaat veroorzaakt waarin tegengestelde ideologische reflexen een rol spelen. Ze zijn zoals gezegd met elkaar in een destructieve wisselwerking terechtgekomen en vormen als vaste clichés een soort houvast voor de politiek, een surrogaat voor het echte, het grote verhaal dat zij niet meer heeft of niet wil zien. Het verouderde bestel met zijn consensusmodel veroorzaakt daarbij ook nog eens een aantal handicaps waarmee het functioneren van de politiek in de praktijk wordt bemoeilijkt.

De beide omslagen zijn een eigen leven gaan leiden en ideologisch doorgeschoten. Mede daardoor zijn ze moeilijk te verzoenen, ze hebben elkaar dan ook niet geneutraliseerd. De bijbehorende denkbeelden zijn echter niet van deze tijd, ze spreken veel burgers niet meer aan. Ook in de bureaucratie zijn ze te herkennen, hoewel soms ondergronds. De bureaucratie is in de laatste 50 jaar waarschijnlijk meer dan voorheen door de politiek beïnvloed. Tegenwoordig horen de meeste secretaris-sen-generaal bij een politieke partij. Niet dat dit juist bij hen veel zal uitmaken, ze staan algemeen bekend als bekwaam en onpartijdig. Toch hebben hele departementen of delen daarvan, de naam min of meer politiek betrokken te zijn. Beleidsambtenaren van een andere richting zie je er dan steeds minder. Formeel is zoiets geen probleem. Als een staatssecretaris van de VVD met het voorstel komt om aan mensen die bijstand willen ontvangen de eis te stellen dat ze Nederlands spreken, zal dat in zekere kringen als vloeken in de kerk worden beschouwd, maar de politiek komt er wel uit.

Soms ligt het moeilijker, en ook wel eens anders dan je zou denken. De politisering bij de overheid zit overal, niet alleen bij de politiek. Als de regering een krachtiger optreden van de politie gewenst acht, stuit de desbetreffende VVD-minister op het probleem, dat politiemensen vinden dat ze voor dat soort confrontatie niet zijn opgeleid. En het kan erger. Ook sommige commissarissen van politie hebben een politieke kleur aangenomen en brengen die naar buiten. Als het zo uitkomt, lezen ze kamerleden de les als die naar hun zin een te strikt optreden van de politie eisen, bijvoorbeeld om buschauffeurs te beschermen bij het uitoe-fenen van hun functie op straat. En de kamerleden laten het gebeuren, ze zeggen dan wel a, maar durven geen b te zeggen.

Of het nu om baldadigheid of om straatterreur gaat - beide wordt be-weerd – iedereen begrijpt dat hier iets niet klopt. De politie begint haar eigen neutrale positie als werktuig van het wettig gezag te ondergraven. Nu is de opvatting van *bevel is bevel* ook niet zonder schaduwzijde, maar hier ligt toch een probleem. Kranten doen tegenwoordig hun best om de voorstanders van links-progressieve tolerantie enerzijds en die van rechts-conservatieve wet en orde anderzijds aan het woord te laten. De lezer kan alleen maar constateren dat de standpunten onverenigbaar zijn en dat de politiek naar compromissen moet zoeken.

De drie factoren vormen een mix van tegenstrijdige ideologie en politiek disfunctioneren. Ze vormen met elkaar een patstelling die politiek en bestuur in de weg zit. Zo'n situatie wordt op den duur onwerkbaar: er worden geen knopen meer doorgehakt, of de verkeerde, en er wordt alleen nog op de winkel gepast. De kabinetten Balkenende hebben van deze verschijnselen nogal te lijden gehad. Vandaar het *bandenplakkersbeleid*. De politieke partijen zien dit uiteraard anders. Zij suggereren dat alles om de juiste politieke keuze draait. Als de kiezer die keuze maar maakt, dat wil zeggen op hun partij stemt, komt het zeker goed en wordt het allemaal vanzelf steeds eerlijker, efficiënter, goedkoper, klantvriendelijker, veiliger, groener en zo meer. Kortom een nóg beter Nederland. Of anders, als de kiezer het niet doet, roept hij wantoestanden en chaos op. De verantwoordelijkheid wordt bij de kiezer gelegd.

Intussen ligt de conclusie voor de hand, dat de oorzaak niet bij de kiezer ligt en evenmin bij de partijen. Tegengestelde standpunten zijn er immers altijd geweest. De politiek is gewend om daarmee om te gaan. Wanneer er in zo'n routineproces een nieuwe storing optreedt, zal er waarschijnlijk ook een nieuwe oorzaak zijn. Die is er dan ook: het moeizame functioneren van de politiek zit hem in de patstelling van de drie factoren. Wat misloopt, wordt nogal eens veroorzaakt door een combinatie van ideologie en incompetentie.

Ik kom nog even terug op het onderwijs. Emancipatie en nivellering hebben voor massa-onderwijs gezorgd, vanzelf ook voor schaalvergroting van de betrokken instellingen. De kwaliteit is daarbij allicht wat achtergebleven. Privatisering en marktwerking hebben vervolgens kwantitatieve maatstaven aangelegd in plaats van kwalitatieve: hoe meer diploma's hoe beter. Overbelichte bewindspersonen en overbetaalde bestuurders completeren het beeld. En ja, daar zijn ze dan, de diplomafabrieken met incompetent management en eigen drukkerij.

Of neem de zorg. Mensen weten dat hun oude vader of moeder in een verzorgingstehuis in een 24-uurs luier ligt. Maar ze weten ook dat de directeur daar een paar ton verdient (met dank aan Diederik Samsom die dit voorbeeld geeft in NRC/Handelsblad van 2 jan. 2012). Nu valt het aantal managers met een boven-ministerieel salaris in de zorg nogal mee: in 2010 was het 17 procent. Hoeveel personen het betreft, weet ik niet. Maar het totale aantal managers met boven-ministeriële beloning uit de staatskas, bedroeg in 2010 toch 2.165 (NRC/H. 24/25 dec. 2011, nav rapport Binnenlandse Zaken en Volksgezondheid, 23 dec. 2011).

De drie factoren als hoofdoorzaken van de malaise zijn zoals bekend maar gedeeltelijk van binnenlandse oorsprong. De kwestie met het bestel nog het meest. De omslagen naar links en naar rechts zijn typisch internationaal. Wel zijn ze in Nederland geadopteerd en daarbij misschien wat meer omhelsd dan elders. In Denemarken en Zwitserland bijvoorbeeld heeft geen vergelijkbaar massale toelating van niet-westerse immigranten plaatsgevonden. Nergens speelt een nationaal identiteitsprobleem een rol zoals hier. Bijna nergens is het beslag van de overheid op de consumptie van het bruto binnenlands product van vergelijkbare omvang: 25 procent (HSBC, 2011). In ons buurland België lijkt de neergang van het onderwijs veel minder groot, Nederlanders sturen er hun kinderen naar school. In Frankrijk zijn de spoorwegen niet geprivatiseerd en ze functioneren wél goed. In Canada en Australië hebben de banken dankzij terughoudend gedrag geen steun van de belastingbetaler nodig gehad. In veel landen bestaan nog postkantoren. Dus ja, zo vanzelfsprekend en onvermijdelijk is het allemaal nu ook weer niet, wat er in ons land gebeurt.

Je kunt niet alle mensen altijd bedriegen, zoals de Amerikaanse president Lincoln al zei. Wat wij nu meemaken, is een drievoudig demasqué: van het Progressief Nederland-model met zijn achterhaalde en doorgeschoten neosocialisme, van het BV Nederland-model met zijn achterhaalde en doorgeschoten neoliberalisme, en van het verouderde consensus-bestel met zijn achterhaalde en doorgeschoten partijbelang. Het besef begint door te dringen dat het besturen van een land andere eisen stelt. Wat ons tot nu toe wordt voorgeschoteld, is om met de oud-vicepresident van de Raad van State Tjeenk Willink te spreken, *de Haagse werkelijkheid.* Je krijgt wel eens de indruk dat er in Den Haag te vaak een spel wordt gespeeld, een toneelstuk opgevoerd waarin de spelers handelaren in gebakken lucht zijn. Het herkennen van dat patroon vereist enig inzicht. Johan Cruijff zei het al: *je ziet het pas als je het door hebt.*

Bij een patroon denk je aan een logische samenhang. Zo'n samenhang is bij de drie hoofdoorzaken duidelijk aanwezig. Het gaat bij alledrie om achterhaald en doorgeschoten ideologisch gedachtengoed dat even tegengesteld als verstrengeld is. Vandaar de elkaar versterkende negatieve werking. Als je verder wilt zoeken, zou je je kunnen afvragen, of er achter de drie nog een systeem is te vinden, een achterliggende theorie die op alle drie van toepassing is. De veranderde tijdgeest zou de sleutel tot die theorie kunnen bevatten.

De drie hoofdoorzaken ontleed en getoetst aan een verdwenen normenstelsel van zes principes van maatschappij, politiek en bestuur

De veranderde tijdgeest dus. Bij het zoeken naar de oorsprong van de drie hoofdoorzaken zijn we vanzelf terechtgekomen bij de verschillen tussen de maatschappij van 1960 en die van nu, ruim een halve eeuw later. Waarin blijken de opvattingen over maatschappij, politiek en bestuur te verschillen? Onze samenleving berustte in 1960 op een normenstelsel van traditionele principes, dat een strak kader vormde waarbinnen de vrijheid beperkt was. Verantwoordelijkheden wogen zwaar. Het gold in het algemeen, maar zeker voor politiek en overheid.

Dat normenstelsel van toen is goeddeels verdwenen, maar veel is nog te achterhalen en in ieder geval is het te reconstrueren. Vooral omdat het met de mond nog altijd wordt beleden. Behalve in de etalage is het denkelijk ook nog in het collectieve geheugen te vinden. Veel mensen weten, of menen te weten, dat het ook wel anders kan dan zoals het nu gaat. Vader en zoon Drees zijn nog niet helemaal vergeten. En tenslotte zijn er ook nu nog genoeg politici op wie ook volgens oude normen niets valt aan te merken. Het politieke bedrijf als geheel roept echter teleurstelling op. In 1960 was er meer wisselwerking, de politiek gold toen nog als iets gemeenschappelijks, als iets van de mensen zelf. Die samenhang is goeddeels verdwenen, de politiek is meer een soort instantie geworden, de zoveelste. Bovendien stellen de burgers hogere eisen, de politiek heeft maar te leveren.

De principes van het verdwenen normenstelsel waar het hier om gaat, zijn niet altijd te scheiden, wel te onderscheiden. Misschien is het *wishful thinking*, maar ik meen ze duidelijk waar te nemen. Ik heb ze ondergebracht in zes clusters van steeds drie verwante begrippen als componenten. Je kunt de clusters zien als functionele driehoeken. Het functionele verband versterkt de werking, zowel van de onderdelen als van het geheel. Samen hebben zij lange tijd de grondslagen van het maatschappelijke, politieke en bestuurlijke functioneren gevormd. Er zijn tenminste zes functionele clusters of driehoeken te onderscheiden. Je hebt daarmee de belangrijkste normen vermoedelijk wel te pakken. Maar je kunt er ook minder of meer nemen. Het blijft natuurlijk theorie, het is maar een benadering, maar mij leek dit model bruikbaar als werkhypothese.

De traditionele principes van maatschappij, politiek en bestuur in 1960, uitgedrukt in zes functionele clusters van drie verwante begrippen: de drie functionele driehoeken:

1 De functionele driehoek nationale identiteit, nationale bewustheid en nationaal historisch besef.

2 De functionele driehoek volk, volksvertegenwoordiging en regering.

3 De functionele driehoek gezag, orde en handhaving.

4 De functionele driehoek leiderschap, vakkennis en controle.

5 De functionele driehoek verantwoordelijkheid, dienstbaarheid en zorgvuldigheid.

6 De functionele driehoek evenredige beloning, lastenverdeling en ondersteuning door uitkeringen en subsidies.

ad 1 Nationale identiteit, nationale bewustheid en nationaal historisch besef geven antwoord op de vraag *wie zijn wij?* Ze vormen in vrijwel alle landen ter wereld een consistente en harde kern. Daar zijn ook de succesvolle immigratielanden bij. Het onderwijs neemt deze begrippen overal serieus. In Nederland, amateur-immigratieland, is het anders aangepakt:

de begrippen zijn zoveel mogelijk gerelativeerd. Daarom hebben de Nederlanders zelf soms moeite met hun identiteit en valt er in ons land in ieder geval minder te integreren. Een club die niet weet wie ze zelf is, die niet in zichzelf gelooft en die haar verleden niet recht in de ogen durft te zien, daar wil je niet bijhoren. Het antwoord op de vraag *wie zijn wij?* is in de praktijk altijd essentieel, in de eerste plaats voor jezelf, voor de eigen gemeenschap. Maar zeker ook als er aanhang moet worden geworven, van voetbalclub tot politieke partij. De eigen identiteit speelt de hoofdrol. Waarom zou dit bij een land met nieuwkomers wier hart moet worden gewonnen, anders zijn?

ad 2 Volk, volksvertegenwoordiging en regering behoren als partners fair samenspel te leveren en saamhorig te zijn. Een land runnen is zoiets als een wedstrijd spelen, dat doe je met elkaar. Democratie betekent dat het volk de bron van soevereiniteit is. De burgers geven een mandaat, maar moeten daarbij reële invloed hebben, dus er moet iets te kiezen zijn. De politieke diversiteit van het volk moet in een parlementaire democratie tot uitdrukking komen. Vlees noch vis en meer van hetzelfde, dat is niet wat de mensen willen. Het samenspel van de drie componenten is de laatste decennia verzwakt, het evenwicht verstoord.

Het politieke debat behoort in de volksvertegenwoordiging plaats te vinden, niet in de regering. Daar dient eenheid van beleid te heersen. De tegenstelling tussen regering en volksvertegenwoordiging, het dualisme, vervaagt. Het beleid wordt en detail voorgekookt en op die manier regeert de Tweede Kamer mee. Controle, de eigenlijke functie van de Kamer, staat niet meer voorop. De burgers voelen zich onvoldoende vertegenwoordigd. Ze zien regering, volksvertegenwoordiging en overheidsdiensten als één pot nat. Een en ander in de sfeer van *zij en wij.*

ad 3 Gezag, orde en handhaving. Ook de meest tolerante overheid ontkomt er niet aan. Zonder hiërarchie en daarmee samenhangend gezag kan geen enkele organisatie bestaan. Orde en handhaving zijn weer onmisbaar voor het gezag. Hier stuiten de ideologische nivellering en het dito gedogen op hun grenzen. Het probleem is weliswaar breder dan politiek en overheid, maar deze hebben het bij ons eerder gestimuleerd dan afgeremd. Anarchie is een groot woord, maar toch. Voetbalrellen bijvoorbeeld zijn niet nieuw. Ze hebben al voor de Tweede Wereldoorlog voor grote problemen gezorgd in landen met een bange, zwakke en verdeelde overheid. Daarvan was toen in ons land nog geen sprake. Gezag is een gevoelig artikel, al zou je het niet zeggen. Het moet worden gekoesterd, want de overheid kan niet zonder. Het komt te voet en gaat te paard. Is het verdwenen, dan moeten machinegeweren op het gazon van de bedreigde burgemeester van Helmond en een gepantserde auto de illusie wekken dat het nog bestaat (NRC/H., 19 jan. 2012).

ad 4 Leiderschap, vakkennis en controle. Een onmisbare driehoek in elke organisatie, ook in politiek en bestuur. Politieke benoemingen, in het algemeen als beloning voor bewezen diensten aan de partij maar los van kwaliteiten als leiderschap en vakkennis, leveren soms incompetente vertegenwoordigers of gezagsdragers op. In ons land gaat het op zijn minst om onkunde inzake de materie waarmee zij aan de slag moeten. Geloofwaardig leiding geven c.q. gezag uitoefenen wordt dan moeilijk. De quasi managers en de verzakelijkte overheid met privatisering en marktwerking completeren het beeld. Als de top niet meer weet waarover het gaat, zal er weinig uitkomen en verlies van controle wordt onvermijdelijk. Oneigenlijke benoemingen, de baantjes om de baantjes, vormen een gevaarlijk verschijnsel. Overigens is het een klassiek teken van decadentie.

ad 5 Verantwoordelijkheid, dienstbaarheid en zorgvuldigheid. Opnieuw een onmisbare driehoek, nu vooral op moreel gebied. Ongeveer het tegendeel van decadentie. Met dank aan Aristoteles (384 v.Chr.-322 v.Chr.), diens *voorzichtigheid en gematigdheid* hebben mij op het idee gebracht.

Denk aan premier Drees (PvdA), met zijn spreekwoordelijke bescheidenheid. De overheid schijnt zich niet meer bewust van deze eisen. Zij heeft soms de rollen omgedraaid. Ze dient dan niet het recht of het volk, maar eerder haar eigen belangen. De eigen huisvesting bijvoorbeeld is in het algemeen ruim bemeten en up to date. In rond Hollands: het kan niet op. Deze roerende zorg strekt zich echter niet uit tot de huisvesting van de burgers. Daar heerst sinds 1945 woningnood. En meer in het algemeen: wie de ervaringen van de nationale ombudsman volgt, herkent het ontbreken van deze functionele driehoek.

ad 6 Evenredige beloning, lastenverdeling en ondersteuning door uitkeringen en subsidies. Ook hier een lang verdwenen evenwicht. Onevenredig loonbeleid, fiscaal beleid en ondersteuningsbeleid zijn overal zichtbaar. Ten eerste betaalt de overheid als werkgever al jaren excessieve inkomens aan haar managers, in 2010 waren dat er 2.165. Ten tweede houdt zij als belastingheffer hoge en lage inkomens uit de wind om bij de middenklasse des te harder toe te slaan. Het toptarief inkomstenbelasting van 52 procent werd in 2011 al bereikt bij 55 à 56.000 euro per jaar, dus nog beneden twee maal modaal. Ten derde pompt zij overmatig belastinggeld rond in het uitkeringen- plus subsidiecircuit. Rond 20 procent van de kostwinners genieten een uitkering, bijna 40 procent van de kostwinners ontvangen huurtoeslag en/of zorgtoeslag.

De werkende middenklasse vanaf modaal betaalt. Dit heeft een eenvoudige reden: er zijn er veel van. Het is overigens voor een groot deel de groep die zelf niet in aanmerking komt voor een huis. Tussen modaal en 1,5 maal modaal krijg je geen sociale huurwoning, maar ben je voor een hypotheekbank ook niet interessant. In november 2011 heeft de PvdA bij monde van het kamerlid Monasch op deze situatie gewezen.

Conclusie principes

De traditionele principes van maatschappij, politiek en bestuur zijn in de laatste 50 jaar verloren gegaan of verzwakt. Hun functionele verband is ondermijnd. Ze worden hier in de eerste plaats ter verklaring vermeld, niet per se ter navolging en herstel. We leven nu in een andere tijd. Het gaat er hier om te achterhalen, waarom de politiek teleurstelt, dus waar de politieke malaise vandaan komt. Daarbij sluit verder inzicht natuurlijk niet uit, dat sommige principes nog steeds van waarde zouden kunnen zijn.

De negatieve werking van de drie structurele factoren is in alle gevallen terug te voeren op het gaandeweg negeren van deze principes. Het is daarom relatief eenvoudig om aan te geven, waar een probleem zit en of er een mogelijkheid bestaat om zo'n punt recht te zetten. Gesteld eens dat men zich zou kunnen houden aan de functionele driehoek no. 4: leiderschap, vakkennis en controle. Dan zou in theorie het probleem van de partijpolitici die als bewindspersoon geen idee hebben van de materie van hun departement, zijn opgelost. Dit laatste is een probleem van de ontspoorde praktijk van het bestel. Maar de drie hoofdoorzaken kunnen in geval van praktisch beleid zelfs buiten beschouwing blijven. Het mankeren van de onderliggende principes biedt voldoende verklaring.

De overheid die zichzelf en niet de burgers voorop stelt, negeert een principe, namelijk dat onder punt 5: verantwoordelijkheid, dienstbaarheid en zorgvuldigheid. Een tot Sint Juttemis uitgesteld huisvestingsbeleid kan daarvan het resultaat zijn. Voor het immigratiebeleid heeft tot 2002 hetzelfde gegolden. *Geen beleid goed beleid* moet het motto zijn geweest. Toch zou je in beide gevallen niet in eerste instantie aan verlaten principes denken. Onvoldoende huisvestingsbeleid en onvoldoende immigratiebeleid hebben immers verschillende oorzaken.

Bij huisvestingsbeleid is de tegengestelde en doorgeslagen partijpolitiek het grootste probleem, bij immigratiebeleid eerder de achterliggende doorgeslagen ideologie. Maar deze problemen rechtvaardigen het laten lopen van de beide beleidsterreinen niet. Bij deze portefeuilles is door de lange verwaarlozing het tegenovergestelde bereikt van wat zou moeten: een vastgelopen situatie. Tot zover de hoofdoorzaken van de malaise en de theoretische basis waarop zij mogelijk berusten.

Sociale desintegratie en populisme als bijkomende factoren

Sociale desintegratie

Sociale desintegratie is in het Westen een bekend begrip, al is het verschijnsel niet onomstreden. Maar voor zover er een soort cultuurcrisis bestaat, is sociale desintegratie daarvan een essentieel onderdeel. En daarmee ook een achterliggende factor bij de politieke malaise. Niettemin zullen mensen die vinden dat politiek en bestuur goed functioneren, niet veel willen weten van verschijnselen die aan dat functioneren afbreuk heten te doen. Ze zeggen graag dat het allemaal wel meevalt. *'Het onderwijs slecht? Welnee, ze leren andere dingen.'* Iets vergelijkbaars passen ze dan op sociale desintegratie toe.

Wat bedoel ik hier met sociale desintegratie? Kort gezegd het uiteenvallen van traditionele verbanden die de westelijke wereld tot na de Tweede Wereldoorlog sociaal bijeen hebben gehouden. Kerk en staat hadden hun eigen positie en gaven voor wat die waard was, structuur. Hun functie was duidelijk. Hun normen waren helder, en anders wel die van het traditionele burgerfatsoen. De moraal mag deels façade zijn geweest, zij was er. Ook hiërarchie en gezag waren vanzelfsprekend. Als verschijnsel is sociale desintegratie veel ruimer dan de politiek, maar deze wordt er wel door beïnvloed.

In de politiek was de situatie in 1960 nog eenvoudig: de politiek was toen nog geen opstap naar een carrière, het vak werd eerder gezien als een roeping en in de praktijk was het vaak de afsluiting van een geslaagde loopbaan. Financieel was het meestal een offer, de tijd dat je voor een politieke of ambtelijke functie van enig gewicht zelf vermogend moest zijn, was toen nog niet zo lang voorbij. Wel was er ook een ambtelijk traject: ambtenaar op een departement, lid van een gemeenteraad, wethouder, burgemeester en minister, zo'n soort volgorde kwam voor. In ieder geval had je nog niet zoiets als een politieke klasse die dikke banen voor zichzelf regelde. Die klasse bestond niet en de banen bestonden evenmin.

De organisatie van de overheid was minder gecompliceerd. Lelijk gezegd: het water was minder troebel dan in de huidige tijd, waarin alles zo helder en transparant moet zijn. Wij kennen nu bijvoorbeeld een groot aantal ZBO's, zelfstandige bestuursorganen die niet rechtstreeks onder een departement vallen, en andere organisaties die met publiek geld worden betaald. Daar zijn zoals bekend boven-ministeriële inkomens geen uitzondering.

Ook internationaal had je toen alleen instanties en organisaties die nog enigszins overzichtelijk waren, die dingen deden die de mensen konden begrijpen. Voorbeelden zijn de VN, de NAVO en de EEG. Maar als nu ergens in de wereld de boel uit de hand loopt, op welke manier ook, weet je van tevoren niet welke club gaat ingrijpen, uit hoofde waarvan, en onder wiens verantwoordelijkheid. De clubs weten het zelf ook niet, daarom duurt alles zo lang, zoals bij de opstand in Libië. In ieder geval is de afstand tot de burgers groot, zo mogelijk nog groter dan op het nationale vlak. Ik beweer niet dat het anders kan, maar ik constateer dat de betrokkenheid van de burgers er op deze manier niet op vooruitgaat.

Mensen waren maatschappelijk op elkaar aangewezen, voelden zich verantwoordelijk en hielpen elkaar. Het lijkt misschien vreemd, maar hoe minder ze bezitten, hoe socialer ze zijn en hoe meer ze voor elkaar over hebben. In de arbeidersparadijzen die ik heb gekend, waren de gewone burgers doodarm en werden ze systematisch onderdrukt en uitgebuit door de partij-elite. Hun was alle verantwoordelijkheid ontnomen. Maar achter de grauwe gevels van de materiële misère bloeiden gemeenschapszin en cultuur. Berlijn, Praag en Havana staan bij mij op dit punt hoog aangeschreven.

De menselijke warmte die je daar voelde, deed mij denken aan de verhalen over de situatie in ons land in de Tweede Wereldoorlog. Mijn eigen herinneringen zijn bevestigend. Ik weet nog van de gaarkeuken, waar je met de buren in de rij stond voor dezelfde hap. *'Wat eten jullie vanavond?'*, het was in mijn geheugen de eerste grap die ik als kleuter begreep. Ik overzag het veld vanuit de hoogte, ik moet dus op iemands arm hebben gezeten. Na de bevrijding in 1945 veranderde er in dit opzicht nog niet zo veel. De distributiebonnen die nodig waren om voedsel, textiel en dergelijke te kopen, werden nog jaren met vrienden en buren geruild en gedeeld.

Deze sociale samenhang en deze sfeer van saamhorigheid zijn langzaam gaan vervagen. Mensen werden sinds de latere jaren '60 niet meer opgevoed met de normen en waarden die nodig zijn om deel van een gemeenschap te worden. Ze kregen zelfstandig recht op alles. De overheid ging hen verzorgen van de wieg tot het graf. Zo hadden ze elkaar zogenaamd niet meer nodig. Ze raakten volledig geëmancipeerd en onafhankelijk. Deze ontwikkeling en de economische opleving brachten wel particuliere vrijheid, onafhankelijkheid en welvaart, maar ook eenzaamheid en angst. Mensen zijn individualisten en egoïsten geworden, ze hebben geen boodschap meer aan hun buren, kennen ze zelfs niet meer, laat staan dat ze zich verantwoordelijk voor hen voelen.

De maatschappelijke en morele kaalslag werd nog wat tegengehouden zolang degenen die de omslag hadden aangekaart, nog in het zadel zaten, de babyboomers. Zij waren zelf immers nog met de oude normen van een sociale maatschappij opgevoed. Het liep allemaal nog wel. Maar intussen zijn deze mensen teruggetreden en is er een generatie opgekomen die geheel volgens de normen van na 1960 is opgevoed. De mensen van deze generatie zijn dus de erfgenamen van de jaren '60 en '70. De individuele verschillen zijn groot, maar een soort egomanie en sociaal anarchisme zijn overal herkenbaar.

Sociaal en bescheiden gedrag wordt een uitzondering. *'Doe wat in je opkomt'* is een aanbeveling uit een reclamespot. Met andere woorden: stoor je vooral nergens aan. *'Laat zien wie je bent'* is het advies van een andere, met als verborgen verleider: je bent bijzonder, steek dan ook boven de massa uit met een nog grotere tattoo en met onze bijzondere auto. *'Luxury is a right'* houdt een andere spot de kijkers voor. Deze spots sluiten feilloos aan bij de asociale en materialistische onzinwereld waarin wij leven: *alles moet kunnen en ieder voor zich. Groot is mooi en veel is lekker* om met Marten Toonder te spreken.

Want een factor waarop niemand had gerekend, heeft tot deze ontwikkeling bijgedragen: de onbelemmerde groei van het materialisme. Het ineenstorten van het communisme in de Sovjet Unie in 1991, en trouwens wereldwijd, heeft het leven van de mensen in de westerse wereld sterk beïnvloed. Niet verbeterd, integendeel, over die ommekeer is te vroeg gejuicht. Het evenwicht ging verloren. Het kapitalistische economische stelsel had in het gematigde en sociale Europa trouwens al eerder extra impulsen gekregen. Het Rijnlandse model werd er zoals gezegd beïnvloed door het Angelsaksische model, bekend van de *American way of life*. Een hele vooruitgang dus. Oude normen van niet-materiële aard raakten op de achtergrond. In plaats daarvan heerst het geld als God. Dit alles heeft een materialistische, amorele en koude maatschappij opgeroepen. Sociaal in de zin van collectieve materiële ondersteuning, dat in veel landen nog wel, maar asociaal in menselijke betrekkingen. Zingeving die boven het materiële uitgaat, is grotendeels verloren gegaan, ook en vooral sociaal. Sociale desintegratie is het woord.

De onmisbare voorwaarden van een werkelijk sociale samenleving waar ieder mens belang bij heeft, binding en zingeving, zijn op deze manier onder druk komen te staan. En omdat kerken en andere sociaal bindende organisaties in betekenis zijn verminderd en de overheid op die stoel is gaan zitten, vallen daar de klappen. Dit verschijnsel doet zich overal in de westerse wereld voor. Een nationale overheid mag voor deze ontwikkeling niet aansprakelijk worden gesteld. Wel is Nederland, als vooruitstrevend in goed én in slecht, ook hier weer duidelijk koploper. Bij mijn weten is bijna nergens in de vrije wereld de rol van de overheid als sociaal verantwoordelijke instantie zo prominent en de sociale desintegratie tegelijkertijd zo zichtbaar. In de stedelijke verloedering alleen al. In dit geval nu eens niet door te weinig, maar juist door te veel te doen, namelijk de mensen hun verantwoordelijkheid te ontnemen. Het is dat de economie bij ons relatief goed presteert, anders was de sociale desintegratie zeker nog duidelijker.

Intussen wil het geval, dat zowel de neosocialistische omslag van na 1960/1970 als de neoliberale omslag van na 1980/1990, hoe tegengesteld ook, hebben bijgedragen aan de individualisering en aan het afbreken van sociale verbanden. Niet alleen in Nederland. Beide omslagen hebben immers de nadruk gelegd op individuele ontwikkeling, onafhankelijkheid en maakbaarheid. Beide ideologieën hebben ook weinig met de natiestaat. Of het nu gaat om ontwikkelingshulp en multiculti ideologie of om privatisering en marktwerking, het is grensoverschrijding wat de klok slaat. Een modern, progressief en zakelijk land is tegenwoordig quasi van iedereen: kansarme immigranten of buitenlandse investeerders om nationale nutsbedrijven over te nemen, ze moeten allemaal welkom zijn, is het niet volgens de ene dan wel volgens de andere ideologie. De gewone burger die er anders over denkt en zich verzet, lijdt aan primitief provincialisme. Voor straf wordt hem de rekening gepresenteerd.

De gewone burger is niet toe aan al die internationalisering. Hij is niet zo'n progressieve kosmopoliet als de moderne politicus, maar hij voelt vaak aardig aan wanneer hij bedonderd wordt. En dat gebeurt wanneer zijn eigen spoorwegen door verwaarlozing en wanbeleid beneden ieder peil raken, maar de NS met buitenlandse investeringen grote successen boekt. Naar eigen zeggen dan, dat wel natuurlijk. En omdat de burger al zulke onzin maar goed moet vinden, zet hij zich schrap. Hij neigt ertoe om zich uit onvrede dan ook maar tegen die vormen van internationalisering te verzetten die voor hem ondanks alles wél van belang zijn, zoals de Europese samenwerking. Maar dat belang is hem nooit uitgelegd. Het verschil tussen een economische unie die van vitaal belang is en een muntunie die voorbarig en riskant is bijvoorbeeld, is veel mensen niet duidelijk. Het populisme heeft dit goed begrepen.

Populisme

De sociale desintegratie blijkt een product van de tijdgeest. Voor het populisme geldt hetzelfde, al zijn de oorzaken daar misschien wat duidelijker, in het bijzonder het tekortschieten van de traditionele politiek. Verder is het populisme ook omstreden als bijkomende factor van de malaise. Mensen met een positief beeld van politiek en bestuur, in de eerste plaats de politici zelf, hebben de neiging om het populisme niet serieus te nemen en af te doen als een marginaal en cyclisch verschijnsel dat dus vanzelf weer verdwijnt, een soort boer Koekoek syndroom. De verleiding is groot om zulke partijen links of rechts te laten liggen en ze zo weinig mogelijk bij het politieke bedrijf te betrekken. Ze exploiteren immers boosheid, ergernis en wantrouwen van kiezers. Ik weet niet of dat nu een goede strategie is. Afgezien van de politieke inhoud, is het populisme toch belangrijk, en wel om twee redenen: in de eerste plaats toont het, of althans suggereert het de ongeloofwaardigheid van de oude politiek, in de tweede plaats breekt het de oude politiek nog verder af door de kiezer op de troon te zetten. Het eerste kan positief uitwerken, het tweede niet.

In hoofdstuk 2 heb ik al iets over de signaalfunctie van het populisme geschreven. Daarin ligt het eerste belang van partijen als SP en PVV: ze geven aan dat er, althans in het oog van de kiezers, iets fout zit tussen politiek en burgers, al was het maar dat er niet genoeg te kiezen valt, maar ook dat de politiek volgens hen van alles laat liggen. Zij bieden een alternatief waarvan emotie mogelijk de centrale factor is: ressentiment tegen politiek en bestuur en de voldoening om nee te kunnen zeggen tegen het traditionele systeem. Dan doet het er minder toe dat hun alternatief niet altijd even realistisch is, en dat ze zelf ook het een en ander laten liggen.

Neem de PVV, de grootste partij in Limburg. Immigratie, vooral kennisimmigratie, is voor Limburg belangrijk en het verband van de EU niet minder. De provincie loopt leeg en de ligging in de regio met twee buurlanden is strategisch goed. Die combinatie biedt uitgerekend mogelijkheden voor ontwikkeling door kennisimmigratie en Europese samenwerking. Volgens de Limburgers is er in Den Haag te weinig aandacht voor Limburg getoond. Afgezien van de vraag of dit juist is of niet, de PVV zou daar in theorie en rationeel gezien geen optie zijn. Maar de praktijk toont het tegenovergestelde. Ratio en sentiment zijn verschillende dingen.

Ook de kiezers in Limburg weten beter waar ze tegen zijn dan waar ze vóór zijn. Verder hebben ze het daar traditioneel toch al niet erg op buitenstaanders, en de regenten in Den Haag vallen daar zeker onder. Als er dan een alternatief is, en nog wel van eigen bodem, wordt het omhelsd. Misschien niet eens omdat mensen denken dat het echt wat is, speciaal voor Limburg, maar omdat ze in ieder geval vinden, dat de conventionele politiek hun problemen niet oplost. Ze geven zo'n nieuwkomer dan het voordeel van de twijfel. Met hun *ja* tegen hem zeggen ze *nee* tegen de oude politiek. Zo geven ze lucht aan hun onvrede: Limburg zegt nee tegen Den Haag.

Het vermoeden dat de keuze voor de PVV op zijn minst voor een deel een soort experiment is waar geen diepe positieve overtuiging achter zit, zou ook uit het volgende kunnen blijken. Als je de verkiezingen van 9 juni 2010 en 2 maart 2011 vergelijkt, voor kamer en provincies, dan heeft Wilders het in beide goed gedaan. Maar uit de opkomst bij de provincieverkiezingen op 2 maart 2011 blijkt, dat veel PVV kiezers zijn thuisgebleven. Zelfs als je in aanmerking neemt dat deze regioverkiezingen altijd minder stemmen trekken. Dus zo heel fanatiek zijn die PVV stemmers blijkbaar niet. Dit kan overigens ook betekenen dat bij de volgende kamerverkiezingen de steun voor de PVV nog weer flink groter wordt. De PVV zou daarmee een nog belangrijker factor worden. Haar positie, of die van haar opvolgster, zal vermoedelijk standhouden zolang de onvrede bestaat waaruit zij is voortgekomen.

Het is allemaal goed te begrijpen: veel kiezers zijn het moe, dat hun problemen naar hun indruk door de politiek niet worden gehoord. Dat de politiek niet naar hen luistert, om nog eens met Paul Schnabel te spreken. Daarom proberen ze het sinds 2002 maar eens met de protestpartijen. Met de inhoud van het gedachtengoed van die partijen heeft hun keuze misschien maar weinig te maken. Er schijnen veel kiezers te zijn die eigenlijk met tegenzin meedoen. Maar ze zien geen kans om hun onvrede op een andere manier te uiten dan via een *protestpartij*. In het geval van de PVV krijgen ze er bijvoorbeeld anti-moslimpolitiek bij, waar ze lang niet allemaal op zitten te wachten. In het geval van de SP zullen er kiezers zijn die constateren dat de PvdA geen duidelijke koers meer heeft, en die dan het vakbondsdenken van de SP maar op de koop toenemen.

De tegenpartij van Koot & Bie, *de noodrempartijen* van Chavannes, het populisme heeft per definitie iets extreems. Om te beginnen is er lef voor nodig om tegen de stroom in te gaan. En omdat het zich tegen de conventionele politiek wil afzetten, kan het niet goed zonder spectaculaire kort door de bocht-beleidspunten. Populisme heeft weinig met links of rechts te maken, het is vóór alles volks, het woord zegt het al. De PVV heeft net als de SP linkse én rechtse ideeën. Zeker niet alleen slechte, maar altijd ook of vooral op de ontevreden kiezer toegesneden. En dus nogal eens op de korte termijn gericht. Ik overdrijf, maar *het geld van de rijken verdelen onder de armen* is een uitgangspunt dat op de achtergrond nog altijd een rol speelt. Ga maar na: *de lonen en de uitkeringen omhoog en de huren omlaag; de pensioenen waardevast en de AOW voorgoed op 65.* PVV en SP vissen in dezelfde vijver, dus ze bieden grotendeels dezelfde waar.

SP-leider Roemer is opvallend bekwaam en doet erg zijn best om erbij te horen, zijn partij is daardoor de grote concurrent van de PvdA geworden. Enerzijds heeft de SP onhaalbare standpunten, anderzijds heeft de PvdA veel steken laten vallen en staat ze intussen als regentenpartij te boek die zelfs haar eigen graaiers niet in de hand heeft kunnen houden. Voor de SP zou het eerste op den duur crisis kunnen betekenen, het tweede is in ieder geval kans gebleken. PVV-leider Wilders doet het omgekeerde, hij sluit zich eerder voor de andere partijen af. De SP doet graag mee aan *Wilders bashing*, maar of dat op termijn nu zo effectief is, weet ik niet. Je moet het underdog-effect niet onderschatten.

Als je ziet hoe zo'n NOS ijskoud de gesproken tekst van de PVV-er Dion Graus verknipt om de man volstrekt onverdiend voor gek te zetten in de commissie De Wit, dan geloof ik niet dat daar veel goeds van komt. Zoiets is onbehoorlijk en unfair, mogelijk zelfs crimineel, in ieder geval in hoge mate *not done*, zeker voor een organisatie die in een machtspositie verkeert en die door belastinggeld wordt betaald. Dom is het ook nog, want het komt toch uit: *what goes around, comes around.* Naema Tahir heeft het in haar column voor de PVVer opgenomen en uitgelegd hoe de NOS die streek heeft geleverd (Buitenhof, 20 nov. 2011). Zij doet daarmee iets dat in de Nederlandse politiek zeldzaam wordt: ze behandelt mensen behoorlijk en straalt daarmee fatsoen, integriteit en moed uit. De NOS behoort boven de partijen te staan, maar in werkelijkheid denkt zij boven de wet te staan. Dat de overheid hier niet ingrijpt, is niet meer uit te leggen.

De massale opkomst van het populisme, en het feit dat het zich nu al bijna tien jaar kwantitatief op een hoog niveau handhaaft, is een symptoom van de malaise, en draagt er tegelijkertijd toe bij, is er deel van. In die zin is het ook oorzaak. Maar het ligt voor de hand dat de politicologen gelijk hebben, het probleem zit dieper. Als er weinig te kiezen valt, worden nieuwe grenzen opgezocht, hetzij op links hetzij op rechts. PVV en SP zijn in die behoefte gaan voorzien. Bovendien lijkt de logica van de populisten onontkoombaar: als je een democratie wilt zijn, moet je de burgers bij belangrijke zaken betrekken.

Dat de populisten deze kritische kanttekeningen al in onze tijd hebben geplaatst, pleit voor hen. Het resultaat liegt er niet om: de vrijwel ongelimiteerde instroom van kansarme immigranten is radicaal omgebogen. Deze ombuiging is van groot belang voor alle Nederlanders, zeker ook voor de nieuwe Nederlanders. Zij moeten vaak nog een plaats zien te veroveren, en zoiets wordt moeilijker naarmate het land verder overbevolkt raakt. Dat heeft Fortuyn goed gezien. Een en ander wordt van links-progressieve zijde niet graag toegegeven, binnen de grachtengordel heb je daar nu eenmaal weinig last van.

Wel vind ik het jammer dat de populisten zich zo vastbijten in achterhaalde en onbereikbare doelen. *Nederland socialer voor de kleine man* is zo'n mission impossible. Wie de cijfers ziet, begrijpt dat daar geen ruimte voor is, ons land is naar internationale maatstaven super sociaal, althans voor de laagstbetaalden. Als ze niet chronisch ziek zijn tenminste, want het systeem is inmiddels in de greep van de kaasschaaf. Maar waar ter wereld vind je 75 procent van de complete huurmarkt in de sociale sector? Hoogleraar vastgoedeconomie Dirk Brounen stelt zelfs 80 procent (Buitenhof, 26 feb. 2012). In Duitsland is het percentage 7,8 procent. De lagere middengroepen daarentegen worden in Nederland weer onevenredig belast. En er zijn op dit terrein meer echte misstanden, zoals de absurde inkomenssituatie hogerop de ladder.

Dat de PVV met de Islam zo doorslaat, vind ik zeer te betreuren. Nederland is in dit probleem de enige schuldige. Iedereen mocht hier altijd blijven, ook als er was afgesproken dat het maar voor tijdelijk was. En als lonen en uitkeringen hier hoog zijn en er is thuis armoede, dan komen ze en dan blijven ze toch? Zo zouden wij het ook hebben gedaan. Hoe kunnen we het hun dan verwijten? Die mensen kunnen er niets aan doen dat ze inmiddels op dit land zijn aangewezen. Het is nu ook hun land geworden. Wat niet betekent dat ze hier hun vrouwen mogen blijven onderdrukken en wat dies meer zij. In Nederland heersen andere normen. Hoe dan ook, weggaan doen ze niet. Hoe eerder we dat begrijpen, hoe beter het voor iedereen is.

De grote meerderheid is van goede wil. De resultaten in het onderwijs worden steeds beter, de integratie gaat helemaal niet slecht, gegeven de aantallen. En wat die lastige Marokkaanse jongens betreft: ik onderschat niets, maar ons eigen straattuig kunnen we ook niet de baas. In Nederland regeert de straat, de politie heeft er niets te vertellen. En dat is niet de schuld van de buitenlanders. Wilders zelf lijkt zijn hand te overspelen met twee dingen, zijn islamofobie en zijn acties tegen het staatshoofd. Fortuyn zei desgevraagd: *'ik tegen het koningshuis? Meneer , ik ben geen zelfmoordenaar.'*

De eerste reden waarom het populisme van belang is, heb ik de signaal-functie genoemd. De oude politiek krijgt een spiegel voorgehouden van haar eigen tekortschieten. En als ze verstandig is, kan ze daarmee haar voordeel doen. Ik citeerde eerder al Job Cohen die dit impliciet ook gewoon toegaf als hij het over Fortuyn en Wilders had. De conclusie is, dat de politiek beter niet aan megaprojecten als massale immigratie of 'Europa' kan beginnen zonder zich van democratisch draagvlak te verzekeren.

De tweede reden waarom het populisme van belang is, het op de troon zetten van de kiezer, is een ernstiger punt. Want wie de kiezer verwent en verwart door hem naar de mond te praten, maakt het voor andere partijen moeilijk om niet hetzelfde te doen. Voor je het weet lopen de partijen gezamenlijk achter de kiezers aan in plaats van omgekeerd. De waan van de dag gaat dan de boventoon voeren. Het is een kenmerk van deze tijd, dat de politiek niet meer met een echt, een groot verhaal komt. Maar ze blijft in de verte kijken. Wat voor de hand ligt, de *basis* van Diederik Samsom, schijnt ze niet te zien. Het zijn dikke verhalen en ideologische reflexen waar de kiezer uit wijs moet zien te worden. En ze worden afgegeven door een politiek/bestuurlijke trein die maar doordendert, ook al staan alle lichten op rood. *'Doe eens normaal, joh'* zou het devies voor de politiek moeten zijn, maar hoe doe je dat?

Verantwoordelijkheid en verwijtbaarheid van politiek en bestuur

Is politiek en bestuur iets te verwijten?

Van 'Taal is zeg maar echt mijn ding' van Paulien Cornelisse mag ik nu niet zeggen: ja en nee. Toch komt het volgens mij daar ongeveer op neer. In hoofdstuk 1, Achtergronden van een politieke malaise, heb ik al iets gezegd over verwijtbaarheid. Een enkel punt wil ik hier nog eens herhalen: het is duidelijk dat de heersende onvrede lang niet alleen uit politiek en bestuurlijk handelen voortkomt, dus ook niet uit verkeerd politiek en bestuurlijk handelen. Bij de analyse van de omstreden praktijkthema's zal dit worden bevestigd. Vaak zijn de marges smal. In de Europese Unie bijvoorbeeld, is de beleidsvrijheid voor onze nationale politiek beperkt, maar de burger kijkt naar de euro en is ontevreden. Verder zijn er allerlei verschijnselen die op zichzelf weinig met politiek en bestuur te maken hebben, zoals het verlies van sociale samenhang en het allesoverheersende materialisme, maar die daar weer wel hun uitwerking hebben. Eigenlijk gaat het dan om algemeen maatschappelijk problemen. Politiek en bestuur kunnen daarvoor niet verantwoordelijk worden gesteld.

Waar politiek en bestuur meer een specifiek eigen probleem hebben, is op het punt van het meedenken van de burger. Eens waren de burgers deelnemers in het politieke systeem, ze voelden zich medeverantwoordelijk, ze begrepen dat de bomen niet tot in de hemel groeien. Ze verwachtten niet te veel. Nu zijn ze veeleisende consumenten geworden, afnemers van een overheid die in hun opvatting onvoldoende levert. Allerlei ideeën uit de koker van de overheid zelf, hebben deze houding bij de burgers opgeroepen. *De overheid regelt het wel: verzorging van de wieg tot het graf, iedereen heeft recht op alles, alles moet kunnen, de mondige burger bepaalt zelf zijn prioriteiten en de verzakelijkte en marktgerichte overheid levert haar producten tegen de scherpste prijs. Veiligheid, zorg, onderwijs, het zijn in principe allemaal maakbare producten en daar hangt een prijskaartje aan.*

Als zulke ideeën maar steeds worden herhaald, gaan ze een eigen leven leiden. Het overdreven promotiebeleid, de grootspraak, zeg maar gewoon de opschepperij van de overheid, het schijnt allemaal zo te moeten, maar zulk gedrag wekt verwachtingen die niet kunnen worden waargemaakt. De huidige generatie politici kan dit systeem niet worden verweten, maar ze heeft er wel last van. Bijkomend probleem is ook het ontbreken van een eigentijdse functiebeschrijving van de overheid. Op die manier zat er geen rem op de natuurlijke expansiedrift van de bureaucratie à la Parkinson, zoals er ook geen rem zit op het verwaarlozen van dienstverlening aan de burger. Verder is groei natuurlijk het geloof van deze tijd. Zo zien we de overheid in haar maakbaarheidswaan steeds hoger klimmen, want *the sky is the limit*. Het drama van Icarus kent zij niet meer.

Tot zover dit onbedoelde rampenscenario, maar ook daarbij kun je moeilijk iemand verantwoordelijk stellen. Trouwens, wat zou er voor bijzonders met de betrokkenen mis moeten zijn? Het zijn mensen zoals iedereen. Wel staan ze in een inmiddels impopulaire traditie van links/ rechtse maakbaarheid en oud zeer speelt ongetwijfeld een rol. Ze kunnen op die manier om te beginnen al weinig goed doen. Maar ik denk dat het vooral aan het systeem ligt, dat zich maar niet wil aanpassen aan de veranderde omstandigheden. Alles wijst in die richting. Op de een of andere manier voelen de burgers in het land het ook aan: er klopt iets niet. Dit systeem is zijn houdbaarheidsdatum voorbij, zoiets. Maar laten we terugkeren naar de feiten.

Politiek en bestuur hebben het altijd gedaan, maar verantwoordelijkheid en verwijtbaarheid zijn verschillende dingen

Zoals gezegd kent de politieke en bestuurlijke malaise symptomen en oorzaken, die soms door elkaar lopen. Bij de oorzaken gaat het vaak niet in de eerste plaats om concreet beleid en dus ook niet om verwijtbaar beleid, maar eerder om gegroeide structuren. De vraag is dan wel: waar zijn politiek en bestuur zelf de oorzaak van zulke structuren en waar moet je naar hun natuurlijke beperkingen of naar een breder verband zoeken? Deze vraag heeft met verantwoordelijkheid en verwijtbaarheid te maken. Verantwoordelijkheid is een ruim begrip, in het bijzonder politieke verantwoordelijkheid. Maar als binnen die verantwoordelijkheid zaken verkeerd gaan, is er nog lang niet altijd sprake van verwijtbaarheid. Beperkingen en grotere verbanden zijn er in soorten.

1 De politieke beleidsvorming heeft smalle marges. In principe ligt hier verantwoordelijkheid en mogelijk verwijtbaarheid. Maar welke vrijheid hebben politiek en bestuur hierin nog, behalve formeel? Tegenwoordig weten veel burgers precies uit te leggen, op welk punt de overheid in de fout gaat, zij het dat hun opvattingen dan blijken te verschillen. Blijkbaar worden de onvermijdelijke beperkingen niet gezien. Vaak kan de overheid geen machtswoord spreken. De marges van de vrije beschikking door de verantwoordelijke instanties zijn meestal smal. Bijvoorbeeld omdat de problematiek daarvoor te ingewikkeld is, of afhankelijk van de vele democratische verzetsmiddelen als inspraakprocedures bij de aanleg van wegen. Of omdat de boel is vastgelopen in een patstelling, zoals bij het huisvestingsbeleid. Kortom, er lijkt meer verwijtbaar dan er verwijtbaar is.

2 Politieke factoren in breder verband leiden een eigen leven. Er bestaan allerlei factoren die feitelijk grotendeels buiten de bevoegdheid en de beheersing van politiek en bestuur vallen. Het gaat om mechanismen die in de politiek min of meer autonoom werken. Een voorbeeld: volgens Alexis de Tocqueville (1805-1859) neigt de democratie met burgers die elkaars gelijken zijn, de moderne democratie zonder een rechteloze onderklasse dus, tot een overvloed van regels, tot bureaucratisering en tot een goedbedoeld en dus mild despotisme. Bij het proces van uitbreiding van de bureaucratie laten de mensen zich, aldus Albert Jan Kruiter, dan ook steeds meer repressie, controle en toezicht welgevallen. Zie zijn boek 'Mild despotisme in Nederland' (Yvonne Zonderop in De Groene Amsterdammer, 19 aug. 2010).

Als deze theorie juist is, ziet het er niet naar uit dat er veel ruimte blijft voor verwijtbaarheid. Ook de wetten van Parkinson vallen gedeeltelijk in de autonome categorie, waarover elders. Al deze mechanismen zijn de sluipmoordenaars van politiek en bestuur. En deze zijn eerder slachtoffers dan daders.

3 De overkoepelende maatschappelijke structuur: de tijdgeest is een overheersend thema. Het is een structuur waarvan de overheid deel uitmaakt. Ook hierin spelen allerlei factoren een rol die zij nauwelijks kan beïnvloeden. De tijdgeest is de onvermijdelijke en richtinggevende begeleider van het menselijk bedrijf. Het gaat dan om een ongrijpbaar, een abstract verschijnsel met wel weer concrete aspecten. Bijvoorbeeld het verlies van sociale structuur en het verval van hiërarchie, orde en gezag, normen en waarden, evenals de opkomst van individuele emancipatie en van het dominante materialisme. Factoren die met elkaar maatschappelijke desintegratie in de hand werken. Maar die je in het algemeen de overheid niet kunt verwijten.

4 Internationale factoren, zoals de Europese en de mondiale economie waarin Nederland is verankerd, de overeengekomen regels op dit gebied en meer in bijzonder het internationale recht, zijn autonoom. Wetten en regels in Nederland komen op die manier direct of indirect voor een groot deel van elders, vooral uit Brussel. Dit feit alleen al holt de functie van de nationale regering en volksvertegenwoordiging aanzienlijk uit. En ontneemt beide een deel van hun bevoegdheid en verantwoordelijkheid. Of het nu om de euro, de spoorwegen of het huurbeleid gaat, bij kwesties met grote problemen is Brussel meestal niet ver weg. Het is de prijs die voor Europa moet worden betaald. De verantwoordelijkheid voor de Nederlandse politiek ligt hier in het voortraject.

Formele verantwoordelijkheid behoeft in concrete gevallen dus niet noodzakelijk tot verwijtbaarheid te leiden. Politiek en bestuur zijn lang niet de oorzaak van alle problemen die de burgers tegenkomen en die bijdragen tot hun onvrede. Nationaal noch internationaal. Veel van die problemen zie je dan ook evengoed in omringende landen. Wat zulke problemen, vooral die van Brusselse oorsprong, in ons land misschien nog wat vergroot, is het volgende. Het is een typisch Nederlandse trek om als pionier voor de internationale muziek uit te lopen en tegelijk ook het braafste jongetje van de klas te willen zijn bij de uitvoering. Een wonderlijke combinatie van de ongevraagde uitsloverij van een voortrekker en de hypercorrecte bangigheid van een meeloper. Het resultaat is niet altijd even gelukkig. Bijvoorbeeld voor onze ondernemers uit het midden- en kleinbedrijf: zij worden door de eigen overheid strikt aan Brusselse regels gehouden, terwijl het bij collega's in Zuid-Europese landen, bij een praatje en een glaasje, soms heel anders toegaat.

In ieder geval en meer in het algemeen: Den Haag is een makkelijke naam. En hoe groter de maatschappelijke problemen zijn, hoe eerder naar een zondebok zal worden gezocht. In vroegere tijden waren het de bezittende klasse, de vrijmetselaars, de joden, de protestanten dan wel katholieken, of de communisten c.q. socialisten. Nu zijn het, behalve de buitenlanders en in het bijzonder de moslims, de politici en ambtenaren die deze eer te beurt valt. Politiek en bestuur krijgen overal de schuld van, een kwestie van routine. Natuurlijk helpt het niet dat ze zelf zo'n grote broek hebben aangetrokken. Voor het gemak wordt daarbij vergeten dat er ook veel dingen goed gaan.

Veel gaat er goed, nog wel

Het is niet alleen maar kommer en kwel, zeker niet. Veel gaat er goed, nog wel. Met het bovenstaande wil ik dan ook nog eens herhalen dat het hele land volstrekt geen puinhoop is, want dat vind ik niet en het is ook niet zo. De excessieve overbevolking in aanmerking genomen, gaat het eigenlijk nog heel behoorlijk, de cijfers tonen het aan. Balkanisering vind je maar incidenteel, en vooral bij mislukte privatisering. Natuurlijk zitten er opportunisten en erger in het landsbestuur, die heb je overal. Maar in het algemeen is er vooral veel goede wil en bekwaamheid. Er zijn goede ministers en kamerleden. Er zitten artsen in de Tweede Kamer, talloze andere academici en bij mijn weten minstens één kernfysicus. Er wordt hard gewerkt. Dat er vrijwel geen mensen uit het bedrijfsleven bij zijn, kan de zittende kamerleden niet worden verweten. Het betekent alleen wel, dat de nadruk nogal op de non-profit sector is komen te liggen. Het vak dat in deze tijd van primair belang is, macro-economie, is in de politiek vrijwel afwezig. Maar dit terzijde.

Dan zijn er nog veel verdienstelijke managers en vooral veel goede professionals onder de ambtenaren. Daar zit vanouds verantwoordelijkheidsgevoel en vakmanschap Veel van deze mensen doen het gewoon heel goed. En waarom zouden ze niet? Ze doen waarschijnlijk wat ze kunnen, het zijn mensen zoals iedereen. Maar ze zitten in een systeem dat mensenwerk is, dus feilbaar. Indien en voor zover zulke minpunten een reden zijn tot ontevredenheid van de burgers, én voor verbetering vatbaar zijn, worden ze hier behandeld. Maar één ding wil ik er toch nog van zeggen. Als je schrijft over al het zand dat je in de verroeste politieke machine aantreft, raak je verbaasd. Verbaasd dat er nog zoveel goed gaat. En dat is dan toch weer aan al die mensen te danken die er in een onmogelijk systeem het beste van proberen te maken.

7 | Van theorie naar praktijk: inleiding tot vier omstreden praktijkthema's:

- *Economie, welvaart en verzorgingsstaat (hoofdst. 8)*
- *Immigratie, integratie en overbevolking (hoofdst. 9)*
- *Multiculturaliteit en nationale identiteit (hoofdst. 10)*
- *Europa en de euro (hoofdst. 11)*

Van theorie naar praktijk

In de laatste vier hoofdstukken, 8, 9, 10 en 11, wil ik de theorie verder laten rusten en de praktijk als uitgangspunt nemen. Ik behandel daar vier omstreden praktijkthema's die tussen overheid en burgers aan de orde zijn. Ze zijn omstreden omdat het om onderwerpen gaat waarbij de overheid een eigen voorstelling van zaken geeft dan wel een andere opvatting heeft dan de burgers, en waarbij ze haar eigen weg volgt of heeft gevolgd. Het gaat daarbij niet altijd om beleid, want beleid veronderstelt bewust handelen, en het optreden van de overheid is niet altijd bewust. Bij 'Europa' bijvoorbeeld gaat het in principe om bewust beleid. Maar bij immigratie, integratie en nationale identiteit is het al veel minder duidelijk welke rol bewust beleid heeft gespeeld.

Hoe het zij, bij de omstreden thema's gaat het om zaken die op de een of andere manier onbedoeld wrijving of kortsluiting tussen overheid en burgers opwekken. Hierdoor wordt de politieke en bestuurlijke malaise in de hand gewerkt. Ik heb de vier thema's enerzijds gekozen vanwege de publieke betrokkenheid, anderzijds vanwege de mogelijkheid ze eens op een andere manier te benaderen dan in de media gebruikelijk is.

Nogmaals, het gaat in dit boek niet om wat er objectief verkeerd gaat bij politiek en bestuur, maar om wat de mensen ervan vinden. De Europaen europolitiek is daarvan een voorbeeld. Achtereenvolgende regeringen zijn tot op de huidige dag druk geweest met méér Europa, en ze hebben in internationaal verband de euro bedacht, ingevoerd en overeind gehouden. Hoe positief dit beleid ook kan worden beoordeeld, een democratische schoonheidsprijs zit er niet in. Hetzelfde geldt in veel landen.

Het lijkt erop dat de overheden meer internationaal zijn georiënteerd en het Europa-gedachtengoed nog onderschrijven en ernaar handelen, terwijl het enthousiasme van de massa, zo het er al ooit is geweest, nu in ieder geval is bekoeld. Min of meer populistische partijen zijn in het algemeen geneigd het nationale element voorop te stellen. Ze zijn dus meestal geen vrienden van Europa en al helemaal niet van de euro. Deze situatie zal de onvrede met politiek en bestuur dus stimuleren. Vandaar de keuze voor behandeling van het onderwerp in dit boek.

Maar zo duidelijk als hier, is de situatie lang niet altijd. Bij het onderwijs bijvoorbeeld, is het misschien eenvoudig om vast te stellen dat de kwaliteit te wensen overlaat. Maar het voordeel van de ruimere toegankelijkheid speelt ook een rol. En die beide factoren hangen samen. Je kunt het een zwaarder laten wegen dan het ander. Dan wordt het moeilijker om in te schatten of mensen zich daar in het algemeen veel zorgen over maken, en dus ook of dit onvrede veroorzaakt. Ik denk het wel, maar ik weet het niet.

Op sommige onderdelen is het probleem met het onderwijs weer eenvoudiger te beoordelen. Kijk naar wat de kranten schrijven over de praktijk. *'Na enkele decennia onderwijsvernieuwingen moeten er lassers uit het buitenland komen en zitten jongeren werkloos thuis'* schrijft NRC/ Handelsblad bij een artikel van Johan Schaberg (17/18 dec. 2011). *'Het is onbegrijpelijk dat Economische Zaken hier nooit de noodklok over heeft geluid'* meldt een tussenkop in het artikel. Duidelijke taal, maar of dit laatste nu zo onbegrijpelijk is, weet ik niet. Ik zou zeggen: met permissie, let eens op de professionele kwaliteit van de desbetreffende bewinds-personen in het verleden. Niet alleen vitale bedrijven zijn massaal uit Nederland verdwenen, maar ook vitale opleidingen.

Wat gewone mensen ergens van vinden, verschilt nog wel eens van de zienswijze van deskundigen, die vaak door politiek en bestuur wordt gevolgd. Het is niet de sterke kant van de overheid, of althans van de oude partijen, om te willen weten wat bij het volk leeft, en al helemaal niet om daarmee rekening te houden. Bij de echte volkspartijen zien we weer het andere uiterste.

De vier thema's zijn in de vorige hoofdstukken al even aan de orde geweest, sommige meer dan *even*. Het gaat ook nu weer om losse voor-beelden ter illustratie van wat er tussen overheid en burgers niet goed loopt. Het gaat niet om een zwartboek, niet om een sluitend bewijs, ik zou trouwens niet weten waarvan. De verhouding tussen overheid en burgers zit vol nuances, het is lang niet allemaal narigheid. Het kan beter, maar het kan ook veel, veel slechter. Er zijn tenslotte ook landen waar de overheid überhaupt niet meer serieus wordt genomen.

Landgenoten die in het buitenland hebben gewoond, zijn na terugkeer soms erg tevreden met Nederland. Wel betreft het in zo'n geval dikwijls jonge mensen, en landen die sterk afwijken van ons land. Wie bijvoor-beeld acht jaar in Oost-Europa heeft gewoond, zoals correspondent

Stéphane Alonso in Polen, kan Nederland zomaar als *een geweldig land* zien, als *het paradijs aan de Noordzee* (NRC/H. 27 jan. 2012), Kortom, *het is hier geweldig.*

Daar staat tegenover dat er ook landgenoten zijn die na een leven in het buitenland liever doodgaan dan terugkeren naar Nederland, waar ze geen goed woord voor over hebben. Het betreft naar mijn ervaring vaak wat oudere mensen die het land met vroeger kunnen vergelijken. De categorie die in de jaren '50 in gezinsverband is geëmigreerd, kent het land al helemaal niet terug als aanvaardbaar alternatief.

Wat mij na elk verblijf in verre, vaak arme landen altijd opviel, is hoe snel je perspectief verandert. Bijvoorbeeld dat mensen hier zo verwend zijn en in de supermarkt direct beginnen te klagen als dit of dat artikel er even niet is, of als er te weinig kassa's open zijn. Het soort mensen dus dat je naar Siberië zou wensen. Maar dit zal een algemeen welvaartsverschijnsel zijn. Zo schijnen er Zwitsers te bestaan die over hun spoorwegen klagen.

Een gemengd beeld

Er is intussen zeker ook goed nieuws. De OESO plaatste ons land in 2011 met het cijfer 7,5 als derde op de schaal van tevredenheid, vlak achter Scandinavië en Canada (Marc Hijink in NRC/H. 14 nov. 2011). Hoe dit te rijmen is met het feit dat de PVV en de SP samen door eenderde deel van de kiezers worden gesteund, vraag je je af (De Hond, dec. 2011/ jan. 2012). Maar misschien zijn die mensen juist weer tevreden met het feit dat er überhaupt zulke protestpartijen zíjn. Ze kunnen dan stoom afblazen.

Sinds 2002 is het verschil in kritiek op de overheid dat er tussen laagopgeleiden en hoogopgeleiden bestaat, wat afgevlakt. Wat in ieder geval klopt met de vele stemmen op de anti-europartijen, is de uitkomst van een andere enquête van Maurice de Hond: 32 procent van de Nederlanders ziet wel iets in de terugkeer van de gulden (RTL Nieuws, 13 nov. 2011). Dan gaat het ook zo'n beetje om 50 kamerzetels. Ik kom daarop terug in hoofdstuk 10.

Ik hoop intussen maar niet, dat de overwegend positieve houding van de Nederlanders ten opzichte van het eigen land iets met zelfgenoegzaamheid te maken heeft. Maar het zou kunnen, want je komt hier meer zelfoverschatting dan bescheidenheid tegen als het om nationale prestaties gaat. De overheid heeft het voorbeeld gegeven door zelf steeds vaker een te grote broek aan te trekken. Het resultaat is pijnlijk zichtbaar in de EU, maar bijvoorbeeld ook in de G 20. Waar Nederland ondanks zijn geweldige prestaties niet meer wordt uitgenodigd.

De thema's

De thema's zijn deels bekend van de hoofdpijndossiers, maar bieden in het algemeen een gemengd beeld. Dit geldt voor immigratie en wat daarmee samenhangt en voor Europa. Maar de sociaal-economische situatie van ons land is overwegend goed. Toch is ook daar wel iets aan de hand. Ik vind de overheid soms te optimistisch en de mensen te kritisch.

Echte problemen zijn er daar overigens ook: de onevenredige inkomensverdeling en dito belastingheffing, de armoedeval, de kosten van de zorg en de afbrokkeling van de verzorgingsstaat, en tenslotte de volkshuisvesting. Zo te zien allemaal oplosbaar, behalve misschien de kosten van de zorg. Die kosten stijgen sneller dan de bronnen waaruit ze moeten worden betaald. De problemen van de huisvesting zijn geheel uit de hand gelopen door aanhoudend en complementair wanbeleid. Huurmarkt en koopmarkt bevinden zich door toedoen van de overheid in een staat van totale verstarring.

Veel problemen hangen samen, hoewel dit niet altijd wordt toegegeven. Dat immigratie bijvoorbeeld samenhangt met bevolkingstoename en mogelijk dus met overbevolking, hoor je van overheidswege eigenlijk nooit. Overbevolking bestaat namelijk niet in Nederland, het is een taboe. Langs die weg is de factor overbevolking bij problemen van integratie, onderwijs, zorg, veiligheid en huisvesting evenzeer onbespreekbaar en blijft dus onbesproken. Over huisvesting wordt trouwens toch al niet veel gezegd, behalve dat alles daar goed geregeld is. Wat zou je ook moeten zeggen over ruim 66 jaar woningnood?

Europa en de euro vormen een probleem op zichzelf. Overigens heb ik onderwijs, zorg en veiligheid bij de thema's achterwege gelaten, hoewel het publiek er zeer mee begaan is. Van alledrie heb ik in de voorafgaande hoofdstukken al wat praktijkvoorbeelden gegeven. En ik heb zoals gezegd een keuze gemaakt voor thema's waar ik meen met iets nieuws te kunnen komen.

De praktische oorzaken van de omstreden thema's

Het gaat bij de thema's in het algemeen om de opstelling van de overheid, om uit de hand gelopen goede bedoelingen, en om problemen waarvan de oplossing is verzand. Maar vóór alles gaat het om haar gebrek aan communicatie, haar autisme, haar koudwatervrees om politiek open kaart te spelen en de burgers ergens bij te betrekken. Met andere woorden: het gaat erom dat de overheid haar eigen burgers niet serieus neemt. Dit geldt vooral voor immigratie en voor Europa. Op beide dossiers zijn de burgers als snotneuzen behandeld. Niet dat de democratische weg altijd geheel buiten beschouwing is gebleven. Formeel al helemaal niet. En inhoudelijk ook niet altijd.

Denk aan het verkiezingsresultaat van Den Uyl in 1977: 53 zetels voor de PvdA. Die overwinning lijkt toch wel wat op instemming met Den Uyls financiële politiek van potverteren en met zijn immigratiebeleid. Maar in 1977 begrepen waarschijnlijk nog niet veel mensen waar dit alles toe zou leiden. Hetzelfde geldt voor de verrechtsing onder Lubbers en Kok in de jaren '80 en '90. Wie heeft bij *het afschudden van ideologische veren* meteen ook aan het losbreken van het bankwezen gedacht? Wie had toen kunnen voorzien dat sommige bankiers, vanouds achtenswaardig en in het algemeen *as safe as the Bank of England*, zich als paranoïde schizofrenen van het type Dr. Jekyll/Mr. Hyde zouden ontpoppen, en een bedreiging van ons financieel-economische systeem zouden gaan vormen?

Wat Europa betreft zijn de kiezers ook niet altijd zo kritisch geweest. Ik herinner mij dat Europa in de jaren '50 en '60 nauwelijks omstreden was, het was vrijwel bij iedereen een must. Maastricht en de Oost-Europese landen waren toen nog ver weg. De politieke discussie werd toen ook nog door een ander slag mensen bepaald. Ik denk dan altijd aan de freule Wttewaal van Stoetwegen. Kortom: Brussel sprak vanzelf. Toen de euro er nog niet was, bestond er in Nederland veel steun voor Europa, zij het juist geen meerderheid voor de euro. Het drama van 2005 met de afwijzing van de Europese grondwet dateert van jaren daarna.

Juist in het eerste decennium van de 21ste eeuw heeft de politieke en bestuurlijke malaise toegeslagen. Het CDA beleefde zijn comeback in de regering, maar tegen een hoge prijs. Ook de andere grote regeringspartij, de PvdA, heeft het regeren duur moeten betalen. Zoiets is trouwens niet ongewoon, deze inzet wordt partijen meestal niet in dank afgenomen. De situatie in de politiek was toen niet erg helder, het begon al met de nalatenschap van Fortuyn.

De samenwerking met zijn politieke erfgenamen verliep chaotisch en het latere verstandshuwelijk van CDA en PvdA was evenmin een succes: het werd dwalen in een labyrint door een regering zonder gezicht. De situatie werd mogelijk nog verergerd door een soms opzichtig zwakke personele bezetting. Al met al een weinig overtuigend geheel. Vóór Fortuyn was het anders dan na Fortuyn. Waarbij wel moet worden bedacht, dat Fortuyn zelf ook weer als reactie en als symptoom kan worden gezien.

De geëmancipeerde overheid

Nog even terug naar de houding van de overheid. *C'est le ton qui fait la musique* zeggen de Fransen: het is de toon die de muziek maakt. Het is voor een goede verhouding belangrijk hoe partijen zich opstellen. Dat de burgers zijn veranderd, is duidelijk. Ze zijn verwend en veeleisend, hebben meer rechten dan plichten, verwachten dat de overheid levert. De overheid heeft echter ook een gedaanteverwisseling ondergaan. Ook zij is geëmancipeerd.

Er is een historisch verband tussen de begrippen regeren en dienen. Het woord regeren is verwant aan het Latijnse woord rex, dat immers koning betekent. Het woord minister staat in het Latijn voor dienaar, aanvanke- lijk in huis, maar later ook in de kerk als priester. In de Middeleeuwen raakte de rang opgewaardeerd tot adviseur van de vorst en tenslotte ging de minister deelnemen aan de regering, hij werd als zodanig dienaar van de kroon. In de 19[de] eeuw werd de soevereine vorstelijke macht in West- Europa vervangen door de soevereiniteit van het volk. De ministers als dienaren van de kroon werden dus eigenlijk dienaren van het volk. Het begrip regeren bleef qua mentaliteit iets van dienen behouden. Daar was in onze traditionele christelijke cultuur ook niets minderwaardigs aan, integendeel: het was een eer. Zo wordt van Christus in de bijbel al gezegd dat hij niet was gekomen om te heersen, maar om te dienen.

Na de Tweede Wereldoorlog veranderde die situatie, en meer nog bij de emancipatiegolf van na 1960. Dienen raakte uit de gratie: het dienen van God, van het land, van de gemeenschap, van de ander. Waar de dienstbaarheid aan anderen als christelijke deugd uit onze cultuur verdween, is het dienen van zichzelf ervoor in de plaats gekomen. Je mag niet verwachten dat zo'n ontwikkeling aan de overheid voorbijgaat. In deze tijd wordt iedereen verondersteld voor zichzelf op te komen. Dat daarbij eigentijdse methoden en middelen worden gebruikt, spreekt wel vanzelf. Promotie, bluf en manipulatie, het hoort er allemaal bij. Zelfbediening door gemeenten, of het nu om parkeergelden, WOZ-belasting of leges van bouwvergunningen gaat. Als je het mechanisme eenmaal begrijpt, kan niets je meer verbazen.

Eigentijdse promotie, bluf en manipulatie bij de overheid

In deze tijd zal de overheid er dus toe neigen om zichzelf met eigentijdse methoden en middelen aan de man te brengen. Wat nog zal worden gestimuleerd door het feit, dat zij zichzelf heeft wijsgemaakt dat ze een soort concurrerende marktpartij is en dat ze zich dus marktconform zal moeten gedragen. Tegenwoordig wordt alles in geld uitgedrukt, dus overal hangt een prijskaartje aan: van veiligheid tot handhaving. Tenminste als het aan de moderne politiecommissarissen ligt, van het soort dat voor de televisie komt vertellen hoe het beleid er behoort uit te zien.

De beloning van managers valt automatisch ook onder de wet van de markt, dus onder zelfbediening. Er zijn nutsbedrijven waarvan de directeur rond een miljoen euro per jaar verdient. Bij de publieke omroep lag het hoogste salaris in 2010 op € 463.541 (NRC/H. 24/25 dec. 2011). Zulke mensen zijn dus geen ondernemers die zelf hun nek uitsteken, het zijn halve ambtenaren die van hun leven waarschijnlijk nog geen risico hebben gelopen. Maar goed, wie vindt dat ik overdrijf, heeft misschien gelijk. Als je niet marktconform betaalt, krijg je natuurlijk niet de eerste klas managers die er nu zitten.

Maar hoe zit het bij de echte non-profitsector? Daarvan kun je toch niet zeggen dat de bestuurders er onvervangbare sterren zijn, of dat ze er dagelijks hun leven op het spel moeten zetten. Of het nu om bevlogen organisaties voor multiculturele vraagstukken of voor opvang van asielzoekers gaat, of zelfs om eenvoudige woningcorporaties of hogescholen, hun bestuurders hebben vaak twee kenmerken: een probleem met de Balkenende-norm en een auto met chauffeur. Een Mercedes E 350 van € 90.000 bij de asielzoekers is dan nog bescheiden vergeleken bij de Maserati van € 185.000 bij een woningcorporatie (Erwin Wijman, NRC/H. 15 nov. 2011). Het gaat hier om patsersgedrag op kosten van de belastingbetaler, dat door de toezichthouders en door de politiek wordt getolereerd. De kiezer wordt door zulke Afrikaanse toestanden in de armen van de protestpartijen gedreven. Daar komen die zetels van de SP en van de PVV vandaan. En dan maar huilen over die lelijke populisten.

Maar dat is nog niet alles. De methoden die de overheid ter beschikking staan, verschillen in principe niet van de manier waarop het bedrijfsleven tegenwoordig te werk gaat. Dat is dus met een voet tussen de deur. Wie een nieuw computerprogramma installeert, heeft geen moment rust meer. Aan de lopende band word je geconfronteerd met aanbiedingen voor updates waarmee dit of dat nog weer sneller of beter gaat. Wie televisie kijkt, wordt getroffen door de pauzenloze reclameterreur. En als je gaat zappen dan komt, hoera, op een groot aantal zenders weer de hele gynaecologische slagerswinkel voorbij, zeg maar de erotische kiloknaller.

Zoiets valt niet meer uit te leggen. Aan kinderen niet, aan buitenlanders niet, aan wie eigenlijk wel? Dat hier nog een belang van de burger wordt gediend, zal toch niemand met droge ogen durven te beweren. De burger wordt alleen nog serieus genomen als consument, als object van uitbuiting. Want laten we onszelf niets wijsmaken: we zijn in een mallemolen van commercie, ja in een roversmaatschappij beland. Wat op zichzelf niet de schuld van de overheid is.

Maar in plaats van corrigerend en matigend op te treden vanuit haar verantwoordelijkheid, en vanuit haar gevestigde en unieke positie, heeft de overheid ruim baan gemaakt voor dit louche circuit. Geld is het enige dat daar telt, alles van waarde wordt versjacherd. Het is promotie, bluf en manipulatie wat de klok slaat. De overheid doet mee en schijnt te geloven dat deze straatvechtersconcurrentie in ons belang, ja zelfs dat het onze redding is. Redding waarvan blijft onduidelijk: de huidige situatie mag nog altijd een materieel hoogtepunt zijn – en het is waar, we zijn nog nooit zo rijk geweest - het is tegelijk een moreel dieptepunt. En wat er gebeurt als de deugden worden verkwanseld, leert de geschiedenis van Rome ons al. Verder houden de bijbel en de andere heilige boeken ons steeds hetzelfde voor: de mens leeft niet bij brood alleen.

Beeldvorming

De overheid gaat traditioneel uit van een bepaald nationaal ideaalbeeld waarvoor zij zich sterk maakt en waarop haar promotie is gericht. Tegenwoordig is dat dus de BV Nederland, zo genoemd door mensen die het verschil tussen een staat en een onderneming niet begrijpen. Iets van deze lofzang op eigen prestaties heb ik geprobeerd in de thema's te vangen. Bij de behandeling komt vanzelf naar voren, hoe realistisch het door haar geschetste beeld is. En, belangrijker nog, of en in welke mate de overheid zich iets aantrekt van wat de burgers willen.

De uitslag is bekend, de thema's zijn er tenslotte op geselecteerd. Voor een deel spreekt dit allemaal vanzelf en behoort het ook zo te zijn. De overheid wordt geacht te luisteren naar haar burgers, maar moet ook zelf een zekere visie hebben bij het omzetten van de volkswil in haalbaar politiek beleid. Ze dient zelfstandig een bepaalde koers te varen, en behoeft zich daarbij niet steeds iets aan de waan van de dag gelegen te laten liggen. Tenslotte heeft ze een mandaat van de kiezers, ze geniet als het goed is hun vertrouwen.

Maar het creatief omgaan met feiten en cijfers gaat veel verder. Wat kan het motief van de overheid zijn om haar burgers allerlei zaken als vanzelfsprekend voor te stellen, terwijl de feiten anders liggen? Motief, bewust motief, is misschien niet het juiste woord, ik vrees dat het hier minstens voor een deel gaat om onbewuste psychologische manipulatie. Het moet iets zijn in de sfeer van bevoogding. Bevoogding wordt in één adem genoemd met paternalisme en betutteling. De één weet het beter dan de ander, of meent het beter te weten. Die overtuiging gaat hij vervolgens uitdragen. Als het om moraal gaat, en die speelt in de politiek vaak een rol, wordt er gemoraliseerd.

Politieke bevoogding

Politiek en bestuur moeten op dit punt terughoudend zijn. Juist zij dragen een grote verantwoordelijkheid. Dit omdat hun positie zo overheersend is, en ook omdat richting en leiding geven, ook moreel, van hen wordt verwacht. Daarbij is de afbakening van het publieke domein niet altijd even duidelijk. En als ze doen wat ze moeten doen, doen ze aansluitend soms ook wat ze niet kunnen laten, en wordt er een grens overschreden.

Als je de Nederlandse politiek van na 1960 beziet, krijg je de indruk dat dit laatste nogal eens is gebeurd. Als je als overheid bedenkingen tegen onbelemmerde immigratie als discriminatie afdoet en degenen die ermee komen diskwalificeert en desnoods gevangen zet, doe je daarmee twee dingen. Je doet bezorgde burgers onrecht én je maakt een probleem onbespreekbaar. Met het eerste kom je als overheid nog weg, daar ben je monopolist voor, met het tweede niet. Met het *nee* tegen de Europese grondwet is vrijwel omgegaan alsof het een *ja* was. Daar is dus precies hetzelfde gebeurd.

Vier omstreden praktijkthema's

8 *Economie, welvaart en verzorgingsstaat*
Uitgangspunt overheid: *een schatrijk land met optimale welvaart & eerlijk delen: de sterkste schouders de zwaarste lasten; een model verzorgingsstaat, maar werken wordt beloond*

9 *Immigratie, integratie en overbevolking*
Uitgangspunt overheid: *terechte immigratie, geslaagde integratie, onduidelijke nationale identiteit*

10 *Multiculturaliteit en nationale identiteit*
Uitgangspunt overheid: *multiculti-ideologie nu voorbij, maar nog wel onduidelijke nationale identiteit*

11 *Europa en de euro*
Uitgangspunt overheid: *EU belangrijk voor Nederland, Nederland belangrijk voor EU, euro onmisbaar*

Beweringen en bewijzen

Bij elk thema ondersteunen de standpunten van de overheid met elkaar het nagestreefde imago van nationale voortreffelijkheid. Het beeld dat ermee wordt opgeroepen, is een soort would-be Nederland, een Nederland zoals het had willen zijn, zóu willen zijn. Maar niet is. Het is een Nederland gezien door de roze bril van politiek en overheid, een Nederland van de propaganda. Aan de kant van de burgers echter, wordt de echte werkelijkheid beleefd en die ziet er iets anders uit. Bij de omstreden thema's wordt de werkelijkheid systematisch verhuld. Aan passende teksten waarmee de burgers worden zoetgehouden, ontbreekt het dan ook niet. Een glad geformuleerde beleidsdoelstelling is al het minste.

Niet alleen gladde promotieteksten met halve waarheden, maar ook ronduit onjuiste beweringen blijken met succes te worden ingezet. *Nederland een schatrijk land* is typisch zo'n cliché dat onwaar is. Nederland zit vooraan in de middenmoot van de westerse industrielanden, qua koopkracht per hoofd. Dat is al mooi genoeg, maar excellent is het niet.

Met het clichébegrip *groen* is het in Nederland erger. De burger wordt er in de media ook van overheidswege mee doodgegooid, alsof de overheid alles op alles zet om het milieu te beschermen en daarmee innovatief bezig te zijn. En dat is nu juist wat ze niet doet. Ze accepteert zelfs vuil uit het buitenland om het hier te verbranden, de Nederlandse installaties hebben namelijk overcapaciteit. Dat de uitstoot daarvan bij ons de lucht in gaat, is blijkbaar een detail. Die rotzooi kan er ook nog wel bij, geld stinkt niet.

Kortom, qua *groen* is ons land ronduit achterlijk. Tussen landen als Zweden en Zwitserland enerzijds en Nederland anderzijds, zit in de meeste serieuze ranglijsten een rij van tientallen andere landen. Nederland komt vrijwel achteraan en bevindt zich daar tussen de ontwikkelingslanden (Centraal Bureau voor de Statistiek (CBS), Planbureau voor de Leefomgeving (PBL), het Europese Milieuagentschap van de Europese Commissie in Kopenhagen (EEA).

De overheid is doende, net als Hyacinth in *Keeping up appearences*, de schone schijn op te houden. Nogmaals, waarom? Wat is het mechanisme achter dat gedrag? Onbelangrijk is die vraag niet, want het is steeds duidelijker dat de kiezers het door krijgen, het schandaal ligt om zo te zeggen op straat. Steeds meer gewone mensen zien *dat de keizer geen kleren aanheeft.*

Een sprookje ter verklaring: de nieuwe kleren van de keizer

Hier moet ik misschien iets uitleggen. Er was eens een keizer die meer van verkleden hield dan van staatszaken, zo dol was hij op prachtige kleren. Een keer had hij nieuwe kleren besteld bij handige oplichters die hem wijsmaakten dat ze iets heel bijzonders konden leveren. Die kleren waren heel duur en buitengewoon bijzonder: ze waren alleen voor slimme en bekwame mensen te zien, voor domme en onbekwame mensen bleven ze onzichtbaar. Althans dat maakten de oplichters de keizer en de regering wijs.

Alle hovelingen en ministers in de buurt van de keizer wilden voor elkaar niet onderdoen, en roemden om het hardst de nieuwe kleren. Tenslotte volgde heel het volk. Totdat, bij een plechtige bijeenkomst op het plein voor het paleis, een klein jongetje in de menigte ineens riep: *'maar de keizer heeft helemaal geen kleren aan!'* Toen was de ban gebroken, en stond iedereen voor gek die de kleren luidkeels had bewonderd. Met dank aan Hans Christian Andersen (1805-1875).

Natuurlijk, in het sprookje is er bedrog in het spel. Maar de keizer, de ministers en de hovelingen zijn geen bedriegers. Het zijn mensen die onzeker zijn, die aan zichzelf twijfelen, die bang zijn om niet voor vol te worden aangezien. Daarom gaan ze met de massa en de mode mee.

En daar ligt de overeenkomst met de werkelijke wereld en met de politiek. Politici die een ideologie volgen, van links of van rechts speelt geen rol, verschaffen zich daardoor de schijn van zekerheid. Ze verbinden zich met een maatschappijbeeld en versterken daarmee de eigen sociale identiteit. Ze horen ergens bij. De burgers intussen zien niet veel meer in ideologieën en in partijpolitiek, en ze weten dat ze maar zeer beperkt door de politiek worden vertegenwoordigd. Het is allemaal wetenschappelijk aangetoond en het wordt nog eens bevestigd door de opkomst van partijen die de kiezers de maan beloven.

8 | Economie, welvaart en verzorgingsstaat

Uitgangspunt overheid: een schatrijk land met optimale welvaart & eerlijk
delen: de sterkste schouders de zwaarste lasten; een model verzorgingsstaat,
maar werken wordt beloond

Een schatrijk land

Een schatrijk land, wat is dat eigenlijk? De laatste 10 of 20 jaar kon je
geen krant opslaan of je kwam het woord tegen. Vóór die tijd werd de
term bij mijn weten niet gebruikt. Ook vroeger was Nederland lang niet
arm, nooit geweest ook, maar schatrijk? Ik moet iets hebben gemist. Het
woord schatrijk wordt meestal ingezet als het om het etaleren van de
eigen Nederlandse voortreffelijkheid gaat, of als er op een veronderstelde
sociale misstand moet worden gewezen, bijvoorbeeld: *de ontwikkelings-*
hulp van 0,8 naar 0,7 procent van het bnp, een schande in zo'n schatrijk
land! Het begrip schatrijk heeft daarmee iets van een politieke lading
gekregen. Feiten dreigen dan wel eens op de achtergrond te raken. Op
den duur is de kwalificatie schatrijk bijna een dogma geworden, zeker
in de progressieve kwaliteitspers. Een heel enkele keer zet een kritische
journalist er een kanttekening bij.

Maar wat is er eigenlijk van waar? Vergelijking met arme landen kan hier
buiten beschouwing blijven, de toestand in Somalië, Bangla Desh of Haïti

is van een andere orde. Het begrip schatrijk kan alleen onderscheidend zijn in vergelijking met landen die ook rijk zijn, maar dan aanzienlijk minder, in Europa bijvoorbeeld. Wat je dan ook wel leest en hoort, is dat ons land het rijkste land van Europa zou zijn (o.m. NRC/H. voorpagina en NOS, 16 nov. 2011, beide n.a.v. het laatste rapport van het SCP). Wat in dit verband met Europa wordt bedoeld, wordt niet in elk medium even duidelijk vermeld. Voor mij is Europa zonder toevoeging een geografisch begrip. Daar begint de verwarring dus al. Ook nuancerende opmerkingen als *bijna* en *na Luxemburg* in het SCP rapport, vallen gemakkelijk weg. Overigens was de verslaggeving in het NRC goed, maar de koppen minder.

De gebruikelijke internationale norm van nationale rijkdom is het bruto binnenlands product (bbp) gedeeld door het aantal inwoners, de bedragen in US dollars. Hoe presteert Nederland daar tussen de concurrerende landen? Laten we eens proberen die vraag te beantwoorden aan de hand van vier verschillende statistieken, alle vier niet-Nederlands. De cijfers van de Wereldbank komen iets hoger uit dan die van het IMF omdat, als ik het goed begrijp, minder aftrekposten voor aangeleverde producten en vermindering van nationale hulpbronnen worden toegepast. NB: in Luxemburg schijnen veel niet-ingezetenen te werken die wel bijdragen aan het bbp, maar niet meetellen als dit eindproduct per hoofd wordt berekend.

De tien rijkste landen van Europa excl. Liechtenstein:

IMF (via Wikipedia) 2010			Wereldbank/OESO 2010	
1	Luxemburg	$ 81.383	1 Luxemburg	$ 108.921
2	Noorwegen	$ 52.013	2 Noorwegen	$ 84.840
3	Zwitserland	$ 41.663	3 Zwitserland	$ 66.934
4	**Nederland**	**$ 40.765**	4 Denemarken	$ 55.988
5	Oostenrijk	$ 39.634	5 Zweden	$ 48.832
6	Ierland	$ 38.550	6 **Nederland**	**$ 47.159**
7	Zweden	$ 38.031	7 Ierland	$ 45.497
8	IJsland	$ 36.621	8 Oostenrijk	$ 44.863
9	Denemarken	$ 36.450	9 Finland	$ 44.522
10	België	$ 36.100	10 België	$ 42.969

Wordt er gecorrigeerd naar koopkrachtpariteit, dan geeft CIA World Fact Book over 2010 (per 1 jan. 2011 correct) de volgende cijfers:

1	Luxemburg	$ 82.600
2	Noorwegen	$ 54.600
3	Zwitserland	$ 42.600
4	Oostenrijk	$ 40.400
5	**Nederland**	**$ 40.300**
6	Zweden	$ 39.100
7	IJsland	$ 38.300
8	België	$ 37.800
9	Ierland	$ 37.300
10	Denemarken	$ 36.600

Eurostat geeft een overzicht van het bbp per hoofd van Europese landen, eveneens gecorrigeerd naar koopkrachtpariteit, bijgewerkt tot 3 november 2011. Ook de niet-leden van de EU worden vermeld. Maar als norm wordt hierbij het gemiddelde van de 27 EU leden genomen: = 100. Voor de 17 eurolanden ligt het gemiddelde op 114.

1	Luxemburg	274
2	Noorwegen	179
3	Zwitserland	148
4	**Nederland**	**133**
5	Ierland	127
6	Oostenrijk	126
7	Denemarken	125
8	Zweden	123
9	Finland	116
10	Ver. Koninkr.	114

Deze rangschikking biedt niet meer dan een momentopname. Maar als je er groeicijfers bij betrekt, bijvoorbeeld die van de OESO, wordt de zaak er voor Nederland niet beter op. '*De laatste tien jaar groeiden Zweden, Noorwegen, Zwitserland en het Verenigd Koninkrijk allemaal sneller dan de Nederlandse economie. Dat deden zij zonder euro.*' schreven Melle Garschagen en Jeroen Wester (NRC 03.12.11/ BG/Bron: OESO). Over de euro zullen we het nog hebben in het laatste hoofdstuk.

Eigen consumptie van de overheid

De eigen consumptie van de overheid is ook een factor in dit verband. Deze blijkt nogal uiteen te lopen. In Luxemburg vermoedelijk 12 procent, in Noorwegen 19,2 procent, in Zwitserland 10,5 procent en in Nederland 25 procent. Het cijfer voor Luxemburg heb ik door andere gegevens benaderd, de drie overige cijfers komen via een statistiek van de HSBC in Londen van de Wereldbank, cijfers over 2008.

Nederland hoort qua dure overheid bij de eerste drie landen in de wereld, die elkaar heel weinig ontlopen, de andere twee zijn Denemarken en Zweden. Zwitserland staat op no. 37 van de wereldranglijst (HSBC/Worldbank). Dat is dus een rijk land met een arme overheid. Je mag de cijfers overigens niet corrigeren door volledige aftrek van het percentage van overheidsconsumptie. Want een overheid doet in principe weer van alles wat het welzijn bevordert. Ik bedoel daarmee niet de sociale voorzieningen, want daarvoor worden meest premies afgedragen en die worden niet bij de consumptie van de overheid meegeteld.

Conclusie schatrijk land en rijkste land van Europa

Al deze gegevens wijzen op een goede plaats van Nederland, direct na de kopgroep. Maar de landen van de kopgroep bevinden zich in alle statistieken op grotere afstand van ons land dan de landen die erna komen. Nederland is daarmee de aanvoerder van de middenmoters, waarmee het weinig verschilt in rijkdom. Maar het is waar, als je de vaste kopgroep niet meetelt, Noorwegen en Zwitserland niet omdat het geen EU – en geen eurolanden zijn, en Luxemburg niet omdat het zo klein is, dan kom je met Nederland een eind als rijkste land van Europa. In feite is het na Luxemburg het rijkste land binnen de eurozone.

Of die positie en trouwens de hele eurozone nu zo hoog moet worden ingeschat, qua rijkdom, is een andere vraag. Van de drie leden van de Europese kopgroep is alleen Luxemburg een euroland. En juist dat land wordt vaak buiten beschouwing gelaten. Duitsland, Finland en Luxemburg genieten naast Nederland nog wel het volle vertrouwen van de financiële markten. Met de overige 13 eurolanden is het al iets minder gesteld. Hoe het zij, de kwalificaties *schatrijk* en *het rijkste land van Europa* zijn op Nederland niet van toepassing.

NRC next (19 januari 2012) concludeert in dezelfde richting. In Buitenhof van 15 januari 2012 had premier Rutte beweerd: *Kijk, wij zijn een heel rijk land. Wij behoren tot de drie rijkste landen ter wereld. Als je alles optelt en deelt, als je alle staatjes, grafieken en indicatoren optelt en deelt, dan behoren we tot de drie sterkste landen van de wereld.* Next checkt en concludeert: *dit is grotendeels onwaar. Nederland staat wel in een top drie van landen waar de levensstandaard hoog is, maar niet in de gangbare top drieën van rijkste landen.*

In NRC/Handelsblad van 25/26 februari 2012 nog meer slecht nieuws, in twee artikelen onder de gedeelde naam 'De ontmaskering van het rijke, solide Nederland' van de heren Tamminga en Schinkel. Ook hun verdere titelkeuze is het waard te worden geciteerd.

Menno Tamminga: *'De Nederlandse economie weet niet te profiteren van de overrompelende groei in Duitsland, van oudsher onze grootste handelspartner. Nieuwe bezuinigingen zullen het gevoel van malaise versterken. We zijn te duur en produceren te weinig.'*

Maarten Schinkel: *'Nederland gebruikt zijn positie als AAA-land van de eurozone om de zuidelijke landen de les te lezen. Maar dankzij de enorme schuldenlast en de tanende concurrentiekracht hoort ons land eigenlijk thuis in de Europese middenmoot.'*

In de artikelen wordt onder veel meer gewezen op het feit dat de Duitse economie in 2011 met 3 procent is gegroeid ten opzichte van 2010, de Nederlandse echter slechts met 1,3 procent. In de export is er wel volume-groei, maar uitgerekend vooral in de sector waar de toegevoegde waarde gering is, de doorvoerhandel, officieel wederuitvoer geheten. Duitsland profiteert van zijn maakindustrie, het maakt productiemachines voor China. Nederland heeft bijna geen maakindustrie meer.

Ook wordt het feit genoemd, dat de hausse in de woningmarkt lange tijd de matige economische prestaties van Nederland heeft verhuld. Schinkel meent dat zonder de stimulans van de overspannen woningmarkt, de economie mogelijk een procent of 7 kleiner zou zijn geweest. In dat geval zou Nederland na Luxemburg ook niet het rijkste euroland zijn, maar pas na Finland en Oostenrijk komen. Nu de hausse in een baisse is verkeerd, gaat het effect omgekeerd werken.

Omvang van de economie en concurrentiepositie

Nederland heeft absoluut gezien de 16de economie in de wereld en de 8ste in Europa (CIA Worldfactbook, 1 jan. 2011). Hierbij wordt Turkije tot Europa gerekend. Als je Turkije niet meetelt, schuift Nederland op naar de 7de plaats, na Duitsland, Engeland, Frankrijk, Italië, Spanje en Polen. Nederland heeft voor zijn omvang een hoge productie. Dit is al gebleken bij het bbp per hoofd. Nederland is er goed aan toe, maar kan zich niet meten met de top.

En hoe staat het met de concurrentiepositie van Nederland? Het World Economic Forum in Genève, maar bekender van de congressen in Davos, geeft voor 2012 de rangorde in concurrentiepositie van 142 landen. Nederland staat bij de eerste tien wereldwijd, en wel op no. 7. In Europa staat het op no. 5, na Zwitserland, Zweden, Finland en Duitsland, maar vóór Denemarken en Engeland (WEF, cijfers 2011). De positie van Nederland is dus goed, maar ook weer niet heel goed. De geringe flexibiliteit op de arbeidsmarkt en de bureaucratie zijn remmende factoren. Wel is er vooruitgang. De prognose voor 2011 gaf dezelfde volgorde. In 2012 zal het misschien wat slechter uitkomen, de Nederlandse lonen zijn te hoog. Ze zijn sinds 1999 na die van Portugal en Griekenland het meest gestegen.

Tamminga geeft in het genoemde artikel de cijfers, gecorrigeerd voor productiviteit (NRC 250212/RL/Bron: OESO).

De concurrentiepositie komt indirect ook tot uitdrukking in de internationale ranglijst van Nobelprijzen (aantal prijzen per miljoen inw.). Drie Scandinavische landen daargelaten, voert Zwitserland de lijst aan met 2,22, dan volgen Oostenrijk met 1,79, het Verenigd Koninkrijk met 1,52 en Nederland met 1,08 (NRC 01.10.11/RL/ Bron: Nobelprize Org. VN). Nederland op plaats 4.

Schulden en reserves

De staatsschuld van Nederland lag in 2010 met 62,7 procent van het bnp nog dicht bij het in Brussel gewenste maximum van 60 procent. Op een lijst van 128 landen nam ons land de 27ste plaats in. Dit betekent dat 26 landen het slechter deden en 101 landen beter. Ten opzichte van het wereldgemiddelde, 59,3 procent, zag de verhouding er veel beter uit. Nederlands zat maar iets boven de gemiddelde schuld. Het gaat dan om staatsschuld in procenten van het bnp (CIA en Eurostat via Wikipedia, meeste cijfers uit 2010). Voor 2012 schat de Europese Commissie het percentage voor Nederland op 65 en het bedrag op 390 miljard (NRC/H. 2 feb. 2012/RB/Bron: Europese Commissie).

Iets anders is dat Nederland met zijn aardgas niet zo'n schuld had behoeven te hebben. Zwitserland bijvoorbeeld heeft geen bodemschatten, maar de staatsschuld bedroeg er in 2010 slechts 38,2 procent, nog geen tweederde van die van Nederland. Ook Zweden, Denemarken, Finland en Noorwegen doen het qua staatsschuld veel beter dan Nederland: ze zaten in 2010 tussen 40 en 50 procent, in 2012 tussen 35 en 52 procent. Een lage staatsschuld is belangrijk in slechte tijden, je hebt dan wat ruimte om de economie te stimuleren. Zit je al aan je tax, dan kun je alleen maar bezuinigen, wat zand in de economische machine betekent.

Maar je kunt toch ook *slim bezuinigen* of *intelligent bezuinigen?* Volgens onze regering wel. Vooral in Europees verband wordt de term veel gebruikt. Dit om de kritiek te weerleggen dat Europa kapotbezuinigd wordt. Veel economen zien weinig heil in het invoeren van een strikte begrotingsdiscipline in tijden van crisis. Neem Spanje, met een jeugdwerkloosheid van 50 procent in februari 2012. Wat moet je die mensen vertellen? Dit nog afgezien van het feit dat Spanje vóór de eurocrisis nog nooit een Europese begrotingsregel heeft overtreden. Het had in 2010 nog 60,1 procent staatsschuld, minder dan Nederland. En ook in 2012 heeft Spanje volgens de Europese Commissie met 74 procent nog een beter cijfer dan Frankrijk en zelfs beter dan Duitsland. Toch kun je Angela Merkel horen zeggen dat het heel goed samengaat: bezuinigen én groei genereren. Voor wat Europa betreft kom ik daarop terug in hoofdstuk 10.

Ook in Nederland valt op dit punt wel iets te doen, behalve blind bezuinigen. Nu de politiek zo achteruit gaat met haar geprofessionaliseerde communicatie, is het goed om eens naar hoge ambtenaren te luisteren die nog wel inhoudelijk communiceren. Chris Buijink is secretaris-generaal van Economische Zaken. *Buijink vindt dat het kabinet moet kiezen voor hervormingen die de economie op lange termijn versterken, en niet voor bezuinigingen die op korte termijn zoveel mogelijk geld opleveren* (Marike Stellinga in NRC/H. 5 jan. 2012). Het gaat dan om hervormingen die je in economische kring vaak hoort noemen, zoals van WW en ontslagrecht, woningmarkt met hypotheekrente-aftrek en huurstelsel en tenslotte van de kosten van de gezondheidszorg. Kortom, het betreft hier structurele hervormingen. In dit artikel wordt het huurstelsel niet genoemd, maar elders wel. D66 komt de eer toe, beide uitwassen van de huisvesting in Nederland altijd in één adem onder de aandacht te brengen.

Dan de particuliere schulden en besparingen. De schulden zijn in Nederland hoog, maar er wordt ook veel gespaard. De Nederlandsche Bank heeft daarvan een overzicht. Bij de banken staat een kleine 1.000 miljard euro aan leningen uit. De vraag is dan hoeveel spaargeld daar tegenover staat ter compensatie: bijna de helft van het schuldentotaal wordt door het spaardeposito gedekt. Het ongedekte gedeelte wordt *depositofinancieringsgat* genoemd. Het bedrag daarvan is ongeveer 478 miljard euro (Tom Kreling en Jeroen Wester in NRC/H. van 3 nov. 2011, bron DNB).

Maar ongedekt is eigenlijk niet de juiste term, want bij die 1.000 miljard euro aan leningen zit 653 miljard euro aan hypotheekleningen. En die hypotheken hebben huizen als onderpand. Volgens de peildatum 2010 zijn die huizen 1.301 miljard euro waard. Nu gaat het met de huizenprijzen niet erg goed, maar zelfs als ze tot de helft zouden dalen, dus tot 650 miljard euro, zou die waarde nog bijna voldoende zijn om de hypotheekschuld te dekken (Menno Tamminga in NRC/H. van 9 nov. 2011, cijfers CPB).

Uit het bovenstaande blijkt, dat zelfs bij een roetzwart scenario voor de woningmarkt van 50 procent in de min, het onderpand aan huizenbestand plus het gedeponeerde spaargeld, samen nog ruimschoots dekking bieden voor het geleende bedrag van 1.000 miljard euro. Nu zijn dit natuurlijk maar totaalcijfers, ze laten onverlet dat de mensen met tophypotheken grote risico's lopen, want juist zij zijn in het algemeen niet degenen met grote spaartegoeden. Verder kunnen zware hypotheekrisico's bij sommige banken meer voorkomen dan bij andere. En als er banken gaan omvallen, kan het van kwaad tot erger gaan. Dus er kunnen zich wel degelijk problemen voordoen voor particulieren, voor banken en voor de economie in het algemeen.

Maar als er niets bijzonders gebeurt, kan het allemaal goed aflopen. *Als*, want een dergelijke situatie maakt ons land wel extra kwetsbaar in onzekere tijden zoals we nu beleven. Maar je kunt niet zeggen dat we er slecht voorstaan.

Dan nog meer goed nieuws. De Nederlanders zijn buitengewoon grote pensioenspaarders, dit nationale wapenfeit is nu eens niet overdreven. Hun gezamenlijke pensioenvermogen bedraagt iets van 135 procent van het bbp. Ze staan daarmee op de eerste plaats in de wereldranglijst, gevolgd door de Zwitsers op plaats 2 en op afstand door de Britten op plaats 3 (OESO, 3 aug. 2011). Zolang we dit pensioenvermogen zelf mogen beheren van Brussel, zijn onze gepensioneerden dus relatief goed af. En het is altijd prettig om te weten dat er ergens nog een appeltje voor de dorst is. Niet dat dit de potentiële schuldenproblemen van huiseigenaren bij gedwongen verkoop zal oplossen. Het is meer een geruststelling voor hun ouders.

De pensioenpaniek van begin 2012 is overigens misschien niet helemaal nodig. De fondsen zijn nog nooit zo rijk geweest. Maar omdat de dagrente, die op dit moment abnormaal laag is, als rekenrente wordt gebruikt voor de pensioenverplichtingen in de toekomst, ook de verre toekomst, wordt mogelijk een wat somber scenario geschetst. Wel is het weer zo, dat de verwachting voor de rente in de komende tien jaar ook niet heel gunstig is. En Japan bijvoorbeeld biedt een onprettig beeld: eenmaal ingezette lage rente kan lang blijven. Daar komt nog bij, en dit als feit, dat de verzekerden steeds ouder worden. Maar in ieder geval heeft het afknijpen van de pensioenen het nadeel, dat mensen minder gaan uitgeven. Iets dat ze toch al doen door de bezuinigingen van de overheid.

Nog eens: hypotheekschuld en pensioenreserve zijn verschillende dingen. De hoge hypotheekschuld en de nog hogere pensioenreserve worden door het kabinet Rutte geregeld in één adem genoemd, alsof deze schuld en vordering tegen elkaar kunnen worden weggestreept. Maar zo eenvoudig is het niet. Het gaat hier om macro-economische cijfers die micro-economisch niets met elkaar te maken hebben (Oud-hoogleraar Jaap van Duijn in De Financiële Telegraaf, 21 jan. 2012). Wie in de situatie verkeert dat hij zijn hypotheeklasten niet langer kan betalen en bovendien een hypotheekschuld heeft die hoger is dan de waarde van zijn huis, loopt het risico dat hij zijn huis kwijt raakt en met een restschuld naar een huurhuis moet gaan zoeken. Of hij dan pensioenrechten heeft voor op de lange termijn, is dan even niet zo belangrijk.

Eerlijk delen: de sterkste schouders de zwaarste lasten

Nederland wordt meestal voorgesteld als een sociaal land. En terecht, Nederland scoort goed, het doet mee met de sociaalste landen in de wereld, vergelijkbaar met het niveau van Denemarken. Om een voorbeeld te noemen: bij de duur van de WW-uitkering, 38 maanden, staat Nederland in Europa op een gedeelde tweede plaats. Bij de hoogte van de WW-uitkering bezet ons land de derde plaats in de EU (MISSOC/EU). Daar staat tegenover dat de eisen van toegang hoog zijn. Als je een gemiddelde 40-jarige werkloze neemt die altijd heeft gewerkt en vijf jaar werkloos is, heeft deze in de eerste twee jaar een hoge uitkering ontvangen. Maar over de volle vijf jaar komt het totale bedrag op de 12de plaats in de EU (OESO). Deze gegevens in NRC/H. 1 feb. 2012, artikel 'NRC checkt' door Roeland Termote.

Nederland scoort daarmee goed tot heel goed, zo'n beetje de koploper van de middenmoot. Als je de aantallen mensen met een uitkering wegens werkloosheid, arbeidsongeschiktheid, bijstand en ziekte bij elkaar optelt, kom je rond de 2 miljoen uit. Dan zijn er nog een 3 miljoen mensen met een AOW uitkering. Het zijn allemaal burgers die tijdelijk of permanent niet of niet meer meedoen op de arbeidsmarkt en zij ontvangen een uitkering waarvoor ze in de meeste gevallen zelf verplicht premie hebben betaald.

Naast deze voorzieningen voor vervangende inkomsten zijn er nog aanvullende regelingen in geval het inkomen niet toereikend is, bijvoorbeeld voor huisvesting en zorg. Ruim een op de drie huurders, 1,1 miljoen op

3 miljoen, ontvangt huurtoeslag. Ruim 5,1 miljoen Nederlanders hebben recht op zorgtoeslag, dat is dus bijna eenderde van de bevolking. Blijkbaar wordt ruim een op de drie huishoudens met een huurhuis en bijna een op de drie Nederlanders überhaupt als onvoldoende self-supporting beschouwd, qua huisvestings- en ziektekosten. De cijfers zijn van het CBS, de conclusie is van mij. Deze toeslagen staan nog los van het feit, dat Nederland ook nog eens een extreem percentage sociale huurwoningen telt, in absolute zin zelfs meer dan Duitsland. Zie verder onder huisvesting in dit hoofdstuk.

Alles bijeen is het onwaarschijnlijk dat er veel landen zijn met zulke ruime normen als het om sociale subsidies gaat. Elke internationale statistiek zal het bovenstaande bevestigen: in ons land zitten veel meer mensen in de een of andere sociale regeling dan gemiddeld het geval is. Wel dwingen bezuinigingen tot versobering, maar dit zal niet veel aan onze relatieve positie veranderen. Ook is het stelsel hier en daar wat achterhaald. Zo mogen de ZZP'ers, bijna een miljoen mensen, het nog vooral zelf uitzoeken: 58 procent is wegens de hoge kosten niet of maar gedeeltelijk verzekerd tegen arbeidsongeschiktheid (Wijzer in geldzaken, jan. 2012).

Niettemin is de strijdkreet *Nederland socialer* vooral in verkiezingstijd nog altijd te horen. Hoe kan dat, want Nederland is toch al behoorlijk sociaal? Ja en nee, want er zijn bij al die solidariteit toch nog wel een paar kanttekeningen te plaatsen. Zoals gezegd, de regelingen brokkelen af en omdat ze worden gezien als verkregen rechten, wordt dit als onrechtvaardig gezien.

En neem de inkomensverdeling in Nederland, die heeft de naam zeer gelijkmatig te zijn. Steevast wordt daarbij verwezen naar de VS, waar veel grotere verschillen bestaan. Nu is dat een land waar topmanagers extreem veel verdienen en ook nog eens naar verhouding minder belasting betalen dan de armen. Zo'n systeem is voor ons niet te volgen, en vergelijking heeft dus niet veel zin. De inkomensverschillen in het bedrijfsleven zijn ook bij ons wel groot, maar daarbij gaat het niet primair om een verantwoordelijkheid van de overheid en bovendien werkt de belasting enigszins nivellerend. Daarover later, maar eerst nog iets over de inkomensverdeling waar de overheid in ieder geval wél verantwoordelijk voor is: die voor haar eigen mensen. Daar is qua rechtvaardigheid van verdeling inderdaad wel wat op af te dingen.

Inkomens uit de schatkist

De inkomenspolitiek van de overheid voor politici en ambtenaren is in het algemeen gematigd en evenwichtig. Vooral de ministers en staatssecretarissen geven het goede voorbeeld. Maar de beloning van mensen die indirect bij haar op de loonlijst staan, biedt een ander beeld. Er zijn er nogal wat bij die geen risico lopen, niet bijzonder hoog opgeleid of buitengewoon begaafd zijn en evenmin extreem hard werken, maar die met publiek geld toch worden betaald alsof ze middelgrote ondernemers of medische specialisten zijn. Het gaat dan om inkomens van een paar ton bij semi-overheidsorganisaties, zoals voor asielopvang of de publieke omroep, of om woningcorporaties. Het betreft maar een paar duizend mensen, maar ze zijn wel heel zichtbaar. Vooral als er weer eens een schandaal opduikt, waarbij gewoonlijk blijkt dat we niet uitsluitend met uitzonderlijk capabele professionals te maken hebben.

Het voornaamste dat deze mensen met het bedrijfsleven gemeen hebben, is hun excessieve beloning. Elke directeur van een woningcorporatie, om maar even een half-ambtelijke beheerdersfunctie te noemen, wordt tegenwoordig *marktconform* betaald. Bij het in zwaar weer verzeilde Vestia bedroeg het jaarsalaris van de directeur volgens het jaarverslag over 2010 € 499.473 waarvan € 116.298 voor zijn pensioen (Jesse Groenewegen en Eppo König in NRC/H. 31 jan. 2012). Het moet gezegd, dat was geen gemiddelde, maar met afstand het hoogste in de branche. De openstaande derivatenpositie bij Vestia bedroeg € 5 miljard. Dan gaat het dus om gokken. Een aantal andere corporaties moest om te beginnen een gat van een miljard euro dekken. De privé pensioenpot die de aftredende bestuurder meekreeg, bedroeg 3,5 miljoen euro.

In 2010 waren er 470 organisaties met in totaal 2.165 publieke grootverdieners met meer dan het ministeriële norminkomen van toen: € 193.000 (NRC/H. 24/25 dec. 2011). In december 2011 is er door de Tweede Kamer een wet aangenomen die de maximale beloning van bestuurders in de publieke en semipublieke sector regelt: de Wet Normering Topinkomens. Het maximum is met ingang van 2013 vastgesteld op 130 procent van een ministerssalaris, plus onkosten en werkgeversdeel pensioen, het geheel ongeveer € 220.000.

De maximale beloning van een commissaris is in die wet gesteld op 5 procent van dit bedrag (A.J. van Soelen in NRC/H. 6 feb. 2012). Uit deze verhouding blijkt, welke waarde aan het toezicht wordt gehecht. Het Financieel Dagblad (3 feb. 2012) wijst in de Vestia-zaak op het gebrek aan financiële expertise. De commissarissen werden er betrokken uit het bestuurlijke circuit, met PvdA en CDA als hofleveranciers. *Pour que ça dure*, zoals de moeder van Napoleon zou hebben gezegd: *voor zolang het duurt.*

Belastingheffing

En laten we het eens hebben over de belastingheffing. Die heet in zo'n sociaal land als het onze natuurlijk ook heel evenwichtig en verantwoord te zijn. Het is bij uitstek een onderwerp waar de overheid ons het bekende nobele principe voorhoudt: *eerlijk delen: de sterkste schouders de zwaarste lasten.* Wie niet goed heeft opgelet, denkt het wel te weten: *Nederland is al heel lang een sociaal paradijs, de rijken betalen er voor de armen, daar komen de asielzoekers nu juist zo graag op af.*

Nu is zoals gezegd op dat paradijs vandaag de dag wel wat af te dingen, maar dat bedoel ik niet. Ik bedoel dat de hele sociale aandacht vrijwel is beperkt tot de laagste categorie inkomens. En eventueel ook tot de hoogste. Wat daartussen gebeurt, bij de middengroepen dus, krijgt in de politiek niet veel aandacht, sociaal gezien. Het principe van *eerlijk delen: de sterkste schouders de zwaarste lasten,* is in de praktijk dan ook maar zeer gedeeltelijk juist. Het omgekeerde klopt nog wel min of meer: *de zwakste schouders de lichtste lasten. De sociale verzekeringen hakken er weliswaar meteen al flink in met 31 procent, maar de belastingheffing zelf begint pas een klein beetje voorbij het minimumloon.*

Dus wie zijn die sterkste schouders en welke zwaarste lasten dragen zij? Bij lasten denk je aan belastingen, en inderdaad, bij de hoogste inkomenscategorie gaat het om grote bedragen, relatief en absoluut. *Ruim de helft van het totaal geïncasseerde bedrag aan premies en inkomstenbelasting in Nederland komt voor rekening van 20 procent van de huishoudens met de hoogste inkomens; 40 procent van Nederland betaalt nog geen 5 procent belasting over het inkomen* (Mathijs Bouman, RTLZ.nl/CBS, 31 mei 2010, cijfers 2008).

Ik neem aan dat dit laatste komt, omdat mensen tot aan het minimumloon met 33 procent afdracht voornamelijk sociale premies betalen, namelijk 31 procent, en slechts 2 procent belasting. Je kunt de ratio nog scherper stellen: 71 procent van de loon- en inkomstenbelasting wordt opgebracht door de rijkste 10 procent huishoudens (Bart Hinke, NRC. nl, 20 april 2010, cijfers 2007). Vooral de verhouding van 71 procent tot 10 procent spreekt tot de verbeelding: *die rijken dragen toch wel erg veel bij,* is de boodschap. En het is waar, de rijken betalen bij ons redelijk veel belasting.

Sommige politici hanteren dergelijke cijfers graag als het hun zo uitkomt en suggereren daarbij ook nog wel eens, dat de 10 procent rijkste huishoudens voor 71 procent van de totale belastinginkomsten opdraaien. Om met dit laatste te beginnen: de loon- en inkomstenbelasting bedraagt slechts iets van eenderde van de totale belastinginkomsten. Indirecte belastingen als BTW, accijnzen en dergelijke zijn in totaal dus veel belangrijker. Daar betaalt ieder naar consumptie. De hoge inkomens zullen meer consumeren, maar toch niet helemaal naar verhouding. Dus de bewering over 71 procent van *alle* belastingen is onjuist: de 10/71 verhouding geldt alleen voor de loon- en inkomstenbelasting.

Dan nog iets. Mensen met een inkomen tot het minimumloon betalen maar 2 procent belasting en 31 procent sociale lasten. Mensen boven het maximum premie-inkomen (€ 33.427 in 2011) betalen het maximum van de premieheffing, maar ook niet meer. Dit is naar ik aanneem zo geregeld om een zekere verhouding tussen kosten en baten te bewaren. Voor progressieve heffing zijn de belastingen bedoeld, niet de premies. Als je nu de sociale premies van AOW, AWBZ en ANW meeneemt in de verhouding van wat de 10 procent hoogste inkomens bijdragen aan het totaal van de inkomensgerelateerde afdrachten, dan kom je volgens Flip de Kam niet op 71 maar op 48 procent (NRC.nl, 20 april 2010). Op deze manier berekend ziet die verhouding er dus al heel anders uit.

Helemaal objectief is deze redenering ook weer niet, want belastingen zijn belastingen en premies zijn premies. Daarom kennen premies ook een maximum waarover ze worden geheven. Als die maximering er niet was, zou iemand met € 1 miljoen inkomen per jaar een verplichte AOW premie betalen van € 179.000, om daarmee te zijner tijd een AOW uitkering van nog geen € 12.000 per jaar te verwerven. Dit nog afgezien van het feit dat het recht op een AOW uitkering niet is gebaseerd op premiebetaling, maar op verblijf in het land. De een zou dus elk jaar € 179.000 premie betalen, de ander niets, maar ze krijgen dezelfde uitkering.

Wie een werkend leven lang premie heeft betaald, met uitzondering van een paar jaar verblijf in het buitenland, krijgt minder AOW uitgekeerd dan wie nooit premie heeft betaald maar al die premiejaren in Nederland een uitkering heeft genoten. Alles kan, maar ik zou zeggen: noem belasting belasting en premie premie.

Bij de op zichzelf correcte constatering dat de rijkste 10 procent opkomt voor 71 procent van alle inkomstenbelasting, denk je aan een enorm toptarief. Toch kennen wij zoiets niet. Het toptarief bedraagt in Nederland 52 procent. Eerder noemde ik het redelijk veel, maar je kunt het ook redelijk weinig noemen, vroeger was het iets van 72 procent. Mensen probeerden daar dan onderuit te komen door een zo hoog mogelijke hypotheek.

Maar de voorafgaande vraag bij het huidige toptarief dient te zijn: waar begint het, bij welke schijf? Het begon in 2011 bij een inkomen van € 55.694, dus al ruim beneden twee maal modaal. Het gaat dan niet om rijke mensen, wel om mensen met vaak veel kosten voor kinderen op school of op hogere opleidingen. In dit verband wijs ik er maar even op dat mensen met partner in 2011 recht hadden op zorgtoeslag tot een inkomen van € 54.264. De overheid die dit heeft geregeld, is dezelfde overheid die mensen met € 1.430 méér per jaar, geschikt vond om het toptarief te gaan betalen. De zorgtoeslag in 2012 is iets zuiniger geworden, het maximuminkomen daarvoor is op € 51.691 gesteld. Dus ja, dan vraag je je toch af of dat toptarief niet wat vroeg begint?

Dan zijn er de veelverdieners, al zijn dat er niet zo heel veel. Toch komen ze in Nederland voor: mensen met inkomens in de categorie van 1 tot 10 miljoen euro, dat is 30 tot 300 maal modaal. Welk toptarief inkomstenbelasting betalen zij? Ook 52 procent, evenveel als mensen met nog niet eens tweemaal modaal. Conclusie: het toptarief is wat het is, maar het begon in 2011 al bij inkomens ruim beneden twee maal modaal, en maar 1430 euro boven het inkomen waarbij nog recht bestaat op zorgtoeslag (belastingjaar 2011). Dus het kan daar, ook volgens de overheid, geen sterke schouders betreffen.

Intussen wordt hoog opgegeven van de solidariteit van onze progressieve belastingheffing, de sterkste schouders et cetera. In werkelijkheid gaat het bij het toptarief van 52 procent om een soort vlaktax vanaf een bescheiden beter inkomen van nog geen € 56.000 per jaar tot aan de president van onze grootste multinational met een inkomen van € 10 miljoen of daaromtrent. Tot zover de heffing, nu de fiscale voordelen van de echt hoge inkomens.

Welke fiscale voordelen bestaan er bij deze hoogste categorie inkomens? Er bestaan allerlei kunstgrepen waar juist alleen de mensen met de hoogste inkomens gebruik van maken. Daar loont het en daar heeft men het geld om de adviseurs te betalen. Het is alles heel begrijpelijk en niet bij wet verboden. Het is ook duidelijk dat wij hier geen Amerikaanse toestanden kennen. De hierboven gegeven cijfers over de 10/71 ratio zijn helder en komen uit onverdachte bron. Overigens hebben werkelijk gefortuneerde mensen meestal te maken met heffingen op vermogen in box 3. En daar geldt een heel ander tarief.

En laten we dichter bij huis eens naar de hypotheekrente-aftrek kijken, ons nationale troetelkind. Deze aftrek was oorspronkelijk waarschijnlijk bedoeld om mensen met bescheiden inkomens aan een koophuis te helpen. Maar bij die regeling bestaan geen maxima. Dus wie een vermogen heeft van 40 miljoen, en een huis koopt van 5 miljoen, neemt bijvoorbeeld een financiering van 3 miljoen. Van de rente van zeg € 150.000,- betaalt de fiscus jaarlijks € 78.000,-. Op deze manier ontvangt de hoogste 20 procent inkomens de helft van de totale hypotheekrenteaftrek (SP/CBS). Dat scheelt nogal wat voor de sterkste schouders met al die zwaarste lasten. Maar laten we nu de inkomstenladder eens van onderop bestijgen.

Een model verzorgingsstaat, maar werken wordt beloond

Nogmaals, Nederland is een sociaal land. Wie een uitkering geniet, is vergeleken bij de situatie in minder sociale landen goed af. Maar een vetpot is het niet. Gelukkig zijn er allerlei flankerende regelingen die het bestaan materieel toch draaglijk moeten houden. Die regelingen zijn er niet voor niets, ze zijn werkelijk nodig. Maar als iemand met een uitkering wil gaan werken, blijken die regelingen een probleem op te leveren: ze houden namelijk op. En het verschil tussen een uitkering en een laag loon is niet groot. Het kan in zo'n geval zelfs gebeuren, dat iemand er door te gaan werken op achteruit gaat. In het bijzonder als het om de overgang naar het minimumloon van € 1.446,60 per maand gaat (2012).

Dit verschijnsel wordt de armoedeval genoemd. Deze situatie doet zich overigens vooral voor als iemand vanuit een volledige uitkering in deeltijd wil gaan werken. Er schijnen maatregelen voor aanpassing te bestaan, maar naar verluidt voorzien die soms niet voldoende in zo'n overgang naar betaald werk.

We zien hier dat er een probleem kan optreden bij de overgang van een uitkering naar werk tegen minimumloon. Het gaat dan om € 18.748 per jaar voor 23 jaar en ouder, en bij volle werktijd. Is deze horde genomen, dan komt de volgende in zicht: bij € 21.625, of bij € 29.350 met partner, vervalt het recht op huurtoeslag. Bij € 35.059, of bij € 51.691 met partner, vervalt ook het recht op zorgtoeslag. En bij € 55.694 word je als rijk beschouwd en betaal je het toptarief van 52 procent IB (cijfers voor 2012, met uitzondering van € 55.694 dat voor belastingjaar 2011 geldt). Het zijn allemaal op zichzelf noodzakelijke regelingen, al kun je over de hoogte van de bedragen twisten. Wel hebben ze gemeen, dat ze werken en wat meer verdienen al op een bescheiden niveau demotiveren. Je schiet er nauwelijks mee op.

Met andere woorden: werken wordt maar zeer gedeeltelijk beloond. Juist voor de groep die de ruggegraat van de maatschappij is of behoort te zijn, komt dit slecht uit. Het bevordert de sociale apathie, de DDR-mentaliteit. Nu mag de VOC-mentaliteit in bepaalde kringen niet populair zijn, het land gaat er niet aan ten onder. Van de DDR-mentaliteit, die ik van dichtbij heb gekend, weet ik dat nog niet zo zeker.

Natuurlijk is dit mechanisme in een sociale maatschappij moeilijk te vermijden, maar dan springen toch twee feiten in het oog: de werkelijk armen worden redelijk behandeld en de werkelijk rijken zelfs coulant. De middengroepen vallen in het Nederlandse systeem echter tussen wal en schip, zij worden nergens van vrijgesteld en moeten voor alles zelf betalen. Maar ook daar is iets op gevonden, het kwam al even ter sprake: de sociale premies worden slechts geheven tot even voorbij het modale inkomen, dat in 2011 € 32.500 en in 2012 € 33.000 bedraagt. Zo was het maximum waarover premie werd geheven in 2011 € 33.436. Op zichzelf is dit, alweer, redelijk. Iedereen krijgt waarvoor hij betaalt, wat wil je meer? Maar als je ziet hoe dit in de praktijk uitwerkt, valt het voor de groep juist boven modaal toch weer tegen. Laten we eens zien wat er bij de kosten van huisvesting gebeurt.

Huisvesting als sociaal-economisch probleem

Geen echte welvaart zonder passende huisvesting. Nu zal iemand zeggen: *huisvesting, daar noem je ook wat.* Ja, daar noem ik zeker wat. Want iedereen heeft ermee te maken en enig behoorlijk beleid is 67 jaar na de Tweede Wereldoorlog nog altijd niet in zicht. De woningmarkt zit muurvast, en natuurlijk krijgt de kredietcrisis de schuld. Niet helemaal ten onrechte, maar het totale beeld is iets genuanceerder en niet erg vleiend voor de politiek.

Huisvesting is zoals eerder gezegd een bekend hoofdpijndossier. Waarom? De ene loftrompet over evenwichtig, resultaatgericht en effectief beleid van overheidswege, klinkt nog fraaier dan de andere. *'Vlot, veilig en leefbaar, dat is Infrastructuur en Milieu'*. Dit terwijl er op het punt van volkshuisvesting in 2012 maar één ervaringsfeit is: 67 jaar woningnood. Daar hebben de grootschalige emigratie van Drees, de nivellering en subsidiëring van Den Uyl, de privatisering en marktwerking van Lubbers, Kok & opvolgers, allemaal niets aan kunnen veranderen. Zogenaamd marktconforme directiesalarissen bij woningcorporaties, zijn vooralsnog vermoedelijk het enige concrete wapenfeit op dit terrein. Niet dat dit het nu verantwoordelijke departement te verwijten is, zomin als de ruïne van de spoorwegen.

Daarom nu eerst iets over de situatie waarin de Nederlanders zijn komen te verkeren, qua kans op fatsoenlijke huisvesting. Dit land staat vol met gesubsidieerde huurhuizen en met gesubsidieerde koophuizen. *Gesubsidieerde huurwoningen oké, dan gaat het om de distributiesector, maar gesubsidieerde koopwoningen?* Ik bedoel met deze laatste categorie geen huizen met een speciale, afzonderlijke subsidie voor deze of gene groep, maar huizen met een hypotheek. Want wat is aftrek van hypotheekrente anders dan subsidie?

Het onderliggende principe in Nederland is duidelijk: wonen mag niet kosten wat het kost. Dit heeft oorspronkelijk een goede reden: schaarste. Na de Tweede Wereldoorlog begon de bevolking door de babyboom toe te nemen, terwijl het aantal woningen in de oorlog was verminderd. De overheid moest ingrijpen en mensen met grote huizen kregen bijvoorbeeld verplicht inwoning. De massale emigratie van 1950 tot 1960 leverde wel wat ruimte op, maar er kwamen tussen 1960 en 2010 wel weer 6 miljoen mensen bij, en dat was tien maal zoveel. Dus de schaarste nam alleen maar toe.

Naar ik aanneem om reden van die schaarste, is de overheid zich intensief met de woningmarkt blijven bemoeien. Je krijgt de indruk dat het principe dat wonen niet mag kosten wat het kost, een soort Nederlandse traditie is geworden. Van de koninklijke paleizen tot de nachtopvang van het Leger des Heils, geen mens wist ooit wat het allemaal werkelijk kostte. Zoals patiënten ook nooit te horen kregen, hoe hoog de rekening van hun operatie was. Het is nu wat opener geworden, maar bij het sociale wonen is er nog niets veranderd.

Het wonen is in ons land een beetje in de hoek terecht gekomen van de dingen waar je recht op hebt. Zogenaamd dan. En bij wat je krijgt, vraag je niet naar de prijs. Voor koophuizen gaat dit natuurlijk niet op. Je betaalt de aankoopsom tenslotte zelf. En als je de rente-aftrek berekent, heb je het exploitatie-plaatje al compleet. Ook bij huurhuizen in de vrije en geliberaliseerde sector is de berekening niet moeilijk, een kwestie van rendement en van vraag en aanbod. Maar bij huurhuizen in de sociale sector is de huurberekening niet op rendement gebaseerd, maar op fantasie. De vraag is nu, waar heeft de intensieve bemoeienis van de overheid sinds 1945 toe geleid?

Betaalbare huurhuizen

Om met de huurhuizen te beginnen: in het huidige bestand zitten extreem veel huurhuizen in de sociale huurmarkt, hoewel nog te weinig voor de vraag, want ze zijn niet te krijgen. *Waarom niet?* Er is geen doorstroming, de zaak zit vast. Een huurder in die sector blijft al gauw zitten waar hij zit. De reden is de lage huur. Op die manier worden huurders aan hun goedkope huis geketend. De lage huur veroorzaakt dus de schaarste. Over nut en noodzaak van betaalbare woningen op zichzelf, gaan we niet discussiëren, iedereen moet kunnen wonen. Ik probeer hier alleen de problemen te benoemen.

Overigens zijn deze problemen in hoge mate eigengemaakt, zowel bij de sociale huurmarkt als bij de koopmarkt. Nederland heeft bijna tien maal zoveel sociale huurwoningen als Duitsland, in percentage van de totale huurmarkt (75 resp. 7,8 procent). Het percentage in Nederland ligt zelfs hoger dan in ex-communistische landen als Polen, Hongarije, Estland, Letland en Litouwen (Bron: CECODHAS, Housing Europe Review, 2012, tabel 4, okt. 2011, p. 24). De hoogleraar vastgoedeconomie Dirk Brounen noemde zelfs 80 procent sociale huurwoningen in Nederland (Buitenhof, 26 feb. 2012). Hij rekent waarschijnlijk met een aantal van 2,4 miljoen op een totaal van 3 miljoen. In de politiek wordt ook gesproken van 2,4 miljoen (Kees Verhoeven van D66, geciteerd door Oscar Vermeer in NRC/H. 15 juli 2011).

Laten we eerst eens naar zo'n zittende huurder kijken. Bij de toewijzing van de woning moet het inkomen van de huurder een rol hebben gespeeld, maar in principe is het de woning die wordt gesubsidieerd, niet de huurder. Huursubsidie, nu huurtoeslag, is iets anders. Ook als onze huurder bijvoorbeeld als student een sociale huurwoning heeft betrokken, zeg in de Pijp in Amsterdam, kan hij daar als aankomend grootverdiener blijven wonen. Dus dat doet hij, als het een beetje een knappe woning is. Op de vrije markt betaalt hij geen 300, maar 1300 euro voor zo'n leuk appartementje. Dus is het duidelijk wat hij gaat doen, hij is toch niet gek? Op deze manier blijven mensen in huizen wonen die voor een andere inkomenscategorie bestemd zijn. Het verschil met de markt is te groot.

Misschien moet hier even worden vermeld, dat huurders met een inkomen boven € 33.614 niet in aanmerking komen voor een sociale huurwoning, ook niet als zij een andere achterlaten. Op zichzelf redelijk genoeg, maar het dupeert veel mensen. Mensen die graag kleiner of groter zouden willen wonen. Een koophuis ligt niet binnen hun bereik als ze minder dan zeg € 43.000 verdienen, ze kunnen dus geen kant uit. Alleen al in de regio

Amsterdam gaat het om een groep van 84.000 huishoudens, waarvan 9 procent op zoek is naar een andere woning maar die daarvoor niet in aanmerking komt, aldus Hans van Harten van de Amsterdamse Federatie van Woningcorporaties (Oscar Vermeer in NRC/H. 28 juli 2011).

Over de aantallen scheefwoners, mensen met een te hoog inkomen voor een sociale huurwoning, bestaat verschil van mening. Burgemeester Van der Laan spreekt van 4 procent scheefwoners. De VROM-Raad houdt het op 18 procent (bij een inkomen vanaf 43.000) resp. 31 procent (bij een inkomen vanaf 33.624). De gemeente Utrecht telde 49 procent scheefwoners. Het ligt er maar aan, hoe je telt. Bij de discussie daarover kun je soms vreemde argumenten horen om deze situatie te laten voortbestaan. Bijvoorbeeld dat het een voordeel is dat ook beter gesitueerden tussen de sociale huurders wonen. Daar zit iets in, maar waar het om gaat is, dat mensen die het niet nodig hebben, huizen bezet houden voor mensen die het wel nodig hebben om gesubsidieerd te wonen. Het is dus een oneigenlijk argument.

Trouwens, ook andere soorten van misbruik gedijen, vooral in Amsterdam. Ik heb daar een huis gekend waarin met vier van de zes woningen iets aan de hand was. Twee woningen stonden bijna het hele jaar leeg, de bewoners in Spanje resp. op Bali. Twee andere waren illegaal onderverhuurd door mensen die elders samenwoonden. Boze tongen beweren dat de sector sociale huurwoningen in Amsterdam voor eenderde wordt bezet door mensen die scheefwonen, voor eenderde door illegale onderhuurders, en voor eenderde door de mensen voor wie die woningen zijn bedoeld. Nu weet ik niet wat daarvan waar is. Ik heb ook wel begrip voor een burgemeester die misschien denkt *laat toch zitten, waar praat je over.* Toch is het scheefwonen belangrijk, misschien niet op zichzelf, maar in ieder geval als signaal, als symptoom van iets anders. Er is iets mis met die huren. En daar begint de stagnatie.

Je vraagt je af waar die *'idioot lage huren'* vandaan komen. De uitdrukking is van Peter Boelhouwer, hoogleraar volkshuisvesting aan de TU Delft (in het genoemde NRC-artikel). Hoe wordt de huur van een sociale huurwoning berekend? Ik ga even uit van het geval van een particuliere eigenaar, waarbij het systeem in principe hetzelfde is, en dat ik uit ervaring ken. Er bestaat van elk huis en van elk appartement een van overheidswege vastgestelde marktwaarde, de WOZ-waarde.

Deze waarde vormt de basis voor de WOZ-belasting, de vroegere onroerend goed belasting. Huurders betalen die belasting sinds 2006 niet meer, maar eigenaren wel. Afgezien van de WOZ-heffing door de gemeente, gaat de rijksoverheid bij alle kapitaalgoederen uit van een netto rendement van 4 procent, en heft daarover ook nog eens 30 procent belasting. Dus ook bij een woning die iemand in eigendom heeft. De eigenaar is daarmee dubbel belastingplichtig: hij betaalt WOZ-belasting plus box 3-heffing. Tenzij het zijn *eigen woning* betreft, dan geldt een andere regeling. Uitgangspunt van beide heffingen is de WOZ-waarde.

Als de overheid uitgaat van 4 procent netto opbrengst van gelijk welke investering, en daarover belasting heft, dan zou je van haar mogen verwachten dat ze de investeerder in staat stelt om dat rendement ook te maken. Ze zou eventueel ook een bescheidener rendement kunnen afdwingen om de huur betaalbaar te houden. De praktijk is anders. De huur wordt bepaald volgens normen die op geen enkele manier bij de werkelijkheid aansluiten. Als het bijvoorbeeld om een object in een populaire oude buurt gaat, vindt volgens de puntentelling toch een flinke korting plaats wegens ouderdom van de woning. Het resultaat van deze fantasieberekening heeft niets met de marktprijs te maken, maar ook niets met rendement. De enige tegemoetkoming van de overheid is, dat bij een heel lage huuruitkomst een bepaalde korting op de WOZ-waarde wordt toegepast bij de berekening in box 3.

Het bovenstaande houdt in dat een eigenaar in een situatie kan komen, waarin hij negatief rendement maakt. Het huis kost meer dan het opbrengt. De eigenaar mag geen huur verhogen, de huur niet opzeggen, hij moet de situatie die hem geld kost in plaats van oplevert, gewoon gedogen. Dit gedwongen negatief rendement is verboden door het Europese Hof van de Rechten van de Mens. Het geval betrof Polen. Dat land is veroordeeld. Voor Nederland al meer dan 5 jaar lang geen reden om zijn onwettige nationale wetgeving aan te passen. Het ging in 2007 om 5 procent van de Nederlandse particuliere huurwoningen, globaal 450.000 stuks, dus om 22.500 woningen (RIGO/Steengoed, juli/aug. 2007). Intussen is de situatie niet verbeterd. Nu zijn eindelijk ook in Nederland processen tegen de staat in voorbereiding, maar ze zijn kostbaar en duren lang (Steengoed, feb. 2010). Ook onderhoud is de dupe.

Koophuizen

De Nederlandse overheid heeft sinds jaar en dag het eigen woningbezit gestimuleerd. Met succes, meer dan half Nederland woont tegenwoordig in een eigen huis. Dat is mooi, en een spaarpotje voor later. Maar nu heb ik even een vreemd voorstel aan de lezer, als hij of zij huiseigenaar is, tenminste, en niet veel van financiën weet. Om zelf uit te rekenen wat voor spaarpotje het betreft, raad ik de volgende berekening aan:

Noteer de herbouwwaarde van huis of appartement, zoals aangegeven als verzekerde opstalwaarde voor de brandverzekering. Dit zijn de reële kosten voor herbouw. Tel daarbij op wat de grond ongeveer waard is. Vergelijk deze som met de WOZ-waarde. Het verschil is lucht, de lucht in de markt. Het bedrag daarvan kan aanzienlijk zijn. Niet dat dit direct een probleem is, bij een groeiende markt wordt die lucht meeverkocht. Maar bij een krimpende markt kan het een probleem worden. Gelukkig zijn er ook stabiliserende factoren aan het werk, in de eerste plaats de schaarste. De volgende stap van de berekening behoeft niet te worden uitgelegd.

De restschuld op het huis, het onderpand, bepaalt verder hoe het met de spaarpot is gesteld.

De luchtbel op de huizenmarkt is vooral ontstaan door twee oorzaken, of eigenlijk maar één: goedkoop geld. Dit heeft zowel in de VS als in de EU, maar vooral in de eurozone, meer onheil aangericht. In Nederland is het risico van goedkoop geld nog eens vergroot door de aftrek van hypotheekrente. Alsof het een samenzwering van de overheid en de banken betreft: het resultaat had voor de burger niet erger kunnen zijn. Dit probleem is origineel *'made in Holland'*, onze vergelijkbare buren de Duitsers hebben geen luchtbel, de prijzen zijn daar al gauw eenderde lager. Daar kost een huis wat het kost, zowel om te huren als om te kopen.

En voor zover de huisvesting met de lekke ballon van de koopmarkt nog enig teken van leven gaf, is dit gesmoord door de muurvaste huurmarkt. Daar zorgt het tien maal hogere aantal sociale huurwoningen dan in Duitsland voor. En verder het misbruik en het uitblijven van fatsoenlijke controle door de overheid. Het is een *wie binne benne benne binne beleid*. Nederland, het land van de verkregen rechten. Behalve voor starters op de woningmarkt. Maar de overheid moet er nu toch heus iets aan gaan doen. Het gebrek aan mobiliteit begint de economie dwars te zitten. Ook beschermt het voor een belangrijk deel de verkeerde mensen. Dit beleid is niet meer uit te leggen. Het is een dieptepunt van politiek geknoei, dat nu al 67 jaar duurt.

Wat vindt de OESO?

'De Nederlandse woningmarkt is zo uitzonderlijk dat deze een hoofdrol speelt in een recent internationaal vergelijkend onderzoek van de OESO. Zij geldt als een van de meest door de overheid gereguleerde woningmarkten ter wereld: op de koopmarkt via de hypotheekrenteaftrek en op de huurmarkt via de huurtoeslagen en regulering van huurprijzen.'

'De denktank uit Parijs constateerde vorige week dat de nieuwbouw van woningen in Nederland nauwelijks op prijsschommelingen reageert. Na Tsjechië is dat gebrek aan marktwerking in Nederland het laagst van 21 onderzochte landen. Het betekent dat er sneller complicaties ontstaan en de economie minder goed functioneert'

'De Nederlandse woningmarkt is op meer vlakken een uitschieter. Nederland valt in de categorie OESO-landen met "zeer grote" prijsstijgingen van woningen sinds 1980, samen met landen als Ierland en Spanje. Nederland heeft na Zweden de meest gereguleerde huursector en verstrekt relatief de meeste subsidie voor hypothecaire leningen ... : het verschil tussen de marktrente en het nettotarief van de financiering is in Nederland het grootst. Bij het aantal huurders met lekkende daken is Nederland ook een uitblinker, en qua huurders met ruimtegebrek figureert Nederland eveneens aan de top: huurregulering gaat vaak samen met minder kwaliteit en kwantiteit van het woningaanbod.'

Jeroen Wester in NRC/Handelsblad van 29/30 januari 2012.

Ik wil hierbij nog aantekenen dat volgens de door mij geraadpleegde recente statistiek, zie boven, Zweden slechts 48 procent sociale huurwoningen telt op het totale huurwoningbestand, tegen Nederland 75 procent, in werkelijkheid 80 procent. Dit percentage wordt alleen overtroffen door Slowakije met 87 procent. Dus de meerdere regulering zal in andere factoren zitten.

9 | Immigratie, integratie en overbevolking

Uitgangspunt overheid: *zinvolle immigratie, geslaagde integratie, geen overbevolking*

Over het onderwerp

Het staat er een beetje vreemd, in de ondertitel: zinvolle immigratie, geslaagde integratie, geen overbevolking. Toch kan ik de stellingname van de overheid, voor zover je daarvan kunt spreken, niet veel anders typeren. Het gaat hier echt om een omstreden thema, al is de werkelijkheid genuanceerder dan hier gesuggereerd. Dit is ongeveer wat politiek en bestuur hebben uitgedragen. Dat wil zeggen tot 2002, daarna is alles gaan schuiven. De oorzaak van die verandering is een reactie van *boze burgers*, die hebben ontdekt dat je ook op andere partijen kunt stemmen dan op die van het politieke establishment. Over die ontwikkeling valt dus wel iets te vertellen. Maar eerst moet het verschijnsel immigratie in zijn context worden geplaatst, en in zijn historisch perspectief.

Immigratie

Als het in Nederland over immigratie gaat, wordt gewoonlijk de immigratie van na 1960 bedoeld, de nieuwe immigratie. Dit boek sluit daarbij aan, want we hebben het hier over de politiek van de laatste 50 jaar. Maar immigratie wordt in ons land ook in het algemeen gezien als een nieuw verschijnsel. En de werkelijkheid is anders: Nederland is een immigratieland en is dat altijd geweest. In mijn boek 'Bataven en Buitenlanders' heb ik de groei van de bevolking binnen onze huidige landsgrenzen zo nauwkeurig mogelijk gevolgd vanaf de tijd van de Romeinen, te beginnen ruim 2000 jaar geleden. Ik weet dus waar de Nederlanders oorspronkelijk vandaan komen. En dat is niet uit Nederland.

Oude immigratie

De toenmalige inheemse bevolking wordt op een 75.000 mensen geschat, mogelijk wat meer, Friezen en Bataven inbegrepen (Verleden van Nederland, Amsterdam, Atlas, 2008). De bevolking van 1950, 10 miljoen, zou uitsluitend uit deze kleine groep kunnen zijn voortgekomen. Maar wij weten dat dit niet het geval is door de vele immigratiegolven die na de Bataven zijn gevolgd. Al die immigranten zijn mede de voorouders van de *oude* Nederlanders geworden, die van vóór 1960. Ik heb berekend dat deze oude Nederlanders genetisch voor 25 procent van de oorspronkelijke binnenlandse bevolking van 75.000 (minus de Bataven) zullen stammen, en voor 75 procent van nieuwkomers. Berekenen is misschien een groot woord, het gaat om beredeneerde schattingen. Nu zal iemand zeggen dat hij 2.000 jaar te lang vindt, en liever wil uitgaan van een 100 procent Nederlandse bevolking in bijvoorbeeld 1500, het begin van de Nieuwe Tijd met Renaissance, Reformatie en het vroege kapitalisme. Een redelijk standpunt.

Maar ook en juist bij de grote economische expansie van de Republiek in de 16de en 17de eeuw zijn de immigranten niet weg te denken. Van 1500 tot 1650 verdubbelt de bevolking van 0,95 naar 1,9 miljoen, vooral door immigratie (De Vries en Van der Woude: Nederland 1500-1815. Amsterdam, Balans, 2de dr., 1995, p. 72). Zo waren er bij de VOC meer buitenlanders dan Nederlanders aan boord: in de periode 1600-1800 waren 40 procent van de matrozen en 60 procent van de soldaten voor Indië van buitenlandse, meest Duitse afkomst (Obdeijn en Schrover, p. 53). 'De Zuid Nederlandse Immigratie 1572 – 1630' van J. Briels noemt de acht belangrijkste Noord- en Zuid-Hollandse steden, plus Middelburg, met hun bevolking in 1622 en met het percentage immigranten uit de Spaanse Nederlanden, nu België. Het totale aantal autochtone inwoners bedraagt daar 316.996. Het aantal immigranten uit het zuiden alleen al bedraagt in hetzelfde jaar 135.300. Uit Duitsland en verder achterland waren het er op den duur nog meer. Dus dan gaat het om nog heel andere verhoudingen dan na 1960.

Toen het kolonialisme in de 19de eeuw echt tot ontwikkeling kwam, werden er vanuit Harderwijk militairen voor het Koninklijk Nederlands-Indische Leger (KNIL) uitgezonden, een soort vreemdelingenlegioen. Het waren meer buitenlanders dan Nederlanders, veel Duitsers, Belgen en Zwitsers. Het waren vanzelf niet altijd mensen met scholing, al waren die er ook bij, zoals chirurgijns. Paul van 't Veer noemt als voorbeeld van uitzending het jaar 1877. Via Harderwijk werden 3.046 Europese militairen uitgezonden, van wie 884 Nederlanders en 2.162 vreemdelingen (De Atjeh-oorlog. Amsterdam, De Arbeiderspers en Wetenschappelijke Uitgeverij, 1980, p. 75). Deze verhouding is niet representatief voor de gehele negentiende eeuw. Wel is bekend, dat er in de Oost veel niet-Nederlandse Europeanen rondliepen. Obdeijn en Schrover geven op pagina 139 een overzicht van 1850 tot 1900. Van de Europeanen in Indië waren er gemiddeld een tien procent in Nederland geboren. Maar eerste-generatie immigranten waren er ook niet veel, nauwelijks vijf procent. Toch altijd nog bijna de helft van de geboren Nederlanders.

Ook in de 16de en 17de eeuw waren het lang niet altijd immigranten met vakkennis die hun heil in Holland zochten. Vaak wordt gedaan alsof het toen uitsluitend om geschoolde vakmensen uit de Zuidelijke Nederlanden ging. Er kwamen er ook veel, Antwerpen liep leeg. Maar bij de massa van immigranten, vooral die uit Duitsland en verder achterland, waren toen toch ook al vaak mensen met een sociale achterstand die alleen bij het eenvoudigste werk werden ingezet en in sloppenwijken terechtkwamen. Bij de joodse immigranten is het sociale verschil heel zichtbaar. De Portugees-joodse kooplieden met hun bankrelaties woonden in Amsterdam in grachtenhuizen, de Oost-Europese joden moesten zich op de eilanden behelpen.

Op dit punt is het verschil met de immigratie van na 1960 dus minder groot dan soms wordt gedacht. Een echt en wezenlijk verschil is weer wel de enorme economische groei van die tijd. Na 1960 was er ook wel groei, maar die was niet te vergelijken. De zogenoemde gastarbeiders werden aangeworven om werk te doen waar de Nederlanders niet meer aan wilden beginnen. Vuil of onaantrekkelijk werk dat in veel gevallen kort daarna naar de lagelonenlanden verdween. In de VOC-tijd was die keuze er nog niet, men kwam in Holland altijd handen tekort omdat er zoveel werd ondernomen.

De emigratie van 1950-1960

In 1950 is het aantal inwoners van Nederland tot 10 miljoen gegroeid. Het land werd door de regering Drees als overbevolkt beschouwd. Geen banen en geen huizen, maar vooral geen ruimte. Op grote schaal werden jonge mensen tot emigreren aangespoord. Allerlei faciliteiten werden geboden. Ze gingen vooral naar Canada, Australië en Nieuw-Zeeland, maar ook naar de VS en naar Zuid-Afrika. Het waren er al gauw 350.000. In het gehele tijdvak van 1951 tot 1960 vertrokken in totaal 629.000 mensen.

Toch is er in die tien jaar per saldo een bevolkingsgroei van 1.341.000 mensen. In de eerste plaats is er een geboorteoverschot van 1.508.000, denkelijk nog voor een deel de geboortegolf. In de tweede plaats is er nog een immigratie van 462.000 mensen. Hiervoor zal voor een groot deel de groep die uit Indonesië terugkeerde, totaal ruim 300.000, verantwoordelijk zijn. En verder misschien al de eerste groepen die het emigreren bij nader inzien toch niet zagen zitten. Dus ondanks het negatieve migratiesaldo van 167.000, groeit de bevolking in deze tien jaar nog van 10.200.000 tot 11.555.000 (cijfers bij Gerbrands, p.47, oorspr. bron: Ecologiebibliotheek en CBS). Van 1 januari 1951 tot 1 januari 2001 stijgt de bevolking van 10.200.000 tot 15.864.000.

Nieuwe immigratie: gastarbeiders die teruggaan en gastarbeiders die blijven

Vanaf de jaren '60, zelfs al in de jaren '50, komen er meer vreemdelingen binnen dan er kort daarvoor eigen mensen zijn vertrokken. Het zijn er een paar maal zoveel. *'Hoe dat zo?'* De economie groeit en heeft mensen nodig. Er ontstaat een tekort op de arbeidsmarkt. Vooral voor de minder aantrekkelijke banen, vuil of gevaarlijk werk, worden geen liefhebbers gevonden. De buitenlanders springen in dat gat. 'Immigranten?' Nee, het ging niet om immigranten, het ging om gastarbeiders. Het woord zegt het al: ze waren te gast, ze zouden teruggaan.

Aanvankelijk loopt het volgens plan. Het begint met Italianen en Spanjaarden, Portugezen en Grieken, ook Joegoslaven. Ze zijn gekomen met het voornemen om een aantal jaren hard te werken en flink te sparen en dan terug te gaan om met hun verdiensten thuis een beter leven op te bouwen. Zo is het hun en ons voorgehouden. Velen doen dit ook. Hun landen ontwikkelen zich en de stroom houdt op. Wie hier blijft, integreert, al dan niet met behoud van culturele identiteit, zoals bij de Italianen.

Dan komen anderen, uit verder gelegen landen, vooral Marokkanen en Turken, maar bijvoorbeeld ook Tunesiërs. Zij volgen hetzelfde traject. Maar er zijn verschillen. Het zijn, met alle respect, mensen uit een heel andere wereld. Van oorsprong eveneens agrarisch, meest ongeschoold en religieus, precies zoals de eerste golf. Maar wel met een geheel andere, niet-Europese cultuur. En het welvaartsverschil met thuis is zodanig, dat ze liefst willen blijven.

De krappe arbeidsmarkt was niet de enige factor die gastarbeid in de hand werkte. Ook de sociale uitkeringen voor de Nederlandse werknemers speelden indirect een belangrijke rol. Al gauw kwam het begrip passende arbeid naar voren. Vóór de Tweede Wereldoorlog bestond dit niet of in mindere mate. Vandaar de spreekwoordelijke ingenieurs op de tram. De mensen moesten toen aanpakken wat er was. Was er geen werk in de private sector, dan bedacht de overheid iets. Zo is het Amsterdamse Bos ontstaan, het Haagse Zuiderpark en een deel van de Zuiderzee Werken.

Het plan om de overheid door investering werk te laten scheppen in tijden van economische crisis, werd vanaf 1936 gepropageerd door de school van de Britse econoom Keynes. In de Verenigde Staten had je in die jaren de bekwame en progressieve Roosevelt met zijn New Deal, die grote projecten begon. Dat Colijn nu zo op Keynes geïnspireerd was, lijkt me niet. Maar er gebeurde in de praktijk toch blijkbaar wel het een en ander op dit gebied in Nederland. Men had misschien ook moeite met het denkbeeld om iemand geld uit te betalen zonder tegenprestatie. Zelfs Den Uyl had dit nog, wordt beweerd.

In de jaren '60 en vooral '70 ging het bij ons als volgt. Als iemand bijvoorbeeld Chinees had gestudeerd, toen nog niet gevraagd, en dus geen passend werk kon vinden, kreeg hij een uitkering. Zoiets was geen probleem, want het ging om een enkeling. Maar vuil en gevaarlijk werk is er meestal genoeg, toen zeker, en daarvoor bestond vanzelf niet veel animo. Ook daar kwam het begrip passende arbeid te hulp. Maar ook al is werk vuil of gevaarlijk, het moet toch worden gedaan. Met de nieuwe sociale zekerheid als steun in de rug, begonnen de Nederlanders daar niet meer aan. Ze hadden al gauw recht op een uitkering. De opkomende verzorgingsstaat speelde een belangrijke rol.

Nog herinner ik me de Spanjaard naast wie ik woonde in dat huis in de Plantage in Amsterdam, ik denk in 1964. De man deed iets op een scheepswerf in Amsterdam-Noord. Elke avond kookte hij hetzelfde potje waarbij uien, tomaten, knoflook en rijst vaste ingrediënten waren. Hij leefde zo zuinig mogelijk om geld naar zijn familie in Andalusië te kunnen sturen. Als er voldoende was gespaard om daar een winkeltje te beginnen, zou hij teruggaan. En zo is het gegaan. Een prima man. Zo zijn er velen geweest die ons uit de brand hebben geholpen.

Werkloosheid houdt de mensen hier

De verzorgingsstaat is er voor iedereen. Bij ontslag of arbeidsongeschiktheid kun je de buitenlanders niet kwalijk nemen dat ook zij van de regelingen gebruik zijn gaan maken waarvoor ze premie betalen. Hun soort werk, vuil of gevaarlijk, bracht meer risico met zich mee, dus werden ze eerder arbeidsongeschikt. De behoefte aan ongeschoold werk nam af omdat de massa-industrie naar lagelonenlanden begon te vertrekken. Een economie van dienstverlening op hoog niveau kan weinig met ongeschoolden beginnen. Zo werden ze eerder getroffen door werkloosheid.

Op deze manier ontstond relatief grote arbeidsongeschiktheid en werkloosheid onder buitenlanders. De aanvankelijk ruime regelingen hielden de mensen hier. Je kon niet van hen verwachten dat ze vrijwillig zouden vertrekken van een bron van inkomsten waarop ze recht hadden. Ze zouden in eigen land hun uitkering hebben kunnen ontvangen, zoals Drees heeft bepleit. Maar het is anders gegaan, ze werden immigranten en mettertijd burgers van dit land. Gezinshereniging en gezinsvorming hebben vervolgens voor voortgaande immigratie van familieleden gezorgd.

Van Drees naar Den Uyl: een wereld van verschil

De politiek is in de jaren '60 en '70 heel anders over het emigratiebeleid van Drees gaan denken. De mensen in het land niet. Ik heb nog nooit een gewone burger horen zeggen: *'die emigranten van de jaren vijftig hadden rustig hier kunnen blijven, want het land was toen helemaal niet vol. Dat was maar een idee van Drees. Dit blijkt ook uit al die terecht toegelaten buitenlanders.'*

Deze visie op de immigratie heb ik nooit bij een gewone burger aan-getroffen, wel bij wetenschap, politiek en overheid. En vanzelf bij de links-progressieve intellectuele elite die deze sectoren beïnvloedde. Meestal woonden die vertegenwoordigers van de socio-ideologie niet in de wijken waar de immigratie problemen veroorzaakte. Socio-ideologie is niet helemaal het juiste woord, het ging hier niet altijd om idealisten. Het ging ook wel om *moralisten die water prediken maar wijn drinken*, zoals de Belgen zeggen. In Frankrijk spreekt men van *gauche caviar*, in Duitsland van de *Toskane Fraktion*. Wij hebben ook zo onze *salon-socialisten*. En in Amsterdam wordt wel gesproken van *goudbehangen links*. Overigens gaat het daarbij vaak eerder om modieus links dan om politiek links.

Wel kwam modieus links oorspronkelijk uit politiek links voort. Tegelijk met of kort na het begin van de ontkerkelijking, begon bevlogen links op te komen in de vorm van Nieuw Links, met een ander soort geloof en met de daarbij behorende ideologie en dogma's. De godsdienst met haar dogma's verloor aan invloed, de vanzelfsprekendheid van de zuilen verdween, maar de oude dogma's werden verruild voor nieuwe. Ook in deze gelijkheidsleer behoefde niet te worden nagedacht als je dat niet wilde. De progressieve intellectuelen zetten de toon. Zij wisten wat voor iedereen het beste was.

Onder de regeringen in de periode tussen Drees en Den Uyl werd er niet veel over immigratie gehoord. De overgang van emigratie naar immigratie was niet scherp afgebakend. Trouwens, dat zou ook niet kunnen, want het instromen van gastarbeiders sinds 1960 zijn wij pas achteraf immigratie gaan noemen, toen ging het om tijdelijke arbeid. De politiek behoefde zich niet af te vragen, of het de bedoeling was dat de gastarbeiders in Nederland zouden blijven. De contracten waren voor een beperkte duur afgesloten. Wel zorgde dezelfde politiek door haar overige beleid dat ze niet terug wilden. In deze spagaat kwam de regering terecht. Op een gegeven moment moest er een keuze worden gemaakt, de zaak had al te lang gesleept. Intussen was het probleem van de woningnood verergerd:

'De toestand is onnodig verzwaard doordat honderdduizenden buitenlandse arbeiders, die in de periode van hoogconjunctuur tijdelijk waren aangenomen, terwijl ze hun gezinnen niet mochten meebrengen, nu achteraf plotseling de mededeling kregen dat ze mochten blijven en hun gezinnen mochten laten overkomen. Het klinkt erg menslievend en ook ik heb sympathie voor de arbeiders die het risico namen naar een vreemd land te trekken, waar een andere taal werd gesproken, terwijl ze niet vooruit wisten wat hun huisvesting zou zijn. Nederland met zijn overbevolking heeft echter iets onverantwoordelijks gedaan door ze, toen de afspraak eindigde, toch hier te houden en de woningnood te vergroten. Men had ze met een flinke uitkering moeten laten gaan.'

Wie het bovenstaande wat kort door de bocht vindt, om geen ander woord te gebruiken, mag ik er wel op wijzen dat het inderdaad *'een sterke tekst is, maar niet mijn tekst'* (Heleen van Royen). Hij is afkomstig van oud-premier dr Willem Drees in zijn boek 'Herinneringen en Opvattingen'

(Naarden, 1983, p. 133). Drees begon blijkens het bovenstaande op een gegeven moment de aansluiting bij de Nederlandse politiek te verliezen. Dit overkwam hem denkelijk niet omdat hij oud werd, en dement is hij nooit geweest. De politiek veranderde. Talloze landgenoten begrepen er sinds de jaren zestig, en zeker na de opkomst van Nieuw Links in 1966, ook niets meer van.

Immigratie gaat van een economische basis naar een ideologische basis; de verzorgingsstaat biedt nieuwe mogelijkheden voor immigranten en asielzoekers: verblijf wordt een recht, het begrip selectie wordt een politiek taboe

De oude immigranten hebben meestal geruisloos hun weg gevonden op de arbeidsmarkt, die deze mensen opnam naar behoefte. Als dat niet zo was geweest, waren ze ook niet gekomen. Ze zouden namelijk niet zijn toegelaten. Maar zoals gezegd, in Holland zat men toen te springen om mensen. Wel werden armlastigen geweerd. Ook werden Zuid-Nederlanders, joden en hugenoten uitgesloten van een functie in de bestuurscolleges. De immigranten waren er vooral om de economische groei te bevorderen (Obdeijn en Schrover, p.69). Na 1960 is deze economische basis er aanvankelijk ook nog, maar dit zou spoedig veranderen, zoals boven beschreven. Daarnaast komen er andere groepen, bijvoorbeeld asielzoekers, die vanaf dag één tot nietsdoen worden veroordeeld, want zij waren niet voor werk gekomen en zouden teruggaan als zij geen verblijfsvergunning kregen. Intussen is de verzorgingsstaat ontstaan.

Dit verblijf van buitenlanders zonder werk, dus van gastarbeiders voor wie geen werk meer is en van asielzoekers die niet mogen werken, is dan voor Nederland nieuw. Het verschijnsel is niet meer zuiver economisch, maar mede ideologisch geïnspireerd (Schoo, De verwarde natie, p. 30). Dit geldt ook voor gezinshereniging en gezinsvorming. Of er economisch behoefte aan deze immigranten was of is, is dan geen uitgangspunt meer.

Deze mensen werd - onder bepaalde voorwaarden - het recht toegekend hier te zijn, met alle consequenties van dien. Er werd een verplichting tot opvang en onderhoud gevoeld. En er werd aangenomen dat het land de mogelijkheid had om ze op te nemen.

In de politiek kwam het steeds minder goed uit om het punt immigratie met de daarbij behorende selectie op de agenda te zetten. Het hele onderwerp werd onbespreekbaar, want politiek taboe. Onder deze invloed werd het vanzelfsprekend geacht dat vreemdelingen werden toegelaten, en niet dat ze werden geweerd bij gebrek aan kwalificaties of beschikbaar werk, zoals voorheen wel min of meer het geval was geweest. De oude immigratie met haar economische eisen had immers afgedaan. En nieuwe immigratie was er niet, want iedereen zou teruggaan. De nieuwe morele norm van iedereen toelaten sloeg aan en heeft zich lang kunnen handhaven, bijna tot aan het einde van de vorige eeuw.

De arbeidsmigranten lopen in een val

Als het niet meer het werk was, dan is het wel het sociale systeem geweest dat de buitenlanders aan ons land heeft gebonden. Het sociale systeem heeft in een eerder stadium ook op zichzelf al gastarbeiders aangetrokken. Soms waren de lonen elders hoger, zoals in Duitsland, maar de toegankelijkheid van de voorzieningen in Nederland maakte dan het verschil.

De gastarbeiders hebben een economische wet gevolgd. Hun is niets te verwijten. In de jaren '80 en later zijn er nogal wat bezuinigingen op sociale voorzieningen geweest, waar dus relatief veel buitenlanders mee te maken kregen. Die mensen waren zoals gezegd eerst voor werk voor ongeschoolden, vaak vuil en gevaarlijk werk, naar ons land gekomen, en waren daarna eerder in de sociale voorzieningen verzeild geraakt. Door de relatief ruime uitkeringen konden ze nauwelijks meer terug. Dan slaan vanaf de vroege jaren tachtig de bezuinigingen toe. De allochtonen zijn in een val geraakt. Die val hebben wij voor hen gearrangeerd. Niet met opzet, maar als resultaat van ons beleid. Zoiets had misschien toch anders gekund.

Immigratie na de tweede wereldoorlog in aantallen

1 1956 e.v. Vluchtelingen van uiteenlopende herkomst, als asielzoekers. Te beginnen in 1956 met 3.300 Hongaren, dan in 1968 Tsjechen, na 1980 Polen etc. (Lucassen, p. 45). Tot 1975 zijn het in het algemeen weinige, kleine groepen. Na 1975 veel meer, vanaf 1983 massaal (Lucassen, pp. 47, 48). Onder meer uit Somalië, Joegoslavië, Iran, Irak en Afghanistan. Van 1990 t/m 2003 werden 400.000 asielzoekers toegelaten (Demos, jaargang 20, okt./nov. 2004). Gegevens over huidige aantallen, onder wie veel nakomelingen, en gecombineerd met gastarbeiders en hun nakomelingen, aan het einde van deze bijlage.

2 1960 e.v. Gastarbeiders, aanvankelijk vooral uit Spanje, Portugal, Italië en Griekenland, later vooral uit Turkije en Marokko. Intussen ook wel uit Joegoslavië en Tunesië. Kleine groepen uit Spanje, Portugal, Italië en Griekenland, die meest terugkeerden. Grote groepen uit Turkije en Marokko, die meest bleven. Het oorspronkelijke aantal lag rond 200.000. Gezinsvorming en hereniging zorgden voor een constante toestroom uit de landen van herkomst. Gegevens over huidige aantallen, onder wie veel nakomelingen, en gecombineerd met asielzoekers en hun nakomelingen, aan het einde van deze bijlage.

3 1970 e.v. Surinamers en Antillianen. In 1990 woonden 237.000 mensen van Surinaamse, en 84.000 van Antilliaanse herkomst in Nederland (Lucassen, p.44). Gegevens over huidige aantallen, onder wie veel nakomelingen, aan het einde van deze bijlage.

NB De hierboven gegeven literatuurreferenties Lucassen verwijzen naar Lucassen en Penninx.

Over de groepen 1, 2 en 3 nog wat gecombineerde cijfers: Op 1 januari 2012 bedroeg het aantal allochtonen in Nederland 3,34 miljoen, waarvan 1,84 miljoen niet-westers en 1,50 miljoen westers. Dit betekent 20 procent allochtone bevolking, gesplitst in 11 procent niet-westers en 9 procent westers, op een totale bevolking van ruim 16,7 miljoen. Op 1 januari 2009 bedroeg het totaal 3,28 miljoen, waarvan 1,80 miljoen niet-westers en 1,48 miljoen westers. Allochtonen tellen in de statistiek mee als allochtoon als ze aan het criterium van tenminste één buitenlandse in het buitenland geboren ouder voldoen, ook al zijn ze zelf hier geboren en Nederlander. De definitie van het begrip allochtoon brengt met zich mee, dat voormalige allochtonen, van wie beide ouders in Nederland zijn geboren, uit de statistiek verdwijnen. Het is niet de etniciteit maar de nationaliteit en de plaats van geboorte van de ouders die in deze statistiek telt.

Dit verklaart mede waarom je bijvoorbeeld in Rotterdam zoveel niet-westerse gezichten ziet, terwijl het aantal allochtonen toch maar rond de 50 procent ligt. Het verklaart ook het misverstand dat in Rotterdam is gerezen omtrent een allochtone meerderheid die eraan zou komen, maar die natuurlijk niet kwam. Want een niet-westerse meerderheid is nog geen allochtone meerderheid. De term allochtoon zegt dus niet veel. Op zichzelf ook goed dat de registratie ergens ophoudt, je kunt niet aan de gang blijven want we leven hier niet met apartheid.

In de vakliteratuur worden de begrippen Turkse en Marokkaanse Nederlanders gebruikt. Die termen zijn in ieder geval duidelijk. Het zou het beste zijn als er aan dergelijke benamingen geen behoefte meer is, maar zoiets kun je niet afdwingen. In ieder geval zie ik de sociale subculturen nog niet verdwijnen. Aan de sociale onderkant is gettovorming denkbaar. Daar kunnen dan van overheidswege sociale hulpverleners en communicatie-deskundigen heen. Om hun *zelf verstopte paaseieren* te zoeken.

Tussen 2004 en 2008 is er in Nederland een negatief migratiesaldo geweest, meer emigranten dan immigranten. Het migratiesaldo is het saldo dat overblijft als immigratie en emigratie tegen elkaar worden weggestreept. In 2008 nam de emigratie af tot 120.000 en steeg de immigratie tot 140.000. Het migratiesaldo over 2008 werd dus weer positief. In 2010 waren de cijfers als volgt: immigratie 154.000, emigratie 121.000, saldo 33.000 positief. Van de immigranten was 34 procent niet-westers. Van de emigranten had 47 procent de Nederlandse nationaliteit (CBS/Statline).

Integratie

Wat wil de overheid met het woord integratie eigenlijk zeggen en waar liggen de grenzen? Je krijgt in Nederland wel eens de indruk dat er totale gelijkschakeling mee wordt bedoeld. Dat zou wel echt Hollands zijn. Nederland is, meer dan de meeste andere landen, een gelijkgeschakeld land. Het is in veel opzichten zo plat als een dubbeltje. Als je bij Roosendaal of waar ook over de grens komt vanuit het buitenland, word je meteen getroffen door de uniformiteit van alles, de woningbouw, de landinrichting. Kneuterig, gezellig, maar ook een tikje provincie en benauwd.

Eerder schreef ik al iets over Nederlands-Indië, tot na de Tweede Wereldoorlog nog de grote kolonie in Azië, de voorganger van Indonesië. Daar had je en heb je multiculturaliteit en pluriformiteit op allerlei gebied, een land van vele volken, talen en culturen. Cultuur en religie liggen er dicht naast elkaar, de Islam voorop. Indië had na Brits-Indië de grootste moslimbevolking in de wereld, Indonesië heeft die nu. Nederland heeft zich als klein land aan de ruimdenkendheid in de Oost altijd wat kunnen optrekken. Maar sinds de beide landen onvermijdelijk uiteen gingen om elk een afzonderlijk bestaan te leiden, is het anders gegaan. Ik heb zoals gezegd de indruk dat ons land sindsdien minder ruimdenkend en wat benauwder is geworden, en ja, een beetje provinciaals. Onze allochtonen hebben wat dit betreft misschien wel pech, dat zij juist in deze tijd zijn gekomen.

De uniformiteit van Nederland is opvallend. Dit feit zal zeker ook met de geringe omvang te maken hebben. Aan de aantallen immigranten in de loop der eeuwen heeft het niet gelegen. Het overgrote deel van hen, onder wie Duitsers, Belgen, Fransen, Britten en Zwitsers, is geruisloos in de autochtone bevolking opgegaan en na enkele generaties niet meer herkenbaar. De groepen die een uitzondering vormden en hun eigen cultuur behielden, waren klein. Ze liepen niemand in de weg en deden geen beroep op collectieve voorzieningen. Die waren er voor 1960 trouwens niet of nauwelijks. Joden, Chinezen en Italianen zijn voorbeelden.

Dan komen de nieuwe immigranten binnen, ze hebben een heel andere cultuur. In zo'n cultuur speelt godsdienst vaak een belangrijke rol. Buiten de westerse wereld liggen de begrippen godsdienst en cultuur dicht bij elkaar, zoals Paul Cliteur stelt. Wel is het ook weer een vergissing om moslims over één kam te scheren. Al deze mensen van buiten zijn gestuit op de Nederlandse monocultuur. Men had van te voren kunnen weten, dat ze steun bij elkaar zouden zoeken en daarmee in een zeker sociaal isolement zouden raken. Vooral omdat ons sociale systeem hen economisch uit de wind heeft gehouden. Ook zijn ze meestal bij elkaar in de oude wijken terechtgekomen en hebben daar een door de overheid gesubsidieerde subcultuur gevestigd. Integratie is nooit van hen verwacht, ze zouden immers teruggaan.

Na tientallen jaren ongestoord verblijf moeten deze mensen er ineens aan geloven: ze moeten *integreren*. Wat die integratie inhoudt, weet niemand. Ja, de taal een beetje, allicht, en als het even kan en als ze nog jong genoeg zijn aan het werk natuurlijk, maar verder? Zoals gezegd, godsdienst en cultuur liggen bij hen dicht bij elkaar. Dus wat is de bedoeling, dat zij hun godsdienst afzweren? Nee, dat is onzin, maar veel blijft er dan toch niet over. Met andere woorden, als de jongere mensen het Nederlands machtig zijn, werken voor hun brood en niet vaker met de politie in aanraking komen dan de oude Nederlanders, mogen we wat mij betreft blij zijn. Ik denk dan ook dat daar onze prioriteiten zouden moeten liggen.

Maar onze politiek en overheid tonen zich tegenwoordig bijzonder flink. Na veertig jaar een blinde vlek te hebben gehad voor immigratie en integratie, hebben zij na 2002 het licht gezien en tonen zij zich bij voorkeur nog roomser dan de paus. Met Fortuyn heeft dit natuurlijk niets te maken. De allochtonen moeten *inburgeren*. Ze moeten zich vertrouwd maken met de Nederlandse identiteit, deze liefst overnemen. Vreemd, de afgelopen veertig jaar hebben politiek en overheid zich uitgerekend aan die identiteit weinig gelegen laten liggen, haar daarentegen zo veel mogelijk gerelativeerd. Kortom, die Nederlandse identiteit bestond voor hen nauwelijks, was in ieder geval niet de moeite waard. We waren immers multiculti-wereldburgers geworden? En nu ineens het omgekeerde, nu is het de spil waar alles om draait.

Sterker nog: ook Nederlanders die wat langer in het buitenland hebben gewoond, moeten bij terugkeer een intakegesprek voeren waaruit zal blijken of zij een *inburgeringstraject* moeten volgen. Ik ken er toevallig een die terug in Nederland bij inschrijving in haar oude gemeente zo'n gesprek zou moeten voeren, te beginnen met het invullen van een formulier in tien talen. Haar man was trouwens ook al buitenlander, in zo'n situatie geen voordeel. En wat had deze mevrouw in het buitenland gedaan? Tot voor kort in haar hoedanigheid van Nederlandse langdurig als Nederlands diplomaat gewerkt voor het Nederlandse Ministerie van Buitenlandse Zaken. En ja, zo was de termijn verstreken. Dat haar buitenlandse echtgenoot elders ambassadeur in functie was en hij zich dus niet in Nederland zou komen vestigen, het maakte voor de ambtenaar geen verschil.

Zeker is zeker, onze overheid gaat niet over één nacht ijs met die inburgering. Ik heb nu het niet ingevulde tientalige formulier in mijn bezit. Ik wilde het al naar professor Smalhout sturen. Maar die werd toen juist ziek en ik was bang dat hij er niet van zou opknappen.

Feiten over integratie

Sinds Paars II zijn politiek en bestuur immigratie en integratie serieus gaan nemen. In die tijd is ook in deze kringen de ongemakkelijke ontdekking gedaan, dat met deze stilzwijgende en zogenaamd vanzelfsprekende immigratie, de integratie niet even stilzwijgend en vanzelfsprekend tot stand gekomen was. Er gaan veel verhalen rond over integratie. Al naar persoonlijke voorkeur is er voor de een niets aan de hand, terwijl de ander er geen goed woord voor heeft. Laten we daarom eens naar een objectief verslag kijken. Jaco Dagevos en Mérove Gijsberts voerden de redactie van het Jaarrapport Integratie 2009 van het SCP, zij schetsen de integratie in tien trends van ongunstig naar gunstig, voor de Volkskrant op internet (©Volkskrant, 18.1.2010/11.10.2010).

Tien trends in integratie

1 Hoog aandeel verdachten van criminaliteit onder niet-westerse groepen. Aandeel verdachten onder Marokkaanse en Antilliaanse jongens 4 à 5 maal zo hoog als onder autochtone jongens. Bij Turkse en Marokkaanse Nederlanders tussen 12 en 24 jaar wordt de tweede generatie vaker verdacht van criminaliteit dan de eerste generatie.

2   Opvattingen over moslims tussen 1995 en 2005 verslechterd. Beeldvorming van de Nederlandse bevolking over moslims tussen 1995 en 2005 aanzienlijk verslechterd. NB: er zijn geen cijfers van na 2005. Na 2002 enige verbetering.

3   Oplopende werkloosheid, hoge jeugdwerkloosheid. Migranten kwetsbaarder door economische crisis, vooral migrantenjongeren. Werkloosheid meer dan twee maal zo hoog bij migranten als bij autochtone bevolking. Lage opleiding en flexibele banen zijn belangrijke oorzaken bij niet-westerse jongeren.

4   Hardnekkige ruimtelijke en sociale segregatie. De laatste 10 jaar is het aantal concentratiewijken toegenomen. In 1998 23 wijken met meer dan de helft van de bevolking niet-westers. In 2008 49 wijken, waar ongeveer een half miljoen mensen wonen. In Amsterdam en Rotterdam in 2007/2008 38 procent basisscholen met meer dan 80 procent leerlingen uit niet-westerse groepen. Aantal neemt licht toe. Aanzienlijke samenhang met contacten in vrije tijd. In 12 jaar (1994-2006) niet noemenswaardig veranderd. Opleiding hoger, taal geen probleem, maar toegenomen ruimtelijke concentratie tegenkracht.

5   Onderwijs: vooruitgang, maar achterstand is nog groot. Vooruitgang bij grote achterstand algemeen beeld in het basis- en in het voortgezet onderwijs. Voortijdig schoolverlaten is nog relatief groot, maar neemt af.

6   Steeds meer niet-westerse migranten spreken Nederlands. Zowel met partner als met kinderen wordt door Marokkaanse en Turkse Nederlanders steeds meer Nederlands gesproken. Grote vooruitgang tussen 1998 en 2006.

7   Daling van de huwelijksmigratie. Huwelijken van Turkse en Marok-
    kaanse Nederlanders met een importbruid- of bruidegom: in 2001
    nog 60 procent, in 2007 15 procent.

8   Meer migranten in de middenklasse. Tussen 1996 en 2008 aandeel
    niet-westerse werkenden met een beroep op hoger en wetenschap-
    pelijk niveau fors toegenomen, vooral bij de tweede generatie. Aantal
    migrantenondernemers afgelopen 10 jaar sterk gestegen.

9   Modernisering: later moeder en minder kinderen. Turkse en Ma-
    rokkaanse vrouwen van de tweede generatie in 2008 bijna net zo
    laat moeder als autochtone vrouwen. Aantal kinderen scherp afge-
    nomen.

10 Instroom in hoger onderwijs uit migrantengroepen. Instroom
    jongeren migrantengroepen in hbo en universitaire opleidingen af-
    gelopen 10 jaar snel toegenomen. Instroom hoger onderwijs Turkse,
    Marokkaanse en Surinaamse jongeren van 20 naar 40 procent.

Vooruitgang en hardnekkige problemen, conclusie Dagevos en Gijsberts:
*'Deze tien trends wijzen op een enorme variëteit in uitkomsten, die het
onmogelijk maken te zeggen of de integratie is geslaagd of juist mislukt.
Er is vooruitgang, maar ook sprake van hardnekkige achterstand en forse
problemen. Zowel degenen die stellen dat het met de integratie de foute
kant op gaat als zij die menen dat Nederland een integratiemachine is,
presenteren een eenzijdig beeld.'*

Deze conclusie stemt ongeveer overeen met internationale statistieken
van de Migrant Integration Policy Index (MIPEX). De MIPEX is zelfs
optimistischer. Van 33 landen is Nederland in 2011 nummer 5, Zweden
nummer 1. In verband met plaatsruimte geef ik daarover nog wat informatie in hoofdstuk 10, onder Conclusie Multiculturaliteit.

Praktijk van de integratie

Nog eens: hoe is het vroeger gegaan? Bij de nieuwkomers gaat het soms snel, soms langzaam, maar aanpassen doen ze zich. Op een gegeven moment zijn het, van welke afkomst ook, gewoon Nederlanders geworden. Ze hebben ongemerkt de Nederlandse identiteit aangenomen. Ik wil dan ook niet de indruk wekken, dat praktisch heel Nederland altijd al uit importbevolking heeft bestaan. Dat wil zeggen, tot op zekere hoogte is het wel zo, maar zo voelt het niet. Er vindt een proces van vermenging plaats en de uitkomst daarvan is de zich steeds vernieuwende autochtone bevolking. Dit proces is meestal soepel verlopen. Het is zoiets als yoghurt maken uit melk, wat de mensen vroeger thuis wel deden. Je kunt daar eindeloos mee doorgaan zolang je het proces maar even de tijd geeft. Het lijkt wel toveren. De omstandigheden van na 1960 waren anders. Allerlei beleid heeft het de nieuwkomers zogenaamd gemakkelijk gemaakt, maar in werkelijkheid moeilijk.

Laten we het toch eens gewoon toegeven: integratie kan maar op één manier effectief tot stand komen: door deelname aan de arbeidsmarkt. Al het andere is droogzwemmen. Ik hoop maar dat de voorstanders van *'inburgeren in het land van herkomst'* nu niet boos worden. Werk brengt ook weer een verschil in beloning met zich mee, waardoor spreiding over verschillende wijken wordt bevorderd et cetera. Dit laatste zie je ook gebeuren. Veel immigranten hebben succes. Maar de groepen die op een minimum zijn aangewezen, bij elkaar in de oude wijken wonen en geen Nederlands spreken, zijn groot. Die situatie is dus geen goed idee geweest, maar wat zou je daaraan nu nog kunnen doen?

Het kwam al even aan de orde: ik denk dat als je veertig jaar lang aan mensen geen eisen hebt gesteld wat het leren van de taal of andere vormen van inburgering betreft, je daar nu niet ineens mee kunt beginnen. Dat lijkt mij niet redelijk. En laat die mensen toch rustig zitten in hun theehuizen, wie heeft daar nu last van? Probeer hun het leven een beetje te verlichten, laat ze zo mogelijk in hun eigen bejaardentehuizen wonen, of ze naar keuze een tijdje ginds en een tijdje hier laten verblijven in de buurt van hun kinderen, zonder daar nu meteen moeilijk over te doen. Zulke mensen hebben in het algemeen hard gewerkt voor Nederland. Spreiding? Theoretisch prima, maar hoe wil je dat in de praktijk nu nog voor elkaar krijgen? Ik geloof trouwens helemaal niet in gedwongen spreiding. Woonwagens in Wassenaar. Het klinkt interessant, maar het werkt van geen van beide kanten. Spreiding die zich van nature en uit zichzelf ontwikkelt, is iets anders.

Tot nu toe hebben we het over de eerste generatie immigranten. Maar er is ook een tweede en een derde generatie. Zoals gezegd, mensen uit die derde generatie zijn in de statistiek geen allochtoon meer. Hoogstens behoren zij nog tot een bepaalde etnische groep. Als het goed is, zouden die zich zo langzaamaan in het nieuwe land thuis moeten voelen en zich ontplooien. In veel gevallen is het zo gegaan. Alleen, ze hebben nogal wat last van discriminatie, de Nederlanders zijn inmiddels de enige mensen die Nederland ruimdenkend vinden. Misschien een reactie op de officiële koers van politiek en overheid dat vanzelfsprekend iedereen in dit *gastvrije en tolerante land* moest kunnen blijven. In dit verband wil ik wijzen op een oud, maar interessant artikel van Peter Giesen in de Volkskrant van 9 december 2006. De auteur baseert zich op een onderzoek van Coenders, Lubbers en Scheepers in het Jaarboek van het sociaal-wetenschappelijk tijdschrift Mens en Maatschappij. Uit dit artikel begrijp ik dat hoe soepeler de overheid zich opstelt, hoe meer de bevolking tot discriminatie neigt, en hoe strikter de overheid zich opstelt, hoe toleranter de bevolking is.

Zo beschouwd, zou de intolerante reactie van het volk, verwoord door de populisten, mede een gevolg kunnen zijn van de voorafgaande tolerantie door de overheid. Die wisselwerking is ook logisch. Als Wilders als politicus gaat overdrijven met de hoed van de koningin, zie je dat 79 procent van de mensen dit niet waardeert. Er zijn natuurlijk meer redenen om binnen bepaalde grenzen te blijven. Er is nu eenmaal onderscheid tussen fanatieke islamisten en gewone moslims. Maar er is ook nog een praktisch punt bij. Als je alle moslims verdacht maakt, jaag je uitgerekend de succesvollen weg. Die kunnen zich veroorloven om naar Engeland te gaan als de stemming te vijandig begint te worden. Maar niemand denkt toch dat er in dat geval ook maar één immigrant met een uitkering vertrekt? Waar zouden die mensen ook heen moeten? Waarmee dus geïntegreerde *haves* verdwijnen en niet-geïntegreerde *have-nots* blijven.

Ik denk dat er bij de beoordeling van de integratie van immigranten vooral verschil moet worden gemaakt tussen de generaties. En als er in bepaalde groepen meer vroegtijdige schoolverlating of werkloosheid of criminaliteit voorkomen en blijven voorkomen, dat er dan echt iets moet gebeuren. Ook in een multiculturele samenleving is het geven en nemen. Er moet een evenwicht zijn. De eenzijdige verzorgingsstaat loopt op een einde.

De positie van de allochtonen en de plicht van de autochtonen

Allochtonen die het over *de Nederlanders* hebben met wie ze zich blijkbaar niet identificeren, stemmen mij altijd een beetje treurig. Dit is nu het tegengestelde van een win-win situatie. Je ziet het geregeld op televisie: als allochtonen iets over Nederlandse gewoonten wordt gevraagd, of het nu 5 december is of 5 mei, dan zeggen ze soms dat dit meer iets is voor de Nederlanders. En dat zijn zij dus niet. Zoiets valt te betreuren, maar niet zomaar te veranderen. Het heeft tijd nodig.

Niemand heeft erom gevraagd te worden geboren, laat staan in een bepaald land. Mensen kunnen er zelf dus niets aan doen, dat zij zich op grond van hun geboorte in een soort minderheidspositie bevinden en zich daarmee op een tweede plan voelen geplaatst. Wij geven hun blijkbaar die indruk. Daarmee zouden we moeten ophouden. We hebben het recht niet om deze houding aan te nemen en ze is bovendien contra-productief. Ons is misschien niet gevraagd, of wij hun ouders als immigranten wilden zien. Maar hun is zeker niet gevraagd, hier te worden geboren. Zij hebben intussen, zo goed als wij, het recht om hier te zijn. Allebei kunnen we niet terug. Hun eigenheid hebben wij te accepteren. Zoals zij de onze. We moeten die mensen in hun waarde laten en een kans geven. Zij horen er nu ook bij. Zij horen bij ons en wij horen bij hen. Natuurlijk, we mogen en moeten aan hen op den duur dezelfde eisen stellen als aan onszelf. Maar laten we toch wat vertrouwen hebben, niet zo benauwd zijn, en niet zo unfair.

Aan de andere kant, de nieuwe Nederlanders moeten ook wíllen integreren, althans op hoofdpunten zoals deelname aan het arbeidsproces. Bij degenen met diploma's zijn er weinig problemen meer, ze werken. Bij de ongeschoolden zijn die problemen er nog wél. Ze hebben vaak geen werk. Desnoods verzint de overheid Melkertbanen. Of reorganiseert het minimumloon met fiscale tegemoetkoming, zoals Heleen Mees ooit bepleitte. Alles is beter dan uitkeringen zonder tegenprestatie. De situatie is aan het verbeteren, maar niet bij alle groepen. Verreweg de meesten begrijpen dat ons land niets heeft aan vrijblijvende logé's. Wie permanent in Nederland woont en er wil blijven, moet op den duur ook Nederlander willen zijn, met alle rechten en plichten van dien. Indien gewenst met behoud van de eigen culturele identiteit. Dat is ieders eigen keuze.

Nog eens: het gaat mij niet om het behouden of aannemen van een eigen cultuur. Dat moeten de mensen zelf weten. Sterker nog, hun loyaliteit tegenover het nieuwe land schijnt volgens recent onderzoek beter te zijn, naarmate ze zelf meer in hun achtergrond en identiteit worden gerespecteerd. Dat ligt ook voor de hand. Het werkt meestal goed als mensen voor vol worden aangezien. Verantwoordelijkheid laten is beter dan klein houden. De kwestie van nationaliteit en loyaliteit is wetenschappelijk onderzocht door psychologe Belle Derks in haar Leidse proefschrift van 22 februari 2007 (NRC/H. 12.03.07).

Overbevolking

Wat is overbevolking? Het is een relatief begrip. Toen ik na twee jaar in het leger de ruimte van het open veld gewend was en via Den Haag, mijn geboorteplaats, naar Amsterdam ging, vond ik Den Haag druk en Amsterdam nog drukker. Veel later, na een periode in New York, vond ik Amsterdam stil. Maar ik heb voor het eerst in Tokio begrepen wat vol is, in de ondergrondse. In Peking kunnen ze er ook wat van. Daar besef je ineens, waarom al die muren zo hoog zijn, zoals die van de *Verboden Stad*. Als al die Chinezen op elkaar gaan liggen, is een paar meter niks.

Met overbevolking als relatief begrip bedoel ik, dat overbevolking alleen vergelijkenderwijs kan worden beoordeeld. Argumenten dat er nog slechts zo en zoveel procent van de bodem is bebouwd, en dat daar dús nog wel wat bij kan, hebben geen waarde omdat ze uitgaan van absolute cijfers. Je zou dan moeten weten hoe het hier vroeger was, of hoe het nu elders op dit punt is gesteld. Dan kun je vergelijken.

Zo groeide de Nederlandse bevolking tussen 1900 en 2003 van 5,1 naar 16,2 miljoen mensen (2012: ruim 16,7). De hoeveelheid natuur en bos per inwoner is van ruim 1700 m2 in 1900 gedaald naar 299 m2 in 2003 (CBS/MNC, jan. 2007). Deze gegevens bieden dus een vergelijking met de situatie van ruim een eeuw terug. De volumeontwikkeling en de milieudruk van het wegverkeer is alleen al tussen 1990 en 2007 met ruim eenderde toegenomen, althans in CO_2 uitstoot (CBS/MNC, aug. 2008). En het feit dat Nederland in 2012 402,4 inwoners per km2 telt (16,7 miljoen gedeeld door 41,5 duizend km2) , biedt de mogelijkheid om met andere landen te vergelijken.

Dan blijkt dat landen die dichter bevolkt zijn dan Nederland voornamelijk stadstaten of probleemgebieden zijn, zoals Singapore, Hongkong, Gibraltar, Monaco, Vaticaanstad, Bangladesh en de Palestijnse Gebieden. Wereldwijd zijn als min of meer normale landen alleen Taiwan, Zuid-Korea en Puerto Rico dichter bevolkt. Van de Europese landen die met Nederland vergelijkbaar zijn, komt alleen België in de buurt.

Deze vergelijkingen wijzen in een bepaalde richting, maar er zijn nog wel een paar aanwijzingen. Als de bevolking dusdanig is, dat je elkaar in de weg loopt, dat het als een opluchting wordt ervaren als een deel van de mensen met vakantie is, dat het verkeer regelmatig stilstaat, dat de economie van de Randstad volgens een oud-premier door de overbevolking gevaar loopt, dat schaarse goederen zoals woonruimte niet of heel moeilijk te krijgen zijn, dat het land ten opzichte van zijn oppervlak een buiten verhouding groot beroep moet doen op hulpbronnen om zijn bevolking van het nodige te voorzien en daarmee dienovereenkomstig veel grondstofverbruik en vervuiling veroorzaakt, ja dan kun je, denk ik, wel van overbevolking spreken.

De overbevolking is ongelijk over het land verdeeld. De grote steden bieden het duidelijkste beeld en met deze steden de gehele Randstad. Amsterdam, Rotterdam, Den Haag en Utrecht hebben allemaal te weinig ruimte voor woningbouw en voor verkeer. De boel loopt vast. De steden fungeren immers als magneten, ook voor immigranten. Op de gemiddelde bevolkingsdichtheid van het land als geheel, hebben de immigranten niet veel invloed, maar in de steden is het anders. Anderzijds, zonder de immigranten hadden er in de steden toch wel evenveel mensen gewoond. Om voor het probleem van de overbevolking speciaal de immigranten verantwoordelijk te houden, is dus onjuist. Maar het beeld wil het anders, de buitenlanders hebben de schijn tegen.

Zeker, immigratie is maar één factor, en misschien niet eens de belangrijkste. Dit neemt echter niet weg dat het allemaal begint met mensen. Als je die binnenhaalt, willen ze ergens wonen, bij voorkeur niet in Oost-Groningen, winkelen, ze hebben een dokter nodig en een ziekenhuis. De kinderen moeten naar school. Ze willen sporten en aan recreatie doen. Ze krijgen te maken met politie en justitie. Ze doen een beroep op het openbaar vervoer en zelf willen ze op zondag ook met de auto van A naar B., precies zoals alle andere mensen. Nu zullen de deskundigen dit laatste niet ontkennen, maar hun conclusie is anders dan die van de gewone burger.

En dan nog dit. Het feit dat je overbevolking niet kunt aantonen, wil niet zeggen dat overbevolking niet bestaat. Het betekent alleen dat iedereen die wil volhouden dat Nederland niet overbevolkt is, dit ongestraft kan doen. Laten we daarom nog eens naar de reden kijken waarom een vol land geen vol land mag heten.

Overbevolking als laatste taboe

Als je echt vindt dat het wel meevalt, zoals bij deskundigen doorgaans het geval is, ligt je vergelijkingsmateriaal blijkbaar in Bangla Desh of in de Palestijnse Gebieden. Overdreven? Misschien. Maar Puerto Rico, Zuid-Korea en Taiwan zijn toch evenmin erg overtuigend. Ik heb die geruststellende voorbeelden al genoemd. En in Nederland kom je ze in de praktijk ook werkelijk tegen. Hier wordt de bevolkingsdichtheid van het land in wetenschappelijke publicaties zelfs met die van wereldsteden vergeleken. Er wordt dan gesteld dat een bepaalde stad meer inwoners heeft en minder oppervlak, dus hoezo Nederland overbevolkt? Maar als eenvoudige krantenlezer denk je dan toch: sinds wanneer is Nederland een stad? En wat, in vredesnaam, hebben wij met Shanghai te maken? Het lijkt mij inderdaad geen sterke vergelijking, qua objectiviteit, maar de deskundigen komen ermee weg. Hoe heeft het zover kunnen komen?

De term *overbevolking* werd sinds de omslag in het denken van de jaren '60 en '70 niet veel meer gehoord. Het woord *woningnood* daarentegen, dat in dezelfde hoek zit, bestaat nog steeds. Om over de files maar te zwijgen. Het lijkt me dat een begrip als overbevolking in Nederland voor lange tijd ondergronds is gegaan. En dat het witwassen van het besmette woord nog niet overal vlekkeloos verloopt. Hoe overtuigend de overbevolking zich ook manifesteert aan de gewone burger, het woord ligt in het openbaar nog steeds moeilijk. Wie daar iets over zegt in een krant, ziet zich binnen de kortste keren teruggefloten door een deskundige wetenschapper die met de bovenomschreven argumenten komt. Vroeger zou je zo iemand politiek correct hebben genoemd, maar dat kun je nu niet meer doen. Want volgens politiek correct zelf bestaat politiek correct niet meer. Integendeel: politiek incorrect is nu de norm, zeg maar politiek correct, geworden. Volgens politiek correct zelf dan. Voor zover het nog bestaat, natuurlijk.

Wat zulke mensen meestal beweren over het geringe percentage van de bebouwde grond of over de belangrijker factor bij overbevolking, de grotere ruimtebehoefte, mag waar zijn, maar het houdt geen rekening met de betrekkelijkheid van die factoren. Op zichzelf is overbevolking een neutraal begrip, en het is relatief. Maar als je tot de conclusie overbevolking komt, doe je blijkbaar iets fout, want je wordt meteen gecorrigeerd. En in deze correctie zit naar mijn indruk iets van een waardeoordeel, verhuld in cijfers die op zichzelf wel juist zijn, maar er in dit verband niet toe doen.

'Een waardeoordeel?' Ja, de deskundigen maken in het algemeen de indruk, te reageren op een onzedelijke opmerking. Alsof je zou hebben beweerd dat er helemaal geen immigranten meer zouden moeten worden toegelaten, of geen immigranten van een bepaald geloof. Het verband tussen overbevolking en immigratie mag niet worden gelegd. Het wetenschappelijke standpunt van de deskundigen lijkt op deze manier veel

op een dogma, een dogma met twee regels: Regel 1: Het land is niet vol. Regel 2: Als het land wel vol is, treedt regel 1. in werking.

Een hoogstaand mens als Paul Fentener van Vlissingen - God hebbe zijn ziel - trok zich van zulke deskundige opvattingen niets aan en wees onder meer op de verwoestende uitwerking op het milieu van een overbevolking als de onze. Daarbij zijn wij ook nog eens vleeseters. Deze combinatie heeft ons gedwongen tot de dieronvriendelijke en vervuilende intensieve veehouderij. Niet alleen vervuilend in eigen land. Het veevoer komt voor een belangrijk deel uit de tropen waar regenwoud moet worden afgebrand om de teelt mogelijk te maken. Van de ecologische nood hebben wij vervolgens een economische deugd gemaakt. Wij leren ook anderen hoe zij de natuur moeten misbruiken, en exporteren onze expertise op dit van God verlaten terrein. Expertise in uitbuiting en uitputting van de natuur, van het ecosysteem. John Gray schrijft op 26/27 januari 2008 een artikel in NRC Handelsblad: 'Een wereld met minder mensen is het beste recept tegen een dreigende klimaatramp.'

Overbevolking is een dagelijkse indruk van iedere burger, maar ik geef toe, het is een subjectieve indruk, en door de overheid dus meestal niet van harte toegegeven. En als je blind vaart op de deskundigen, kom je er natuurlijk nooit uit. Maar over blind gesproken, de politici en de beleidsambtenaren zijn natuurlijk niet echt blind, ze zijn oostindisch blind. Als er iemand met een plan komt om een groot landareaal in de Noordzee te vestigen, althans als mogelijkheid te onderzoeken, is een ruime meerderheid in de Tweede Kamer vóór. Een dergelijk paardenmiddel, dat begrijpen de politici ook wel, kan alleen worden verantwoord door ernstige overbevolking. Dus dat besef leeft daar blijkbaar wel, er moet alleen liever niet over worden gepraat. Zoiets heet een taboe. Als je het mij vraagt ons laatste.

NB De tekst van dit hoofdstuk is mede gebaseerd op aangepaste passages uit het boek *Bataven en Buitenlanders, 20 eeuwen immigratie in Nederland; zelfde auteur, zelfde uitgever, nov. 2009.*

10 | Multiculturaliteit en nationale identiteit

Uitgangspunt overheid: *multiculti-ideologie nu voorbij, maar nog wel onduidelijke nationale identiteit*

Multiculturaliteit

Multiculti-ideologie en feitelijke multiculturaliteit

Wij hebben in Nederland een samenleving met culturele diversiteit of multiculturaliteit: een multiculturele samenleving. Ik bedoel daarmee niet het modieuze maar intussen alweer verouderde ideologische begrip: een samenleving waarin vele culturen naast elkaar voorkomen en geen de overhand heeft. Dat lijkt mij vooral politiek wensdenken geweest en voor ons land niet meer aan de orde. Ik doel op de feitelijke toestand: er bestaan bij ons verschillende culturen naast elkaar en daarin domineert traditioneel de Nederlandse cultuur, die de basis is van de gemeenschappelijke taal, het staatsbestel, de rechtspraak, het onderwijs en andere zaken die ons binden als Nederlanders.

Misschien zou je volgens moderne terminologie het begrip multi-etniciteit moeten gebruiken, maar ook die optie heeft zijn beperkingen.

Zo is het in India en Pakistan vooral de religie die de groepen bepaalt, in de Verenigde Staten of in Suriname misschien eerder de etniciteit. Ik geef daarom de voorkeur aan het woord culturele diversiteit of multiculturaliteit en denk daarbij aan de gelijkwaardigheid van de culturen met de Nederlandse als overkoepelende en bepalende cultuur. Op deze manier lijkt het me een voor Nederland passend begrip. Om verwarring van de nu feitelijk bestaande multiculturaliteit met het vroegere ideologische multiculti-begrip uit te sluiten, wordt ook het woord pluriformiteit gebruikt. Het woord heeft geen negatieve lading en geeft de werkelijkheid weer. Maar multiculturaliteit is op zichzelf een goed woord. De multiculti-ideologie ligt inmiddels weer achter ons.

Deze situatie bestaat in ons land zeker sinds 1648: een onafhankelijk land met een traditionele nationale hoofdcultuur in combinatie met andere culturen. Dit met uitzondering van de Franse tijd van 1795 tot 1813 en de Duitse bezetting van 1940 tot 1945. De Franse tijd kwam ook neer op een bezetting, maar had wel meer draagvlak bij de bevolking. Er bestaat in het algemeen voldoende vrijheid om de eigen cultuur in eigen kring te beleven binnen de structuur van de gemeenschappelijke, de nationale cultuur, waaraan iedereen deelneemt of geacht wordt deel te nemen. In vroeger tijden was die vrijheid beperkter, maar meestal toch nog zoveel groter dan elders, dat het land aantrekkelijk was voor mensen die hier meer vrijheid zouden genieten dan thuis het geval was. En zo is het min of meer gebleven.

Achtergrond van de multiculturaliteit

Multiculturaliteit, diversiteit van culturen, is voor ons land een relatief nieuw verschijnsel. *Hoe is zoiets mogelijk in een immigratieland?* Inderdaad, een immigratieland. De oude Nederlanders van vóór 1960 hebben voor 75 procent genen die van buiten de huidige landsgrenzen komen. Hun voorouders waren dus grotendeels immigranten, maar het waren in het algemeen mensen uit naburige landen. Er was geen verschil in etniciteit, en weinig in godsdienst en overige cultuur. Dus op deze manier is het voor ons gemakkelijk om onszelf te zien als echte, als typische Nederlanders die ook oorspronkelijk uit Nederland afkomstig zijn. Het eerste is wel, het tweede is niet juist. Culturele minderheden en religies waren er wel, maar getalsmatig speelden ze geen grote rol. Ik beschouw de katholieken dan even niet als culturele minderheid, maar in de 17de eeuw waren ze dat wel, zelfs tot halverwege de 19de eeuw. Het calvinisme was de heersende religie.

De immigranten leken dus in veel opzichten op de Nederlanders, al zullen hun manieren misschien iets beter zijn geweest. Om deze reden ging de aanpassing eeuwenlang als vanzelf. Tenminste, als je achteraf kijkt. Want wij weten niet hoe moeilijk onze voorouders het als immigrant in dit voor hen vreemde land, Holland, misschien hebben gehad. Maar in twee, hooguit drie generaties was het leed geleden. Dan was er geen Duits accent meer, en geen zuidelijke zwier die in dit land al gauw overdreven werd gevonden. Er kwam nauwelijks een sturende overheid aan te pas.

Na 1960 kwam er een ontwikkeling op gang die aan de ene kant veel weg had van vroegere immigratie, maar verder toch ook heel verschillend was. Het verschil zat in twee hoofdpunten: de niet-westerse herkomst van de immigranten en de sturing van de overheid. Want wat is er gebeurd? Eerst heeft de overheid de instroom onder de vlag van tijdelijk werk, gastarbeid, zelf georganiseerd. Dit op verzoek van de werkgevers die hun verouderde industrie nog even overeind wilden houden. Of die hun vuile werk graag door buitenlanders wilden laten doen omdat ze daarvoor geen Nederlanders meer konden krijgen. Vervolgens heeft ze er in strijd met de contracten permanent verblijf van gemaakt. En tenslotte heeft ze lang gewacht om het verschijnsel te noemen wat het door haar eigen toedoen is geworden: immigratie. Bij de asielzoekers, en dat waren er veel meer, is een vergelijkbare polder-salamiprocedure gevolgd. Omdat de overheid juist de verzorgingsstaat had opgezet, begon deze zich ook te richten op de nieuwkomers.

Onder zulke omstandigheden was integratie lange tijd niet aan de orde. Het was niet nodig om Nederlands te leren. De gevolgen bleven niet uit. Elke subcultuur leidde een bloeiend bestaan. De gemeentelijke diensten gaven informatie in een reeks van exotische talen. De autochtone bevolking begon zich te roeren. Van de nood van het aldus ontstane gebrek aan samenhang, werd een deugd gemaakt: multiculti werd de nieuwe norm, dàt was je ware. Het werd quasi een doel op zichzelf.

Dit feit voorzag ook in een rechtvaardiging om mensen binnen te halen zonder kwalificaties voor de arbeidsmarkt. Voor het geval dat iemand nog twijfelde aan ieders recht om hier te zijn. Intussen moesten de nieuwkomers maar zien dat ze er tussen wal en schip zelf wat van maakten. Wat immigranten in Nederland hebben bereikt, is volgens het rapport Blok (2004) vooral aan henzelf te danken. Dit laatste lees ik bij Kleijwegt, p. 28. Op deze manier is het de immigranten én de eigen bevolking onnodig moeilijk gemaakt. Het gesubsidieerde isolement (Paul Scheffer) van de immigrantengezinnen heeft verdoezelend en belemmerend gewerkt.

Ontwikkeling van de multiculturaliteit

Mensen en de etnische groepen waartoe zij behoren, verschillen. In grote landen met een divers samengestelde bevolking, spreekt zoiets vanzelf. Men heeft er geen moeite mee. In Nederland ligt dit minder eenvoudig. Zoals gezegd, ons land is na de Tweede Wereldoorlog misschien mede door het verlies van zijn grote kolonie Nederlands-Indië, nu Indonesië, in elk opzicht een klein land geworden, ook mentaal. Het is tegenover buitenlanders in ieder geval minder positief dan het in de zeventiende eeuw moet zijn geweest. Wel werd er ook toen al flink gediscrimineerd, maar de onmisbaarheid in het arbeidsproces zal bij de praktische Hollanders toch een rol hebben gespeeld.

Omdat het bij de gastarbeiders de bedoeling was dat ze terug zouden gaan, werd integratie niet nodig geacht. Het ging aanvankelijk immers maar om tijdelijk verblijf en het ter discussie stellen van immigratie en haar consequenties was dus niet aan de orde. Toen dit wél aan de orde kwam, waren de normen veranderd. De verplichting om mensen op te nemen kwam voorop te staan. Of liever, hun recht om hier te zijn.

Het probleem van premier Drees met de overbevolking speelde officieel al helemaal niet meer. Tijdens de grote golf van liberalisering en verlinksing vanaf de jaren '60 deed het er steeds minder toe, wat de oude Drees ervan vond. Drees dacht wel sociaal, maar ook economisch en rationeel, en vóór alles in het belang van het land dat hij als politicus diende. Na 1960 werd over deze dingen anders gedacht, meer in termen van internationale solidariteit.

Je krijgt de indruk, dat bezwaren tegen multiculturaliteit nogal eens hand in hand gaan met irritatie over uitkeringen. Je kunt je daarbij wel iets voorstellen. Als iemand over de Albert Cuijp gaat lopen uitgedost als de grootmoefti van Oost-Kirgistan, moet hij dat zelf weten. De Amsterdammers zijn wel wat gewend. Maar als blijkt dat zo iemand zijn kunsten hier komt vertonen op hun kosten, ligt het al anders. Het is duidelijk dat deze bezwaren bij de autochtone Nederlanders sterker leven naarmate zij zelf meer met het verschijnsel uitkering bekend zijn. Zij voelen de vreemdelingen als concurrenten. De economische bovenlaag heeft dat probleem niet. Integendeel, deze groep profiteert eerder van de vreemdelingen omdat hun lonen laag zijn, althans in het grijze en zwarte circuit.

Op deze manier zijn de meningen verdeeld als het over sociaal en economisch niet-aangepaste buitenlanders gaat. Er is nog een zeker evenwicht, het loopt allemaal wel zo'n beetje. Maar het is duidelijk dat dit ook kan veranderen. Bij een economisch klimaat waarin de ene crisis op de andere volgt, gaat het begrip voor te veel vrijgestelden er niet op vooruit, vooral als ze zich als exoten blijven profileren. Als Europa werkelijk benauwde tijden krijgt, zal dit probleem in meer landen opduiken.

Binnenslands ontstond al veel eerder onvrede over deze gang van zaken. Niet alle Nederlanders dachten even progressief als hun toenmalige politiek en overheid, en ze voelden zich gepasseerd. Deze gevoelens kregen concreet gestalte in de politiek. Fortuyn begon ermee, voorafgegaan door schoten voor de boeg van lieden van minder formaat. Ik doel hier niet op de heer Bolkestein, die als gearriveerd politicus al eerder de moed heeft getoond bepaalde zaken aan de orde te stellen. Na Fortuyns dood overleefde diens partij evenmin, maar zij kreeg wel navolgers. Overigens begon men onder Kok ook vóór 1998 al nattigheid te voelen. Te veel mensen kregen door dat zij in een land van voldongen feiten leefden.

Omgaan met multiculturaliteit

Sedert de nieuwe immigratie van na 1960 is de diversiteit groter geworden en heeft religie aan belang gewonnen, juist op een moment dat de rol van religie bij de autochtone Nederlanders sterk verminderde. De een zal dit anders waarderen dan de ander, maar het is een feit dat we zullen moeten accepteren. De multiculturele en pluriforme samenleving bestaat en zal niet meer verdwijnen. We staan wat dit betreft niet meer voor een vrije keuze, er is geen weg terug, we moeten samen verder. En er zijn wel een paar dingen voor verbetering vatbaar, dus valt er nog wat aan te passen, aan beide kanten. Ik bedoel daarmee niet het gedwongen inburgeren van mensen die hier al veertig jaar wonen en op geen enkele manier geïntegreerd zijn. Dat soort nieuwe flinkheid heeft geen zin meer, daarvoor heeft de politiek de zaak te lang uit de hand laten lopen.

Waar de sociale cijfers van de nieuwkomers nog uit balans zijn, helaas nog op veel punten, zal dit op den duur moeten veranderen in een situatie met meer evenwicht. Gezien het feit dat de grote meerderheid van de allochtonen het redelijk tot goed doet, zal dit zeker in orde komen als we de juiste maatregelen nemen en de ontwikkeling wat tijd geven. Die tijd is toch ook nodig voor een meer algemeen, een sociaal aanpassingsproces, ik bedoel een aanpassingsproces dat verder gaat dan de arbeidsmarkt. Met juiste maatregelen bedoel ik niet rustig verder gedogen en wegkijken. Als er immigranten uit een bepaald land zijn die chronisch en disproportioneel van een uitkering afhankelijk zijn, mag daar wel eens iets aan gebeuren.

De multiculturaliteit wordt zeker nog als bezwaarlijk gevoeld. Enerzijds door de mensen die zich realiseren, dat er naar verhouding te weinig niet-westerse allochtonen zijn ingeschakeld in het arbeidsproces, en er dus te veel een beroep doen op voorzieningen. Anderzijds door degenen die de nieuwe situatie als een bedreiging zien van de Nederlandse identiteit. Die bedreiging van de Nederlandse identiteit is subjectief en zal dus uiteenlopen. Maar je moet daarbij het verschil tussen de Schilderswijk en het Statenkwartier in Den Haag, om maar een voorbeeld te noemen, wel in aanmerking nemen.

Bij de kwestie met de uitkeringen liggen de feiten eenvoudiger, daar zijn immers cijfers van. De verklaring is weer een andere vraag. Er zit in het algemeen een factor 2 tussen nieuwe en oude Nederlanders. Overigens is er vooral bij de jongeren recent veel verbeterd. Multiculturaliteit betekent op zichzelf nog geen ongelijkheid in economische of sociale positie, maar er is soms een samenhang. De Chinezen in Indonesië zijn relatief welvarend, evenals de Indiërs in Afrika. Dus niet alle minderheden zijn kansarm. Het omgekeerde komt ook voor. Economisch functioneren staat in principe los van de culturele en etnische achtergrond, maar wordt er in de praktijk eerder mee in verband gebracht naarmate het meer afwijkt van de norm.

De oude en de nieuwe Nederlanders zijn landgenoten geworden. Ook de oude Nederlanders zullen zich dus moeten afvragen *Wie zijn wij? Welke normen hanteren wij? Welke kansen bieden wij? Welke eisen stellen wij?* Als het woord *wij* nog van toepassing is, tenminste. Ik bedoel dit niet ironisch, want eigenlijk bestaat het oude *wij* niet meer en moeten we ons met elkaar instellen op het nieuwe. Het is natuurlijk wel wennen. En ja, het verschilt naar omgeving.

Oost-Groningen en Rotterdam bieden niet hetzelfde beeld. Rotterdam heeft een flinke meerderheid van niet-westerse bewoners. De allochtone bevolking ligt onder de 50 procent, maar ik heb al beschreven hoe dat cijfer tot stand komt en dat er nu ook al veel niet-westerse autochtonen zijn. Dan kun je moeilijk volhouden dat de oorspronkelijke Rotterdamse bevolking, die feitelijk een minderheid is, maatgevend blijft voor het geheel. Een niet-westerse burgemeester is daar dus wel op zijn plaats, althans op grond van die verhouding. Dit geldt straks ook voor de andere grote steden.

In principe is er iets te zeggen voor de oplossing van Adriaan van Dis: *allemaal met elkaar naar bed, dan zijn de problemen zo opgelost.* Je wordt dan één grote familie. Maar ook al zou die vermenging nog even op zich laten wachten, wat hier en daar wel het geval zal zijn, de verschillende groepen zullen als land- en lotgenoten toch met elkaar verder moeten in een gemeenschappelijk bestaan, bijna een soort familiegemeenschap. Zoals bij iemand die zijn onbekende *roots* in een ver land op de televisie gepresenteerd krijgt, en die dan ineens allerlei nieuwe familieleden blijkt te hebben. Zo iemand is daar wel een beetje verlegen mee, maar vindt het toch ook leuk en spannend. En tranen horen erbij. Dit brengt ons bij de positieve kant van de multiculturaliteit.

De positieve kant van de multiculturaliteit

In de toekomst behoeft de negatieve kant van de pluriformiteit of multiculturaliteit geen rol meer te spelen. In dat geval kan de positieve kant zich beter ontwikkelen. De multiculturaliteit kan door diversiteit verrijking met zich meebrengen, mits constructief ingezet. Ook is vermenging op zichzelf zeker niet negatief. Integendeel. De eerste twee internationale talen van de wereld, Engels en Spaans, stammen beide oorspronkelijk van succesvolle volken die aanvankelijk allerminst een eenheid vormden, maar zijn gegroeid uit een bont mengsel van verschillende etnische groepen en culturen: Groot-Brittannië en Spanje. DNA-onderzoek brengt daaromtrent steeds meer feiten aan het licht.

De Verenigde Staten hebben de naam van smeltkroes, maar daar zijn veel etnische groepen nog duidelijk te herkennen. Wel is hun samenleven en samenwerken een succes. Noord-Amerika bewijst dat assimilatie niet nodig is, samenleven in multiculturaliteit, in culturele diversiteit, is mogelijk: alle groepen kunnen Amerikaan zijn én in hun eigen groep blijven. Het proces van verrijking door culturele diversiteit vereist wel inzet van alle betrokkenen. Deze wordt in de Verenigde Staten iedere immigrant ingeprent. Voorop staat echter het respect voor de nationale eenheid.

Verder is het opvallend dat landen en steden met een gemengde bevolking wat levendiger zijn. Ze zijn althans voor mij interessanter, aantrekkelijker. Een monocultuur kan zelfs iets drukkends hebben, zoals je in China en Japan ervaart. In India voel je dit niet. Misschien omdat de eenvormigheid daar toch meer diversiteit biedt die ook voor de westerling waarneembaar is. Misschien ook voel je je daar vanwege het Engels minder buitengesloten. Canada en Australië vind ik heel plezierige landen, waar je mensen tegenkomt uit werkelijk alle windstreken. Kortom, culturele diversiteit is voor mij winst. Voor veel andere Nederlanders trouwens ook, want zodra ze ergens in het buitenland grote groepen landgenoten tegenkomen, zijn ze meestal niet blij. Zeggen ze.

Conclusie multiculturaliteit

Over de achtergrond van de multiculturaliteit van het land raken we niet gauw uitgepraat. Vooral niet over hoe het anders had gekund of gemoeten. Maar laten we praktisch zijn: de multiculturaliteit bestaat. En zolang dit geen beletsel is voor werken, samenwerken en zich aan de wet houden, is er denkelijk ook geen probleem. Dat is makkelijker gezegd dan gedaan. Want op een aantal punten moet nog wel iets gebeuren. Alle solidariteit heeft grenzen. Wie kan werken, moet werken. Het begrip voor deze stelling leeft ook bij de PvdA. Den Uyl zei het al: *tot het onmogelijke is niemand gehouden.*

Willen we de zaak leefbaar houden, dan moet het roer om, geen twijfel mogelijk. Maar hoe? Misschien moeten we met praktische dingen beginnen, zoals een politiek van *werken wordt beloond* in plaats van *werken wordt gestraft.* Onze eigen verzorgingsstaat werkt de integratie tot nu toe tegen. De werkloze allochtonen raken door een uitkering in een sociaal isolement, en niet alleen de allochtonen. In feite wordt door de immigratie de ondeugdelijkheid van ons eigen systeem aan het licht gebracht. Niets doen is geen redelijk alternatief, al heeft men dit lang aangenomen. Over deze dingen praat ik wel met immigranten. Het zijn meestal mensen uit landen waar het niet zo soft toegaat. Juist deze mensen begrijpen heel goed, dat als de één achterover leunt, de ander tweemaal zo hard moet werken. In hun ogen geen levensvatbaar systeem.

Een ander praktisch punt zou zijn: een objectieve en meer gerichte benadering van de uitwassen van bepaalde jeugdculturen, ook die van eigen bodem trouwens. Dit zonder te stigmatiseren en met behoud van respect voor de cultuur als geheel. Je mag een etnische groep niet veroordelen omdat daar meer criminaliteit of lastige jongeren voorkomen, daar kunnen de goedwillenden ook niets aan doen. Maar je moet ook niet wegkijken en wel maatregelen nemen. Niet alleen maar tolerant willen zijn, ook handhaven. En als je zelf het handhaven hebt verleerd, is dat niet de schuld van de desbetreffende jongens.

Je kunt van bijna elk kind een draak maken door het consequent niet op te voeden. Ik denk dat er nog te veel in tegenstellingen wordt gedacht. De populisten neigen tot overdrijven, zeker, maar de wegkijkers neigen tot onderschatten. En samen vergroten ze het probleem in plaats van dat ze het oplossen. Want deze tegenstelling vergiftigt de atmosfeer in de multiculturele werkelijkheid waarin wij met elkaar moeten leven.

NRC Handelsblad komt op 18 november 2011 met een artikel van Dirk Vlasblom met de kop " 'Straatterreur' valt erg mee". Het ging om een promotieonderzoek van de criminologe Monique Koemans naar waan en werkelijkheid van antisociaal gedrag in elf achterstandswijken, allemaal vaak in het nieuws als extreme gevallen. Het ging om asociaal gedrag, licht crimineel, maar niet strafbaar. Wat blijkt? Slechts in drie van de elf wijken beheerst overlastgevend gedrag het publieke debat. Politici die spreken van straatterreur en aandringen op meer repressie, gaan volgens de jonge doctor niet af op de vraag van het publiek, maar op gechargeerde berichtgeving in de media.

De juistheid van dit alles kan ik niet beoordelen, en vooral de media spelen zonder twijfel een rol. Maar als het moet betekenen dat het allemaal wel meevalt met die licht-criminele, maar niet strafbare hangjongeren, en dat er te snel van straatterreur wordt gesproken, vraag je je toch ook het volgende af: alles goed en wel, maar hoe het zit met de criminele hangjongeren die wél strafbaar zijn? Want die worden bedoeld in de krantenberichten over straatterreur zonder aanhalingstekens. Dan gaat het over het molesteren van buschauffeurs, brandweerlieden en ambulancemedewerkers. En dat zijn de mensen die alle maatschappelijke bescherming verdienen.

Betrof het in de Diamantbuurt ook alleen maar niet-criminele jongeren en waren de problemen ook daar voornamelijk aan de pers te wijten? Is de overlast in Slotervaart ook alleen maar onschuldig en is daarmee de langdurige inzet van Ahmed Marcouch en Diederik Samsom, beiden PvdA, overdreven geweest? Of waren de heren alleen maar opgejut door De Telegraaf? Wel ben ik het met de conclusie van het onderzoek eens, dat repressiever beleid niet nodig is, maar dat de bestaande beleidsinstrumenten onvoldoende worden ingezet. Inderdaad, dit land heeft geen nieuw beleid nodig, maar handhaving.

Alles moet kunnen, deze jaren '60-erfenis begint ons op te breken. Wij handhaven niet, en dat is ons en niet hun probleem. Dit verschijnsel heeft op zichzelf niets met bepaalde groepen te maken. Sommige groepen zijn er alleen gevoeliger voor, misschien vanwege hun tegengestelde cultuur. Wij zetten nog steeds onze gedoogcultuur in tegen hun machocultuur. Dat werkt dus niet. Bij ons trouwens ook niet. Over stigmatiseren gesproken: hoezo verantwoordelijkheid van de ouders, hoezo uitkeringen inhouden, hoezo veelplegers terug naar Marokko? Hebben Nederlandse ouders hun kinderen soms wél in de hand? De ene etnische groep anders behandelen dan de andere, is geen goed idee. De problemen die wij ontmoeten zijn in belangrijke mate een koekje van eigen deeg. Het is ons eigen slappe Montessori-handje dat erachter zit. Ik zou zeggen: *je maintiendrai*, ik zal handhaven. Laten we daar eens mee beginnen.

En als ik over de problematiek van immigratie en integratie nog een samenvattende en afsluitende opmerking mag maken: ik denk eigenlijk dat we nog heel blij mogen zijn met de situatie zoals die nu is. Met veertig jaar non-beleid en enkele jaren aarzelend geklungel en nu met de inburgeringsindustrie verbaast het mij namelijk, dat de aangerichte schade niet groter is. Dit wijst op de kwaliteit van degenen die nieuw zijn binnengekomen en die blijkbaar in belangrijke mate immuun zijn voor die bedervende invloed. Zoals eerder vermeld, ligt deze opvatting in lijn met het rapport Blok. Maar misschien is het overheidsbeleid, hoewel het over de hele lijn geen schoonheidsprijs verdient, op sommige punten nog niet zo gek geweest.

De situatie wijst ook op de souplesse van onze eigen bevolking. Dit biedt perspectief voor de toekomst. Wij kunnen de zaken zeker weer op de rails krijgen. Daarbij is het natuurlijk wel zaak te beseffen, dat de politiek er voor de burgers is, niet omgekeerd. En als je de mensen uitlegt dat wij te weinig vakmensen hebben, zullen ze er heus niet tegen zijn dat wij artsen, ingenieurs en loodgieters van elders laten komen. Geen ongeschoolde of half opgeleide potentiële werklozen, die hebben we zelf genoeg. En werken voor je brood, wat is daar eigenlijk tegen? Daar zou het land ook flink van opknappen.

Je moet trouwens wel blind zijn om niet te zien, dat veel mensen gewoon een aanwinst voor onze maatschappij zijn. Die slimme en prima aangepaste Hindoestanen bijvoorbeeld, die ondernemende Turken of die keurige Marokkaanse, Surinaamse, Turkse, Afrikaanse en andere exotische meisjes die bij de supermarkten met inzet hun werk doen, of dat werk nu erg spannend is of niet. Daar kun je in ieder opzicht mee voor de dag komen, ook internationaal. Mensen om trots op te zijn, een verrijking voor het land.

Het is in dit verband interessant, dat ons land in internationaal onafhankelijk onderzoek naar integratie in 33 landen in 2011, op de vijfde plaats stond. Het gaat dan meest om Europese landen, maar ook de VS, Canada, Australië en Japan. Er is een lichte daling sinds 2007, toen het nog de vierde plaats was. Maar met 68 punten is de situatie *slightly favourable* en beter dan in de meeste andere delen van Europa, zelfs beter dan in de VS en maar iets minder dan in Canada met resp. 62 en 72 punten. Zweden is winnaar met 83 punten. De Migrant Integration Policy Index (MIPEX), die deze vaststelling geeft, is een vergelijkende studie uitgevoerd o.l.v. de British Council en de niet-gouvernementele Migration Policy Group in Brussel. Er worden ook heel slechte cijfers gegeven. Wat me opviel, is dat het arme Portugal de eervolle tweede plaats bezet. Het is blijkbaar niet altijd een kwestie van geld.

Feitelijke inburgering en progressieve ideologie

Met feitelijke inburgering bedoel ik hier werkelijke inburgering in de praktijk, niet de geldverslindende inburgeringsindustrie van overheidswege. Die is meer van *met een taxi naar de inburgeringscursus* en *oude Nederlanders moeten ook een intakegesprek bij terugkeer uit het buitenland*. In ieder geval de stuwende kracht achter *www.inburgernet.nl*. Ik weet verder niets van die site, maar op het eerste gezicht lijkt het om een soort model te gaan dat door managers met de werkelijkheid wordt verward. *De kaart, niet het gebied* zogezegd. Maar daarover later. Nu eerst even terug naar de ontwikkeling van vóór al die professionaliteit.

Als we terugkijken op de afgelopen decennia en de feitelijke inburgering proberen te evalueren, zijn we gauw klaar. Want wat mij betreft wordt één ding duidelijk: de immigranten uit andere culturen hebben bij hun integratie meer last dan gemak gehad van wat ik noem *de ideologie van rechten zonder plichten*. Het rapport Blok spreekt dan ook van integratie niet dankzij, maar ondanks de overheid.

In een oud interview van Bas Heijne met de Britse historicus Michael Burleigh kwam ik een interessante kijk op dit soort zaken tegen. Burleigh is in bepaalde kringen verdacht, want katholiek en conservatief. Maar hij is niet op zijn achterhoofd gevallen. Deze man zegt dingen die anderen alleen durven te denken, ongebruikelijk voor een vooraanstaand hoogleraar. Als creatieve geest overdrijft hij, maar hij raakt de kern. Burleigh stelt dat de overheid eerst door haar beleid de segregatie bevordert, een soort sociale gettovorming dus, om er vervolgens allerlei sociale functionarissen op af te sturen om de boel weer vlot te trekken. Dat is dus *het vinden van zelf verstopte paaseieren,* denk ik. Het interview besluit met een treffende opmerking van Burleigh. Hij is ervóór '*om politici een zo lang mogelijke vakantie op onze kosten aan te bieden*' (maandblad M van NRC/H. juni 2006).

Wie die ideologie heeft verzonnen en wie die ideologen waren? Niet zo eenvoudig te beantwoorden, die vraag. In de eerste plaats bestaat deze ideologie niet als zodanig, maar is eerder een bijproduct van de maakbaarheidsfilosofie. En die is weer een derivaat van de neosocialistische omslag in de jaren '60 en '70. De maakbaarheidsfilosofie bestaat trouwens ook als derivaat van de neoliberale omslag van de jaren '80 en '90. En is zeker niet minder giftig, vooral niet in handen van managers.

Eerlijk gezegd geloof ik niet dat je *de ideologie van rechten zonder plichten* met personen kunt verbinden, hoogstens met groepen en dan nog maar vaag en in de verte. Je kunt het verschijnsel evenmin een op een met de linkse politiek verbinden. Andere traditioneel niet-linkse partijen hebben vlijtig meegedaan, vooral het CDA. Maar wat is dan de oorsprong?

In de eerste plaats is er de tijdgeest, weinig concreet maar onontkoombaar. De tijdgeest krijgt overal gestalte en houdt niet stil bij de deur van politiek en overheid. Integendeel, overal waar de waan van de dag de dienst uitmaakt, is de tijdgeest welkom. Of keer ik de volgorde nu om? Over de opkomst van beleidsambtenaren die na 1960 steeds minder los kunnen worden gezien van de politiek, hebben we al gesproken. Dan de nieuwe aanhang van bijvoorbeeld de PvdA, de progressieve intellectuelen. Nieuw, dat wil zeggen *jaren '60 nieuw, intellectuele voormalige oudere jongeren* dus. Ook deze groep is ruim vertegenwoordigd geraakt op de departementen, al loopt dit per departement nogal uiteen. Dan spelen de media een rol.

Er wordt ook wel eens iets geopperd over progressieve gogen. Inderdaad zijn de jaren '60 en '70 ook aan de sociale faculteiten niet ongemerkt voorbijgegaan. En omdat zij zich met de maatschappij bezighouden, wordt er soms eerst naar hen gekeken. Bij alle veranderingen en ontwikkelingen die nu in het verdomhoekje zitten, krijgen zij al gauw de schuld. Maar als je naar het drama van het onderwijs kijkt, om maar iets anders te noemen, kun je dit moeilijk de gogen verwijten. Sterker nog, het is de politiek zelf die de puinhoop heeft veroorzaakt. Alleen al die reeks van benoemingen van overbelichte lichtgewichten op dat vitaal belangrijke departement spreekt voor zichzelf. Organisaties die niet functioneren staan altijd nog onder leiding of althans controle van de politiek. Maar als de desbetreffende bewindspersonen ook niet meer weten waar ze mee bezig zijn, wordt het moeilijk.

Nog even iets over de tijdgeest. Je kunt het effect daarvan terugzien in de zich aanpassende behandeling van immigranten. Aanvankelijk is het *rechten zonder plichten* in een *gesubsidieerd isolement* (Paul Scheffer). Na 2002 is het *verplicht inburgeren* geblazen, liefst al in het thuisland. Uiteraard begeleid door managers voor een optimaal rendement. Managers met het hart op de juiste plaats, dat wel natuurlijk.

Het effect is het grootst wanneer alle disciplines samenkomen, dat is bekend. Of tenminste linkse en rechtse maakbaarheidsfilosofie. Zoiets kan dus gebeuren als je de inburgering van immigranten door managers laat verzorgen. En als het er maar overtuigend structureel en planmatig uitziet, en maar flink ingewikkeld is, ligt daar toch weer een stukje professionaliteit waarmee ze het waarachtig wel gaan redden, die managers. Althans bij de toezichthouder.

Samengevat zie ik wel slachtoffers, voorop de immigranten, aanvankelijk met hun *gesubsidieerde isolement* en daarna met hun *gedwongen inburgering*. En daarmee ook de samenleving als geheel. Ik zie geen daders, wel zoals gezegd raakpunten met de twee soorten maakbaarheidsfilosofie, de linkse en de rechtse. Maar de factor die er bij feitelijke culturele aanpassing en inburgering werkelijk toe doet, is en blijft de arbeidsmarkt.

Nederlandse identiteit

Identificatie met Nederland

De Wetenschappelijke Raad voor het Regeringsbeleid (WRR) heeft in het rapport 'Identificatie met Nederland' van 24 september 2007 geconstateerd, dat identificatie niet zo eenvoudig is, onder meer omdat niet duidelijk is wat de Nederlandse identiteit inhoudt. Nederlanders komen immers overal vandaan. Dit laatste, de uiteenlopende herkomst van de Nederlanders, is een feit. Maar herkomst heeft niet noodzakelijkerwijze iets met identiteit te maken. Geen volk zo gemengd als de Amerikanen, maar met hun identiteit zit het wel goed. Bij sommige groepen immigranten is naast de overkoepelende Amerikaanse identiteit ook de eigen, oorspronkelijke identiteit blijven bestaan.

De Nederlandse identiteit is inderdaad minder duidelijk, in ieder geval in deze tijd, mogelijk mede als gevolg van de stelselmatige verwaarlozing door onze overheid. Identiteit wil ook gecultiveerd worden. Daar zijn de Verenigde Staten echt mee bezig, altijd al trouwens. In vergelijking met sommige andere landen lijkt de Nederlandse identiteit nooit heel sterk te zijn geweest. Daarvoor lijkt de *weg met ons mentaliteit* traditioneel toch te groot. Zo bestaat onze taal bijna nergens meer. De vergelijking met Portugal is pijnlijk: Portugees is de officiële taal van tien landen. Nationale identiteit is in sommige andere landen wat meer uitgesproken aanwezig, maar is ook daar per definitie moeilijk te omschrijven. Het gaat immers niet om een heel concreet begrip.

Wat betreft de gevarieerde herkomst van de Nederlanders en de conclusie dat hun identiteit nog niet goed waarneembaar is, het volgende: zelf zou ik in plaats van *nog niet* eerder zeggen *niet meer* goed waarneembaar, het lijkt me dat de nationale identiteit vervaagd is. Die vaagheid van identiteit heeft echter weinig te maken met de diversiteit van herkomst. Tot 1960 zijn bijna alle groepen immigranten in Nederland niet alleen ingeburgerd, maar zelfs geassimileerd. Ze waren binnen twee of drie generaties niet meer te onderscheiden van de autochtone burgers. Niet dat dit per se nodig was want uitzonderingen werden geaccepteerd, maar zo is het gegaan. Dat door die voortdurende instroom van immigranten tot 1960 de Nederlandse identiteit aan inhoud zou hebben verloren, lijkt mij onzin.

De kaalslag van de jaren '60 en '70

Na 1960 zijn er wél ontwikkelingen aan te wijzen waardoor identificatie misschien moeilijker is geworden. In de eerste plaats de toen gepropageerde individualiteit, emancipatie en onafhankelijkheid van elke groepsdwang. Godsdienst, gezag, normbesef en historisch geworteld nationalisme, het waren de grote verliezers van de jaren '60 en '70. Maar juist deze factoren waren vanouds componenten van de nationale identiteit. Ego-cultuur, normloosheid en multiculti-ideologie konden de leemte niet vullen. Het bevolken van de grote steden met grote groepen niet-westerse immigranten die qua aanpassing en inburgering met rust werden gelaten, helpt ook niet om de Nederlandse identiteit in het algemeen te bevorderen. Vervreemding alom en ja, dan ga je vragen stellen over identiteit.

Inhoudelijk kom je daarbij niet veel verder. Dat prinses Máxima vergeefs naar de Nederlandse identiteit heeft gezocht, lijkt me niet zo vreemd. Ze is naar Nederland gekomen op een moment dat daar juist op dit punt 40 jaar kaalslag had plaatsgevonden. Sterker nog, door haar eigen optreden heeft zij het imago van het Koninklijk Huis aanzienlijk helpen verbeteren, en daarmee ook het profiel van de Nederlandse identiteit bevorderd. Als je de nationale identiteit in rationele termen probeert te vangen, blijkt dit niet mee te vallen. Naar ik hierna zal demonstreren, is het dan maar een beetje gezwets. Inhoudelijk een vacuüm, zo lijkt het.

Maar pas op, als die identiteit wordt ondergeschoffeld ontstaat er een gemis. Alweer een oriëntatiepunt uit zicht, een ankerpunt verdwenen. Ik denk dat het nationalisme dat zeker bij de PVV, maar ook bij de SP aanwezig is, hiermee te maken heeft. De aanhang van deze partijen heeft niet veel met het Europadenken, is überhaupt niet erg internationaal gericht. Ik denk dat beide partijen bij het Nederlandse cultuurrelativisme en de immigratiegolf tot 2002 baat hebben gehad. Wat zij proberen de bieden, is zekerheid en veiligheid. Iets van de oude wereld toen alles nog in orde was, maar die nu is verdwenen.

De vroegere praktijk

Met het thema van de Nederlandse identiteit en het nationale bewustzijn werd ik al jong geconfronteerd, in het leger. Men zat daar toen een beetje mee, want we hadden juist onze laatste koloniale oorlog verloren. Of eigenlijk, we hadden ons onder internationale druk moeten terugtrekken. Ik voelde me aangesproken, want ik had me als oorlogsvrijwilliger gemeld, maar werd wegens het staken van de vijandelijkheden niet meer uitgezonden. Ik vond het wel jammer. Want als je juist een vak hebt geleerd, wil je de praktijk ook wel eens meemaken.

Ik was geplaatst in een instructiebataljon waar tot die tijd voor Nieuw Guinea werd opgeleid. Onder de instructeurs waren nog Korea-veteranen. In het programma waren twee lesuren opgenomen die min of meer over identiteit en nationaal bewustzijn gingen. Ik meen onder de veelzeggende titel 'Vlag, vaandel, volkslied', zoiets. Ter nadere informatie stonden de docenten alleen wat duistere stencils ter beschikking, waarin het er meen ik om ging, de troep de grote betekenis van het Nederlanderschap bij te brengen. Een beetje in de sfeer van God, Nederland en Oranje, dus dat zou de mannen wel aanspreken.

Zo had je ook instructies om ze op het niet te onderschatten belang van het regiment te wijzen, vooral als het een garderegiment betrof. '*Want vergeet nooit, mannen, wat het is om gardist te wezen.*' Zo was ik eerder zelf geïnstrueerd door de overste W., wiens donkere nazaten naar verluidt mede debet zijn aan de overbevolking op Java. Maar de nationale identiteit sloeg alles. De meeste instructeurs waren als de dood voor die lessen, niemand wist er raad mee. Of ik er een draai aan kon geven?

Tenslotte werd er een tactiek bedacht in die zin, dat de lessen bij een velddienstprogramma werden ingeroosterd en collectief werden ondergebracht bij de man die het experiment voorstelde, zijnde ondergetekende. Bij zware velddienst was elke les waarbij kon worden gezeten c.q. gelegen, welkom. Om de attractie nog te verhogen werd het complete instructiebataljon, ik meen zo'n 600 man, bij voorkeur bij warm weer, op de hei neergevlijd.

Een goed begin dus, en ik begon voor het front van de troep over de Nederlandse vlag. Maar zoiets hou je geen twee lesuren vol. Dus heb ik er toen maar de avonturen van alle wettige Oranjes aan vastgeknoopt die me te binnen schoten. Het ging ook over Brazilië, waar Johan Maurits van Nassau-Siegen als gouverneur de scepter heeft gezwaaid. Ik had daar toen nog nooit iets over gelezen, dus de details moet ik en passant hebben verzonnen. Soms werd ik gecorrigeerd door een historicus, in die tijd zat in het leger alles door elkaar. Zo heeft althans iemand van die lessen nog iets opgestoken. Maar niet over de Nederlandse identiteit. Trouwens, die sprak toen nog vanzelf. Het probleem ontstaat wanneer je ernaar op zoek gaat.

Nog even terug naar de zoektocht van prinses Máxima

Prinses Máxima heeft opgemerkt dat zij in zeven jaar de Nederlandse identiteit niet heeft kunnen vinden. En zij haalde daarbij haar schoonvader prins Claus aan, die had gezegd niet te weten hoe het voelt om Nederlander te zijn (NRC/ H. 25.09.07). Het antwoord van prins Claus kon geen ander zijn: hij was formeel Nederlander, maar in de eerste generatie. Dus vanzelf kon hij niet weten hoe het voelt om Nederlander te zijn. Nederlander of wat dan ook zijn is geen jas die je aantrekt, het is je huid (naar Jan Eykelboom), daar moet je ingroeien. De essentie ervan is onzichtbaar, in ieder geval weinig concreet. Was de vraag aan de kroonprins gesteld, dan zou hij daarmee wel raad hebben geweten. Want hij is hier geboren en heeft de identiteit meegekregen. Dat de prinses over zichzelf en over haar schoonvader sprak, betekent waarschijnlijk dat zij het moeilijk definieerbare, het relatieve van een nationale identiteit bedoelde.

Nationale identiteit, ook de Nederlandse, is nu eenmaal niet heel concreet, het is naar mijn idee een moeilijk te definiëren samenstel van kenmerken, vermoedelijk tot stand gekomen door een gemeenschappelijk beleefd verleden en daarbij nog altijd in beweging, dus niet statisch maar dynamisch. Bovendien zijn er tegenstrijdigheden en veel uitzonderingen bij individuen. De identiteit is daarom hoogstens een statistische waarheid, en dan nog een vluchtige en dus moeilijk grijpbare waarheid, wiskunde is het zeker niet. Zo sprak mijn buitenlandse moeder perfect Nederlands. Zo goed, dat mensen dachten dat ze Indisch was, en in

Holland opgevoed. Maar als je me nu vraagt of ik haar als Nederlandse beschouwde, dan zeg ik: geen seconde en in geen enkel opzicht.

Nationale identiteit heeft tijd nodig, in de eerste plaats om zich te ontwikkelen, in de tweede plaats om te worden waargenomen (alweer Johan Cruijff: *'je ziet het pas als je het doorhebt'*), in de derde plaats om te worden verworven (onbewust en meestal in de tweede generatie of later). Maar bestaan doet die identiteit natuurlijk wel, de prinses zal het zonder twijfel hebben ervaren. In Nederland bijvoorbeeld, zijn de koopman en de dominee nooit ver weg. Met alle voor- en nadelen van dien. De Nederlander zit graag voor een dubbeltje op de eerste rang en hij schoolmeestert en moraliseert als hij de kans krijgt. Maar wordt iemand zielig gevonden, dan staat de Nederlander vooraan, zowel collectief bij ontwikkelingshulp als individueel bij collectes. En in veel huizen in ons land zitten de mensen 's avonds graag in een verlichte etalage, niet alleen in donker Amsterdam.

Willem Elsschot en de Nederlandse identiteit

Misschien moet je een dichter zijn om de identiteit van een land in woorden te vangen. Willem Elsschot was een van de grootste schrijvers in de Nederlandse taal, maar Nederlander was hij niet. Hij had als Belg ook geen reden om zich met Nederland te identificeren. Hij schreef een gedicht over Van der Lubbe, de communist uit Leiden die het gebouw van de Rijksdag had aangestoken en door de nazi's werd verdacht van samenwerking met de Duitse communisten, en ter dood werd veroordeeld. Elsschot schreef het in 1934 voor Simon Vestdijk. Over Holland schrijft Elsschot onder meer:

'Laat het stikken in zijn centen,
in zijn kaas en in zijn krenten,
in zijn helden als daar zijn
Tromp, De Ruyter en Piet Hein.'

De verontwaardiging over het weinig heldhaftige gedrag van ons land is bijna tastbaar. Natuurlijk, hier spreekt de dichter, en de dichter dramatiseert en overdrijft. Wat had de regering moeten doen? Met *'Nederland waarschuwt Nazi-Duitsland nog één keer'* dreigen? Maar in zijn karikatuur komt de Nederlandse identiteit onherroepelijk naar voren, van zuinigheid tot gebrek aan moed. Maar ook dit laatste facet van de identiteit heeft een positieve kant. Kleine landen moeten meer concessies doen dan grote, anders vechten ze zich maar dood. Het polderen, de overlegcultuur, zit ook in die hoek.

Waarnemen van de Nederlandse identiteit is dus mogelijk, evenals verwerven, maar dit pas door een volgende generatie. Identificatie met Nederland is denkelijk iets anders. De eerste familie des lands vormt een interessant voorbeeld. Haar betrokkenheid bij en identificatie met ons land liggen, voor zover ik het kan beoordelen, bij 100 procent, haar herkomst uit dit land tot voor kort bij 0 procent. De Nederlandse identiteit bestaat naar mijn indruk in principe alleen bij hen die hier zijn geboren of opgevoed. Dit geldt ook voor de leden van het Koninklijk Huis. Maar of er daar nog buitenlandse paspoorten voorhanden zijn, weet ik niet. Het lijkt me geen brandend probleem.

Heeft de Nederlandse identiteit afgedaan?

De vraag of de Nederlandse identiteit heeft afgedaan, hangt samen met de vraag of Nederland als nationale eenheid heeft afgedaan. Maar daarvan is geen sprake. Het is waar, het neosocialisme en het neoliberalisme hebben beide meer interesse voor internationale verbanden. Nationaliteit is voor hen passé. Maar beide politieke richtingen hebben zelf ook wel hun beste tijd gehad. Aan de andere kant, globalisten zijn er en zullen er blijven. Al was het alleen maar omdat de markt op wereldschaal opereert. Cultuur in de zin van kunst en wetenschap is trouwens ook steeds minder gebonden aan nationale grenzen.

Nu is nationaliteit maar één van de vele mogelijkheden tot maatschappelijke identificatie. De identiteit van een mens is als een mozaïek in vele kleuren. Jood, miljonair, katholiek, Rotterdammer, lid van de SP, je kunt het allemaal tegelijk zijn. Maar het bepaalt steeds minder wie je bent. De socioloog Zygmunt Bauman meent dat mensen in deze tijd de wortels van hun identiteit kwijt zijn. Ze hebben daarvoor in de plaats een anker dat zij naar believen ergens anders kunnen uitgooien. Zo ontstaat een *'liquid identity'*, die ons vrijheid biedt, maar ons veiligheid ontneemt. Vervreemding kan het gevolg zijn. Onzekerheid en angst is de prijs die voor die vrijheid wordt betaald.

Een internationale trend zal er ook in ons land zeker blijven. Maar of de Nederlandse identiteit daarmee ook heeft afgedaan? Ik geloof er niets van. Ja, voor de kosmopolitische elites allicht wel, maar voor de achterblijvende meerderheid niet. Niet iedereen is blij met al die internationalisering. En dan, nationale identiteit is vooral een sentiment. Zeker, de markt is geglobaliseerd en de politiek heeft het nakijken. Maar sentiment laat zich niet zomaar terzijde stellen. Hier kan een tegenstelling ontstaan tussen de noodzaak van de grensoverschrijdende markt en de behoefte aan nationaal sentiment en eigenheid. Op deze manier zou het zomaar kunnen, dat de nationale identiteit nog heel wat toekomst voor de boeg heeft.

NB De tekst van dit hoofdstuk is mede gebaseerd op aangepaste passages uit het boek Bataven en Buitenlanders, 20 eeuwen immigratie in Nederland; zelfde auteur, zelfde uitgever, nov. 2009.

11 | Europa en de euro

Uitgangspunt overheid: *EU belangrijk voor Nederland,*
Nederland belangrijk voor EU, euro onmisbaar

Europa

Zes pogingen om Europa onder één gezag te brengen

De huidige Europese crisis is in 2010 begonnen. Het onderwerp is ingewikkeld. Er komt een stroom van informatie op je af die voortdurend
wisselt, maar over diepere achtergronden gaat het meestal niet. In de
kwaliteitspers wordt het nog wel eens geprobeerd, maar ook daar ligt
de grens meestal bij de Tweede Wereldoorlog. Een enkele keer kom
je de rol van Bismarck of die van Napoleon tegen, één maal kwam in
NRC/Handelsblad zelfs die van het Romeinse Rijk voorbij. Wie naar de
protestborden in Griekenland kijkt, de Duitse vlag met hakenkruis of
Angela Merkel met Hitlersnor, dat genre, begrijpt dat hij met oud zeer te
maken heeft. Maar hij weet misschien niet dat het bij de irritatie die hij
waarneemt, ook om geesten uit lang vervlogen tijden gaat.

De tegenstelling tussen mediterraan en noordelijk Europa heeft een oeroud verleden. Het is fascinerend om te zien hoe die geest uit zijn graf is herrezen, opgeroepen door een modern verschijnsel als de eurocrisis. Inzicht in de geschiedenis komt het begrip van de crisis te hulp. Zo hoor je mensen nu praten over de leidende rol van Duitsland: *die Duitsers altijd, ze houden ook nooit op.* Maar bij alle pogingen om van Europa een eenheid te maken, is er een leidende rol geweest, al 2000 jaar. *Alle pogingen?* Ja, want waarom zou je je beperken tot Karel de Grote, *de vader van Europa?*

Tot en met de Tweede Wereldoorlog ging het zonder uitzondering om veroveraars, tot vijf maal toe. Niet dat die nu direct te vergelijken zijn met de vreedzame initiatiefnemers van een Verenigd Europa van na WO II, maar ze hebben wel een rol gespeeld en sporen achtergelaten. Hun oorlogen hebben steeds tot andere oorlogen geleid, en de laatste tenslotte tot dit initiatief om oorlog voorgoed te voorkomen. De basis daarvan was vrijwillige deelname aan een economische unie, het uiteindelijke doel in principe een federatie. De voorafgaande pogingen doen ertoe, ze laten zien hoe Europa in elkaar zit.

Europa is van oorsprong een begrip dat op het vasteland van Griekenland sloeg, land van de zonsondergang vanuit Assyrië gezien. Na 500 v.Chr. is de betekenis verruimd. Griekenland was een verenigde grootmacht van kleinere eenheden, strategisch belangrijk, zeker vanaf 500 v. Chr. Later onder Macedonië. De belangstelling voor Europa buiten de Middellandse Zee was in Griekenland denkelijk niet groot. Behalve barnsteen zal er niet veel te halen zijn geweest. Daarbij misschien nog wat metalen, zo kwamen de Feniciërs al naar Engeland voor tin. Wie er verder in Europa woonden, komt nog aan de orde. Griekse nederzettingen waren er overal in het mediterrane gebied, tot in Zuid-Frankrijk en Spanje. Maar de grote expansie is meer in de richting van cultuurlanden gegaan. Afstand was daarbij geen bezwaar. Conflicten met de Perzen hielden na

490 v.Chr. nooit meer op. Alexander de Grote heeft India bereikt. In 168 v.Chr. maakten de Romeinen van Macedonië een Romeinse provincie. Griekenland werd daar in 146 v.Chr. bestuurlijk ondergebracht. De Griekse taal en cultuur overleefden.

De opkomst van Rome

De opkomst van Rome sinds 753 v.Chr. luidde op den duur de neergang van Griekenland als politieke macht in. Het was oorspronkelijk een kleine boerenrepubliek die steeds succesvoller en groter werd. Cultureel kwam Rome niet in de buurt van het ontwikkelde Athene, maar de Romeinen namen over wat goed was. De Grieken en de Etrusken waren hun voorbeelden, maar ook de Kelten, die goed in metaalbewerking waren. In organisatievermogen en efficiëntie waren de Romeinen alle tegenstanders de baas, hun militaire logistiek was onovertroffen. Dit vroeg om actie en expansie. De mediterrane regio was het eerste doel. De Griekse bezittingen werden overgenomen. Hispania werd het eerste grote overzeese gebiedsdeel van de Romeinen in het Westen. Daar doet een zekere Gaius Julius Caesar (100 v.Chr.-44 v.Chr.) van zich spreken. Hij krijgt het land eronder.

Eerste poging: de Romeinen met Julius Caesar

Caesar had vóór Spanje al iets opzienbarends verricht, toen hij als jonge man in Asia Minor, nu Turkije, verbleef. Hij werd in 75 v. Chr. bij Rhodos door piraten gevangengenomen. Vervolgens zette hij zich in tegen de zeeroverij, met goed gevolg. Na dit succes en dat in Spanje, werd hij benoemd tot gouverneur van Gallia en Illyricum, het kustgebied van de Balkan. Gallia betekent land van de Kelten. De Povlakte staat dan bekend als Gallia Citerior, en er is ook een Gallia Ulterior: resp. aan deze zijde en aan gene zijde van de Alpen, vanuit Rome gezien. Gallië is groot, maar in de nabije delen de Povlakte en de Provincia heeft Rome al vaste voet. De

Provincia is de naamgever van de Provence, maar liep van Narbonne tot Genève. Vandaar de latere naam Gallia Narbonensis. De rest van Gallië besloeg het huidige Frankrijk geheel en België en Zwitserland grotendeels.

De Kelten bewoonden een groter gebied dan alleen dit. Ook grote delen van Spanje, Zuid-Duitsland, Oostenrijk en verder naar het Oosten tot in Klein-Azië. De apostel Paulus schrijft aan de Galaten, christenen van Keltische afkomst in de omgeving van het huidige Ankara. De Kelten vormden geen staat, ze leefden in stamverband. Het gemeenschappelijke aan hen was hun cultuur. Ze waren tamelijk blond, leken op Germanen. Tot aan de verovering van hun gebied door Rome beheersten zij Midden-Europa.

Dit is de wereld die de ondernemende Caesar in 58 v.Chr. betreedt. Nauwelijks is hij in functie, of hij hoort dat de Helvetiërs hun land, nu Midden- en West-Zwitserland, hebben verlaten op weg naar hun Keltische neven aan de Atlantische kust, ergens boven Bordeaux. Ze vragen of ze langs Genève door de Provincia mogen reizen. Maar de Zwitsers zijn bij de duivel te biecht. Ze worden voor het grootste deel afgeslacht en de overlevenden worden teruggestuurd. Caesar beschrijft een en ander in zijn Gallische Oorlog. Daar wordt de Helvetische bevolkingsboekhouding nog genoemd, in Grieks schrift. Rome had toen in Helvetië immers nog geen invloed.

Caesar krijgt de smaak te pakken, de ene slachtpartij na de andere. Heel Gallië wordt veroverd. Mogelijk heeft Caesar ook Nederlands gebied betreden, in ieder geval Belgisch. Maar zijn aspiraties gaan vermoedelijk verder: tijdens die jarenlange veldtocht maakt hij uitstapjes naar Germanië en Brittannië. In Brittannië komt hij in 55 en in 54 v.Chr., de tweede keer met meer dan 25.000 man. Voor Germanië slaat hij een brug over de Rijn. Binnen een halve eeuw wordt Germanië aangevallen (12 v.Chr.), binnen een eeuw Brittannië (43 AD). Het kan allemaal toeval zijn, maar voor wie militair-strategisch denkt, is dit niet waarschijnlijk. Overigens zijn bij beide aanvallen Bataven betrokken geweest. Die waren vóór 12 v.Chr. tijdig present om de vloot op weg te helpen. Dat dit toeval is, is evenmin waarschijnlijk. Alleen Caesars onschuld staat vast: hij werd in 44 v.Chr. vermoord.

Begin van een gedeeld Europa na 2009, Germanië wordt opgegeven

Germanië heet naar de Germanen. De Germaanse volken of stammen waren afkomstig uit het noorden, maar in de eeuwen vóór de jaartelling al aardig opgedrongen naar het zuiden. De Kelten werden daarbij allengs verdreven. Zo hadden de Keltische Helvetiërs last van de invallen van de Germaanse Sueven (Schwaben). Mede daarom zochten ze rustiger streken in het westen.

De Romeinse aanval op Germanië heeft succes, maar de overwinning kan niet worden geconsolideerd. Germanië wordt op den duur opgegeven. De poging van Rome om één Romeins Europa op te zetten, mislukt. Op deze manier wordt de Rijn de grens tussen het geromaniseerde Gallië en het barbaarse Germanië. Er ontstaat een kloof. In Zuid-Duitsland is het ook de Donau die de Germanen buiten het rijk moet houden. In Nederland is de Rijngrens nog altijd merkbaar: boven en beneden de rivieren. Boven de Rijn heersen in de Romeinse tijd de Friezen. Veel ontwikkelingen in West-Europa hebben met deze grens te maken.

Tenslotte wordt het rijk te groot om het te beheersen en te verdedigen: *imperial overstretch*. Dit leidt tot verval en uiteindelijk tot terugtrekking van alle troepen ver van huis, dus ook die in het noorden en in Brittannië. De verre grenzen worden opgegeven, overal breken de Germaanse barbaren door: Angelen en Saksen, Friezen, Franken, Sueven, Vandalen, Bourgondiërs, Langobarden en Goten vestigen zich op Romeins gebied.

In Italië zelf zijn het de Ostrogoten. Ze komen oorspronkelijk uit Gotland in Zweden, maar zijn al eeuwen onderweg en uit Zuid-Rusland verdreven door de Hunnen. Daarna in 376 de Donau overgestoken en het rijk met geweld betreden (Adrianopel en Constantinopel in 378). Hun neven de Visigoten belanden in Spanje. Italië, Gallië en Spanje kwamen onder Germaans bestuur.

Tweede poging: de Franken met Karel de Grote

Het Romeinse Rijk in het Westen verdwijnt, maar het maatschappelijk leven gaat door. Het succes van de Germaanse Franken in Gallië bijvoorbeeld berust op het intact laten van bestaande infrastructuur en religie. Het Christendom wordt een bindende factor in heel Europa. Er ontstaat zoiets als een Europese cultuur. Intussen heerst politieke verdeeldheid, vooral in Italië en Spanje. Een begin van eenheid wordt alleen afgedwongen door de Franken. Zij zijn ook de enigen die erin slagen de vijanden van hun groeiende rijk buiten de deur te houden. In 732 houdt Karel Martel de moslims tegen bij Poitiers in Midden-Frankrijk. Zij zijn op weg naar het noorden, nadat ze in 711 Spanje zijn binnengedrongen. In 734 verslaat Karel de Friezen. Ook zij vormen een bedreiging. Hun invloed is na de val van Rome uitgebreid.

Zijn kleinzoon Karel de Grote slaagt erin een rijk op te bouwen dat het grootste deel van het oorspronkelijk Romeinse bezit in het Westen omvat. Brittannië valt erbuiten, Spanje grotendeels, maar verder wordt het christelijke continent grotendeels door Karel beheerst. De oostgrens ligt bij de Elbe. Karel wordt in Rome tot keizer gekroond. In grote trekken is het de wederopstanding van het West-Romeinse Rijk. Daarop is het Frankische Europa ook geïnspireerd. Karel resideert in het noorden, in Aken, ook wel elders zoals in Nijmegen, en is verder veel op reis.

Ook al is het rijk geconsolideerd, de culturele ontwikkelingen gaan door. Spreekt Karel zelf nog germanofrankisch, in Gallië ontstaat gallofrankisch. De voertaal is daar sedert de romanisering Latijn, later vulgair Latijn. Dit is met wat Frankische invloeden Frans geworden. Germanofrankisch is een soort vroeg Duits. Nederlands is van oorsprong nederfrankisch. In het oostelijke, voornamelijk Duitse gebied zijn onder Karel voor het eerst de Franken, de Saksen, de Alemannen en de Beieren onder één regime gebracht. De vroegere Sueven zijn Alemannen gaan heten. Het zou meer dan 1000 jaar duren, voor het er weer van zou komen, de situatie van één rijk (1871). Maar Zwitserland en Oostenrijk bleven toen zelfstandige staten. In het westelijk deel van Karels rijk is de basis van het koninkrijk Frankrijk gelegd.

Bij de dood van Karel gaat het rijk er niet op vooruit. Weer een generatie later wordt het onder zijn drie kleinzoons verdeeld. Bij het Verdrag van Verdun in 843 ontstaat het West-Frankische Rijk van Karel II de Kale, het Midden-Frankische Rijk van Lotharius II, en het Oost-Frankische Rijk van Lodewijk II de Duitser. De partijen kunnen elkaar dan al niet meer verstaan. Het gebied van het huidige Nederland valt onder het Middenrijk, dat loopt van Friesland tot diep in Italië. Het eigenlijke Lotharingen komt aan het Oost-Frankische Rijk. Hier doet zich opnieuw een deling van Europa voor, en ongeveer langs dezelfde grens. Ook bij de Romeinse Rijngrens bleven er Germanen aan de westelijke kant wonen.

Derde poging: de Habsburgers met Karel V

Het Heilige Roomse Rijk gaat naar idee en in naam terug op het Keizerrijk van Karel de Grote en uiteindelijk op de ideële universaliteit van het Romeinse Rijk. Maar in feite is het enkele generaties na Karel ontstaan op het gebied van het Oost-Frankische Rijk en een groot deel van het Middenrijk. Hertog Otto I van Saksen wordt de eerste keizer in 962. Het Heilige Roomse Rijk is groter en minder overzichtelijk dan het West-

Frankische Rijk en zijn opvolger Frankrijk. Het is ook groter dan het latere Duitsland. Het strekt zich uit van de Noordzee tot diep in Italië. Delen van Frankrijk horen erbij. De langste tijd van zijn bestaan is het een los statenverband.

Het latere Duitsland is uit een aantal van deze brokstukken ontstaan. Keizer Karel V (1500-1558) blaast de constructie nieuw leven in. Hij is dan koning van Spanje, hertog van Bourgondië incl. de Nederlanden, groothertog van Oostenrijk (tit.) en keizer van Duitsland, of eigenlijk van het Heilige Roomse Rijk. Hij probeert zijn macht in Italië uit breiden, in Zuid-Italië heerst hij als koning van Spanje. Engeland valt erbuiten, Frankrijk is kleiner dan nu maar al wel zelfstandig, en het Rijk is maar een statenverband. Karels motief is ook eerder het katholicisme en Habsburg dan Europa, maar hij is er wel de grootste heerser sinds Karel de Grote.

Aansluitend ontwikkelen zich sterke nationale staten. Te land zijn het vooral Frankrijk en Oostenrijk, na 1714 incl. de Spaanse Nederlanden. Ter zee korte tijd de Republiek (Holland), daarna Engeland. Engeland beperkt zich tot zijn zeemacht. Frankrijk kan niet kiezen, het wil én in Europa én overzee de leidende natie zijn. Zo heeft Lodewijk XIV in 1681 al het Duitse Straatsburg geannexeerd. Maar de combinatie in de Franse ambitie pakt niet goed uit. Halverwege de 18de eeuw wint Engeland de slag om de zee en dus om de controle op overzeese gebiedsdelen. Spanje haalt de 18de eeuw nog maar net, en komt onder de Bourbons. Duitsland en Italië bestaan nog niet als staat. In Oost-Europa en op de Balkan spelen de Turken een rol. In 1529 en 1683 belegeren ze Wenen. Vanuit Europees perspectief is de concurrerende as Parijs/Wenen gevestigd.

Vierde poging: de Fransen met Napoleon

Uit de woelingen van de Franse Revolutie komt de geniale Napoleon Bonaparte naar voren. Hij neemt zich voor het gehavende Frankrijk zijn prestige terug te geven. Half Europa wordt onder de voet gelopen. Juist op tijd, want Duitsland bestaat dan nog niet als macht en Engeland blijft buiten bereik. Met Oostenrijk worden afspraken gemaakt. Napoleon trouwt de dochter van de keizer en geeft hem grote delen van Noord-Italië. Voor de rest ontstaat een Frans Europa. Rusland wordt Napoleons ondergang, maar niet die van Frankrijk. De acties van Napoleon passen in een consistent patroon van Franse machtsuitbreiding. Maar het zijn meteen de laatste kansrijke acties. Want Pruisen komt op, en daarmee wordt de as Parijs/Wenen verlegd naar Parijs/Berlijn. En dat is andere koek. Bij het Congres van Wenen worden pogingen gedaan om terug te keren tot de oude toestand. Frankrijk komt er goed vanaf, maar de wereld blijkt veranderd.

Frans/Duitse verhouding in de 19de eeuw en na WO I

Met de opkomst van Pruisen weet zijn premier Bismarck ook de Duitse eenheid te bewerkstelligen. Voor de steun van de Duitse landen in het Zuiden moet er een claim op de door Frankrijk geannexeerde gebieden komen. Die claim wordt gelegd. Deze ontwikkeling leidt tot de Franse oorlogsverklaring, die door Bismarck is uitgelokt. De Frans-Duitse Oorlog van 1870 is een feit. Het probleem voor Frankrijk is, dat het niet tegen het verenigde Duitsland blijkt opgewassen. De nederlaag wordt niet vergeten. De volgende oorlog wordt de Eerste Wereldoorlog, begonnen in Oostenrijk, althans in Servië.

Alle andere grootmachten raken erbij betrokken, niet alleen Frankrijk en Duitsland, maar ook Rusland, Engeland en de VS. De deelname van de VS geeft de doorslag. Frankrijk verkeert nu in het kamp van de overwin-

naars. Het doet een poging om Duitsland economisch met de grond gelijk te maken, het moet van zijn industrie worden ontdaan, Frankrijk wil
van dat land nooit meer last hebben. Als dit plan geen steun vindt bij de
Amerikanen, proberen de Fransen en de Engelsen het met buitengewoon
zware herstelbetalingen. Nu lukt het wel, Duitsland is al gauw uitgeteld.
Er ontstaat hyperinflatie. Daar komt de wereldwijde crisis van 1929 nog
bij. Het verarmde en vernederde land kan geen kant op.

Vijfde poging: de Duitsers met Hitler

Armoede en werkloosheid: de uitzichtloze situatie van Duitsland en
Oostenrijk vormden een voedingsbodem voor extremisten van allerlei
slag. Velen hadden de zinloze oorlog van 1914-1918 meegemaakt, waar de
halve wereld ingerommeld was en waarvan Duitsland en Oostenrijk de
schuld hadden gekregen. Geschiedenis wordt geschreven door de over-
winnaars. Onder degenen die de oorlog uit eigen ervaring kenden, is dan
Adolf Hitler, een mislukkeling, een verbitterde werkloze met revanche-
gedachten. Geen antisemiet, dat zou hij pas later worden. Hitler is zich
bewust van het feit, dat de oude machten weinig voor de nieuwe zoals
Duitsland, Italië en Japan hadden overgelaten. Zo waren van de koloniën
alleen de kruimels overgebleven. Dit is een band die hen verbond. Hitler
raakt na vallen en opstaan aan de macht en begint het land te reorganise-
ren. Aanvankelijk met grote werkgelegenheidsprojecten, ongeveer zoals
de VS deed, later met bewapening.

Er moet één Europa komen, en dat zal een Duits Europa moeten zijn. Net
als Napoleon rekent Hitler ruim, dus Rusland hoort ook bij die opzet.
Maar eerst wordt met Stalin een verdrag gesloten. De kans om Engeland
te veroveren, wordt gemist, maar met overig Europa heeft Duitsland
weinig moeite. In Italië, Spanje en Portugal zitten bevriende regimes,
Frankrijk wordt gedeeld in een bezet en een min of meer bevriend deel,

Vichy. De oorlog wordt tot in Noord-Afrika gevoerd, en verder overal waar onderzeeboten kunnen varen.

De tweefrontenoorlog is Duitsland noodlottig geworden. De Sovjet-Unie en de Verenigde Staten zijn ook te sterke tegenstanders. Het grootste deel van de troepen vecht aan het Oostfront, maar kan daar uiteindelijk weinig meer uitrichten als de Russische oorlogsmachine eenmaal op gang is gekomen. De Russen betrekken materiaal van de Amerikanen en maken zelf ook tanks. Intussen voltrekt zich de moord op meer dan zes miljoen mensen. Joden in de eerste plaats, maar ook zigeuners en andere kwetsbare groepen, waaronder mensen met een zware handicap. Massamoord is op zichzelf geen nieuw verschijnsel, maar de manier waarop wel: de systematische aanpak, de bureaucratische, logistiek efficiënte benadering. De val van zo'n regime kon niet uitblijven.

De rode draad die door 2.000 jaar Europese geschiedenis loopt, is er een van oorlog en verovering. Het is er tegelijkertijd een van pogingen om Europa onder één gezag te brengen. Meestal is er verband tussen beide ontwikkelingen, niet altijd. Sommige grote oorlogen vallen erbuiten. De laatste oorlog brengt het besef dat het tijd is voor een vreedzaam initiatief

Zesde poging: Frankrijk, Duitsland, de Benelux en Italië, een vreedzaam initiatief, maar niet zonder drama

In 1945 is Duitsland uit de oorlog tevoorschijn gekomen, platgebombardeerd. Ik herinner me een treinreis naar Zwitserland in 1945, die duurde drie dagen. Duitsland werd door de geallieerden van grote gebieden in Oost-Europa ontdaan, en het kernland werd door de vier mogendheden bezet en beheerd. Niet bepaald naar verhouding van de oorlogsprestaties, maar vooruit. De Russische gasten, die het meeste werk hadden verricht, zouden blijven en in hun sector een nieuwe staat opzetten. Het werd een communistische heilstaat, geheel volgens marxistische beginselen. Het nieuwe geloof verving het oude en de geschiedenis werd herschreven. Chemnitz werd Karl-Marx-Stadt. Alle oud-nazi's bleken toevallig in West-Duitsland te zitten, zo kon men in de DDR met een schone lei beginnen.

Het communisme werd in het Westen als groot gevaar gezien. Mede met oog daarop ontwikkelden de Amerikanen plannen om ruimhartig hulp te verlenen, ook aan Duitsland. Ondanks de inspanningen van de Luftwaffe was Engeland relatief ongeschonden uit de oorlog gekomen. In Londen was veel kapot, maar de industrie was overeind gebleven. In Duitsland ook wel, maar daar lag meer plat, vooral infrastructuur. Dit nadeel bleek later een voordeel, want alles moest nieuw. Op dit solide fundament zou later het Duitse *Wirtschaftswunder* worden gebouwd.

Maar zover was het in de eerste naoorlogse jaren nog niet, er was in Europa gebrek aan bijna alles. Overal was de economie in het slop geraakt. Er moest dringend iets gebeuren om de economie te stimuleren. Ook wilde men het gevaar van oorlog zo veel mogelijk indammen. Een of andere vorm van samenwerking zou tot stand moeten komen. In 1948 startte de Amerikaanse Marshallhulp. Een voorwaarde was een eigen Europese organisatie om de hulp te organiseren. Die organisatie kwam er: de Organisatie voor Europese Economische Samenwerking (OEES). Frankrijk en Duitsland zaten sinds lang weer samen aan tafel.

Het Europa van de Zes

Intussen werden er allerlei plannen ontwikkeld voor verdere Europese samenwerking, de Raad van Europa werd opgericht, overigens met zeer beperkt effect. Er werd al aan een Verenigd Europa gedacht, maar dan één dat op een brede basis berustte. Op 18 april 1951 kwam bij het Verdrag van Parijs de Europese Gemeenschap voor Kolen en Staal tot stand, de EGKS. Deze zou vooral Frankrijk en Duitsland op dit terrein moeten binden. Jean Monnet was de architect, de bedoeling was om in de richting te gaan van een federaal gezag. Ook Italië en de Benelux deden mee.

Daarmee was er een begin, maar het overleg ging door. Verdere integratie zou worden gezocht op het gebied van energie en een gemeenschappelijke markt. Op 25 maart 1957 werd het Verdrag van Rome getekend. Op 1 januari 1958 begon samen met Euratom de Europese Economische Gemeenschap. Het gezag bleef bij de ministers van de deelnemende landen. Maar de Europese Commissie in Brussel zou adviseren en beleid controleren. Ook kwam er het Europees Parlement, met vergaderingen afwisselend in Brussel en Straatsburg, en het Europese Hof van Justitie in Luxemburg. De beoogde douane-unie moest nog worden uitgewerkt. Deze trad op 1 juli 1968 in werking. De douanerechten tussen de zes werden afgeschaft.

Ook na het in werking treden van de gemeenschappelijke markt is de ontwikkeling succesvol geweest. In 1973 breidde de Gemeenschap zich uit tot negen lidstaten, met Denemarken, Ierland en het Verenigd Koninkrijk. In 1981 volgde Griekenland, in 1986 Spanje en Portugal. Regionale steunprogramma's breidden zich uit. In juni 1979 kwamen er verkiezingen voor het Europese Parlement. Op 1 november 1993 is met het in werking treden van het Verdrag van Maastricht de interne markt voltooid. De Europese Economische en Monetaire Unie wordt opgericht en komt als nieuwe eenheid ten dele in de plaats van voorafgaande organisaties. In 1995 volgt uitbreiding tot 15 lidstaten met Oostenrijk, Finland en Zweden.

De OVSE (OSCE) en de Helsinki Akkoorden

De Organisatie voor Veiligheid en Samenwerking in Europa is opgericht in 1973 en is begonnen als Conferentie over Veiligheid en Samenwerking in Helsinki. Haar doel is samenwerking op militair, economisch en humanitair gebied. Alle leden van de Raad van Europa zijn lid, plus de VS en Canada en landen van de voormalige Sovjet-Unie. De OVSE is enigszins vergelijkbaar met de Raad van Europa, heeft daarmee althans meer gemeen dan met de Europese Unie.

De conferentie van Helsinki was in eerste aanleg opgezet om veiligheids-vraagstukken te behandelen. Het ging om Europa, vooral in verband met de breuklijn tussen west en oost. De Sovjet-Unie wilde haar positie in Oost-Europa internationaalrechtelijk bevestigd zien. De westerse landen wilden de contacten met Oost-Europa verbeteren en dachten ook aan mensenrechten, Verder waren er tal van praktische zaken te regelen, zo-als grenzen en grensverkeer. Ook de Verenigde Staten deden mee. Sinds Helsinki zijn mensenrechten steeds belangrijker geworden en daardoor hebben de Helsinki Akkoorden van 1975 aan belang gewonnen. In veel landen waar het thema niet serieus werd genomen, hadden dissidenten sindsdien althans formeel een been om op te staan. Een verbetering die wezenlijk zou blijken.

Bij de akkoorden van Helsinki in 1975 is de politiek-geografische status-quo van de Sovjet-Unie erkend. Daarmee is haar aanwezigheid in een groot aantal Oost-Europese landen gelegitimeerd. Dit was wat je noemt een welverdiend resultaat van haar eigen inspanningen, een succes. Toch zal de kracht van de Sovjet-Unie in haar isolement hebben gelegen. Want de vrijere contacten die na Helsinki mogelijk werden, hebben bijgedra-gen aan de onhoudbaarheid van het Sovjet-regime. Vier jaar na de val van de Sovjet-Unie is de huidige naam van de OVSE ontstaan, in 1995.

Tot Maastricht en daarna

Tot aan Maastricht in 1992 is de Europese ontwikkeling goed verlopen. De zesde poging om Europa onder één noemer te brengen, en de eerste die op vrijwilligheid en overeenstemming is gebaseerd, lijkt in de aanloop naar Maastricht een steeds groter succes te worden. Er heeft dan een belangrijke vooruitgang in het economisch verkeer plaatsgevonden, ook bij de landbouw. De deelnemende landen hebben daaraan veel te danken. Geen twijfel, de Europese Gemeenschap heeft aan de verwachtingen beantwoord. Douane-unies zijn niet nieuw en hebben al vaker hun nut bewezen en economie en welvaart bevorderd. Het opkomende Duitsland van de 19de eeuw is een voorbeeld.

Nederland heeft overigens geen vrije keuze gehad om al of niet aan de gemeenschappelijke markt mee te doen. Niet meedoen is nooit een serieuze optie geweest. Het is een land van handel en dienstverlening met een open economie. Daarbij is het economisch nauw met Duitsland verbonden. Hiermee is de vraag beantwoord, of Europa belangrijk is voor Nederland: het is zelfs essentieel. Het standpunt van de Nederlandse overheid is juist en tot Maastricht is er wat mij betreft niets op aan te merken.

Na Maastricht in 1992 kwam de discussie weer naar voren over de vraag hoe men verder te werk zou gaan als het om uitbreiding ging. Men zou verdiepen én verbreden, maar wat zou eerst moeten komen? Sommigen wilden eerst een echte integratie van de lidstaten, zo mogelijk een politieke unie, anderen wilden eerst zo veel mogelijk leden. Die keuze van volgorde is op een onverwachte manier door de geschiedenis beïnvloed. En daarbij hebben politieke overwegingen voorrang gekregen. De historische feiten in kwestie: de val van de Berlijnse Muur in 1989 en het verdwijnen van de Sovjet-Unie in 1991.

De Duitse hereniging

Zoals gezegd is het na-oorlogse Duitsland in vier sectoren verdeeld geweest. Allengs hebben de geallieerden zich teruggetrokken, maar de Russische zone is als vazalstaat van de Sovjet-Unie zelfstandig verdergegaan.

Deze Duitse Democratische Republiek was door het IJzeren Gordijn van West-Duitsland gescheiden gebleven. In Berlijn was het een muur die de grens tussen Oost en West markeerde. In 1989 valt de Berlijnse Muur en in 1991 stort het regime van de Sovjet-Unie in. Ook deze crisis biedt tegelijk een kans. De Bondsrepubliek ziet de hereniging van de DDR met West-Duitsland al voor zich. Op zichzelf een redelijk idee, de oorlog is dan al 45 jaar voorbij.

Toch zijn er bezwaren tegen de hereniging, in de eerste plaats van Frankrijk, maar ook van andere landen. In Nederland wordt aan voorwaarden gedacht, in ieder geval moet aan de oostelijke grenzen worden vastgehouden, zoals de Oder/Neisse-grens tussen Duitsland en Polen. Oud-minister Van den Broek vertelt dit aan Roel Janssen (De euro, p. 178). Vanzelf gaat de Europese Gemeenschap bij dit vraagstuk een rol spelen. De as Parijs/Bonn wordt geacht daarin de toon aan te geven, maar bij de as Parijs/Berlijn wordt zoiets lastiger. Duitsland wordt dan te zwaar voor het evenwicht.

Frankrijk heeft na beide wereldoorlogen pogingen gedaan om zelfstandig optreden van Duitsland tegen te gaan. Een Europees leger is er nooit gekomen, maar de Europese Unie is er dan toch. En daarin probeert Frankrijk de leidende rol te spelen. Een Europese munt is ook een middel om Duitsland te binden. En tegelijk ook een kans om van de Duitse mark af te komen. De Fransen hebben zelf een zwakke frank, en de Duitse mark is sterk. Maar ze worden het eens. Duitsland verklaart zich bij monde van bondskanselier Kohl niet alleen voor de Europese Economische en Monetaire Unie, de EMU, maar ook voor een politieke unie. Een transfer-unie mag het van de Duitsers echter niet worden. De Duitsers begrijpen al wel dat zij hun beurs zullen moeten trekken als er hulp nodig is voor zwakkere landen.

In Maastricht komt de EMU tot stand, de muntunie maakt daarvan dus deel uit, de politieke unie blijft achterwege. Bij een muntunie hoort onlosmakelijk een politieke unie. Want een munt zonder land is een ongeleid projectiel dat een eigen leven gaat leiden. Mij zijn geen voorbeelden bekend van een blijvende muntunie zonder politieke unie. Maar in 1992 waren de twaalf lidstaten nog niet toe aan een politieke unie.

Dat de volgorde van invoering van politieke unie en gemeenschappelijke munt is omgedraaid, is nu niet meer goed uit te leggen. De voorafgaande flauwte in het Europese integratieproces zal een rol hebben gespeeld. In de aanloop naar Maastricht leeft de hoop weer op, Europa krijgt opnieuw toekomst. En ja, men moet het ijzer smeden als het heet is. Als die muntunie er maar eenmaal is, dan moet de politieke unie wel volgen, zal de redenering zijn geweest. Tenslotte moet je ergens beginnen, die procedures nemen toch al zo veel tijd.

Toch was het geloof niet algemeen. Bij het verdrag van Maastricht hadden Groot-Brittannië en Denemarken zich al terughoudend opgesteld voor wat de monetaire unie betreft. Een paar maanden later in 1992 ontstond een valutacrisis. De problemen met het Europese Monetaire Stelsel (EMS), het toenmalige stelsel van gekoppelde Europese munten, liepen zo hoog op, dat het geheel in 1993 praktisch niet meer functioneerde. Daar hadden de deelnemers Griekenland nog niet voor nodig, dat land was namelijk geen EMS-lid. Alleen Nederland en Duitsland hielden hun munten gekoppeld (Janssen, De euro, p. 10). Deze uitzonderingspositie van Duitsland en Nederland is niet zonder belang, omdat de Europese meute in haar jacht op de euro intussen een harde landing heeft gemaakt.

De voormalige communistische satellietstaten

Met een paar uitzonderingen gaat het in de Unie in 1995 nog steeds om landen die economisch van vergelijkbaar niveau zijn. Oostenrijk, Finland en Zweden zijn er als laatste leden bijgekomen. Maar in 1997 komt een ander gevolg van de ondergang van de Sovjet-Unie naar voren. De ontheemde satellietlanden voelen wel voor een nieuw statenverband met het rijke Westen. En voor Europa is het een kans die je maar eenmaal krijgt.

Dan beginnen de onderhandelingen over toetreding van Bulgarije, Hongarije, Polen, Roemenië, Slovakije, Tsjechië en de drie Baltische republieken Estland, Letland en Litouwen. Ook Slovenië, deel van voormalig Joego-Slavië, en Cyprus en Malta melden zich aan. Op de laatste twee na gaat het hier om een reeks landen die tientallen jaren onder communistisch bewind zijn geweest. Dit betekent meestal dat economische ontwikkeling en modernisering er ver zijn achtergebleven. Daar moet dus iets aan gebeuren, daar moet *veel* aan gebeuren.

De Duitse hereniging bestaat dan al sinds 3 oktober 1990 en kost iets van 75 miljard euro netto per jaar. De specialist op dit gebied Leo Paul schrijft in 2003: '*Dit bedrag komt overeen met vier à vijf procent van het West-Duitse Bruto Binnenlands Product, en 43 procent van het Bruto Binnenlands Product van Oost-Duitsland. Met name het laatste getal is schokkend: het geeft aan hoe afhankelijk Oost-Duitsland nog steeds is van ondersteuning door de Duitse staat. Een zo grote afhankelijkheid komt alleen voor in de armste ontwikkelingslanden.*' (Duitslandweb, 1 juli 2003).

Paul meldt dat het bedrag vanaf het begin ongeveer gelijk is gebleven. Hij schat het totale bedrag tot dan toe, 2003, op 900 miljard euro netto. Als je die lijn doortrekt naar 2011, zou je uitkomen op 1500 miljard netto. Inmiddels wordt uitgegaan van 1900 miljard euro, zonder opgave van bruto of netto. Er zit bijna een kwart tussen die bedragen, dus de orde van grootte kan kloppen.

Op 1 mei 2004 volgt niettemin de uitbreiding van de EU tot 25 leden. Bulgarije en Roemenië sluiten zich op 1 januari 2007 aan. Gefeliciteerd! Met deze uitbreiding wordt het uitoefenen van macht door één lidstaat, lees Duitsland, theoretisch moeilijk, maar tegenover dit voordeel staan nogal wat nadelen. Kort: de introductie van de muntunie bij een speciaal geselecteerd aantal landen is zonder voorafgaande politieke unie op zichzelf al een waagstuk. Het toetreden tot de gemeenschappelijke markt van een groot aantal weinig verwante en achtergebleven landen komt daar dan nog als risicofactor bij. Nu zal men na het Griekse avontuur wel uitkijken om die landen meteen in de eurozone te halen, maar helemaal gerust ben ik er niet op.

Soms zie je nu al aan een vreemde combinatie dat je straks niet moet opkijken van nog meer Griekse toestanden. Zo heeft het relatief ontwikkelde Tsjechië een eigen munt, het minder ontwikkelde Slovakije heeft de euro. *Ben ik nu zo blind tégen Europa, dat ik zulke kritische kanttekeningen plaats?* Ik ben helemaal niet tegen Europa, integendeel, ik vind het een hoogstnoodzakelijk en fascinerend project. Ik ben alleen tegen politiek van de korte termijn die zo blind vóór Europa is, dat zij de hindernissen onderweg niet ziet of niet wil zien en haar kiezers voorhoudt dat ze er ook niet zijn. Ik ben, kortom, tegen de Europese struisvogelpolitiek die het hele project in gevaar brengt en tegen een oppermachtig bureaucratisch Brussel. Even vlug scoren met Europa is er voor de politiek niet bij, Europa is een zaak van de lange termijn. Of onze politiek überhaupt nog problemen op die termijn aankan, vraag je je trouwens ook wel eens af. Maar dit terzijde.

Het is duidelijk dat er vooral politieke motieven in het spel zijn geweest bij de mega-uitbreiding van de EU. Op zichzelf is daar niets mis mee, maar waarom kan dit ons niet gewoon worden verteld? Waarom volhouden dat het een economisch verantwoorde beslissing is geweest? Je maakt die arme mensen in de nieuwe lidstaten blij met een dode mus en je bedriegt je eigen kiezers. In het licht van de eurocrisis, achteraf moet ik erbij zeggen, is het al helemaal absurd om te denken dat je van al die landen een werkbaar economisch geheel kunt maken. Griekenland en Portugal rijden voor het Oost-Europese peloton uit. Als je ziet wat er in het relatief rijke West-Europa al uit de hand aan het lopen is, qua euro, dan huiver je toch bij de gedachte aan wat ons daar boven het hoofd hangt. Dus op dit punt kan ik alleen maar de noodrem aanbevelen. En nee, ik ben geen voorstander van de toetreding van Servië.

De noodzaak van een Verenigd Europa

De noodzaak van een Verenigd Europa is duidelijk. Of, om het anders te zeggen, we kunnen als afzonderlijke landen niet op onze eigen manier doorgaan. De tijd laat het eenvoudig niet meer toe. Tegenwoordig kun je als land je belangen alleen veiligstellen als je in groepsverband opereert. Dit geldt al helemaal voor een land als Nederland, dat het aan alle kanten van zijn transnationale contacten moet hebben. Handel, dienstverlening, export, hoe ver kom je daarmee als je binnen je eigen grenzen wilt blijven? Zelfs Duitsland, zoals bekend *te groot voor Europa*, is *te klein voor de wereld*. En neem de financiële markten, welk Europees land kan zich tegenover deze nieuwe staatsvijand nummer 1 alleen handhaven?

En de landen in Europa die buiten de EU vallen dan, en die het vaak beter doen dan de Eurolanden? Ja, ik ben de eerste om op dat soort landen te wijzen. En ik doe dit vooral als ik de betrekkelijke waarde van de euro wil onderstrepen, ten opzichte van het risico dat je ermee in huis haalt. Daar kom ik nog op terug, maar nu die vrije en onafhankelijke landen dus, die het ondanks Europa zo goed doen. Noorwegen is een gecompliceerd geval, een olieland, dus relatief onafhankelijk, en ook geen EU-lid. Laten we een land met zo'n uitzonderlijke positie even terzijde laten. Maar zijn Scandinavische buren Denemarken en Zweden hebben ook hun eigen munt gehouden, en Engeland ook al. Allemaal exportlanden. Waarom? Omdat zij al die miljarden die je als noordelijk land met de euro kunt verdienen, niet willen? Of misschien toch omdat zij risico's zien die men in Brussel niet ziet?

En neem Zwitserland, dat is een typisch exportland van hoogwaardige techniek en met veel internationale contacten. Vergelijkbaar met het aangrenzende Baden-Württemberg of Beieren. Zoals Nederland te vergelijken is met Nordrhein-Westfalen. Hoe zelfstandig opereren die Zwitsers eigenlijk? Zwitserland heeft zoveel regelingen met de EU lopen, dat het er lid van zou kunnen worden zonder dat dit veel verschil zou maken. Dan heb ik het niet over de euro. Trouwens, bij de eurocrisis is de frank sinds augustus 2011 aan de euro gekoppeld. In de voorafgaande anderhalf jaar had de euro ten opzichte van de frank namelijk bijna eenderde van zijn waarde verloren. Zwitserland zag dus zijn export en toerisme inzakken. Ik denk dat Zwitserland beter af zou zijn als lid van de EU, maar wel met een eigen munt. Daar heb je dan als land zelf nog iets over te zeggen en ben je niet afhankelijk van Grieken en straks van Bulgaren en Roemenen. Dit brengt ons op de risico's van de huidige ontwikkeling.

Twijfels aan Brussel

Brussel is bij de kiezers niet populair. De invoering van de euro zonder verplichte dubbele prijsvermelding is bij het publiek slecht gevallen en de slordige handhaving van de monetaire discipline wekt evenmin vertrouwen. De uitbreiding met een groot aantal achtergebleven landen is ook niet onopgemerkt gebleven. Griekenland bewijst dat men voor verrassingen kan komen te staan, zelfs als het de eerste divisie betreft, qua euro. Maar er is meer. Brussel bepaalt veel van wat vroeger door de lidstaten werd geregeld. Onzekere overheden - en welke overheden zijn nog zeker - verschuilen zich graag achter Brussel als het om impopulaire zaken gaat. Voor de bevolking lijkt het momentum voor een Verenigd Europa een beetje voorbij te zijn. En dit terwijl het project belangrijker is dan ooit. Nooit waren de uitdagingen wereldwijd zo dringend.

Ruim vóór de eurocrisis nam de steun voor Europa al af. Bij het referendum voor de Europese grondwet in 2005 kwam de ijsberg al boven water: de politici vóór, de kiezers tegen. Een zeker teken van de afnemende steun is, dat populistisch georiënteerde partijen in het algemeen geen vrienden van Brussel zijn. Zij willen juist het volkseigene accentueren. Het zijn de politici die het meest aan het Europese project hechten. Als het één cultureel is en het ander economisch, kan het samengaan. Bij de woekergroei van de EU is de rol van Nederland dienovereenkomstig verminderd. Ook onze Europakritiek blijft in andere EU landen niet onopgemerkt. Dus de stelling dat Nederland belangrijk is voor Europa, kan zo langzaamaan worden opgegeven. Nederland is een van de 27, en een dwarsligger ook nog.

Geen weg terug, dus wat wel?

Bij de Europese integratie is er redelijkerwijze geen weg terug. Juist door die onvermijdelijkheid verdient het onderwerp alle aandacht en inzet. Maar hoe ziet de praktijk eruit? Gaat het eigenlijk wel goed, ondanks de twijfels van de kiezers? Ik dacht het niet. Met 27 landen is de politieke besluitvorming nauwelijks meer serieus te nemen. Inhoudelijk stuit het toelatingsbeleid op groeiende weerstand. De euro begint een drama op zichzelf te worden, daarbij vlijtig geholpen door de financiële markten. En de steeds toenemende invloed van de overkoepelende centralistische Europese bureaucratie heeft ook niet uitsluitend voordelen.

Er zal dus iets moeten gebeuren. Wat nog voor correctie vatbaar is, zal moeten worden gecorrigeerd. Terug naar waar het scheef is gelopen, voor zover mogelijk. Een serieuze herstructurering in ieder geval. En ophouden met uitbreiden, eerst consolideren. Niet doen of je neus bloedt. De hele Europese situatie is in zekere zin ook weer het resultaat van maakbaarheidsgeloof en van wensdenken, zowel van neosocialistische als van neoliberale zijde. Links én rechts, de een met de grenzenloze solidariteit van Beethovens Negende - Alle Menschen werden Brüder - en de ander met marktdenken tot de dood van de consument erop volgt. Ze weten het allebei zeker: meer Brussel is de oplossing. Maar als de kiezers wraak gaan nemen door Brussel weg te stemmen, verdwijnt het kind met het badwater.

En dan gaat het tot nu toe voornamelijk over de economie. Of Europa cultureel op weg is naar een eenheid, valt al helemaal te betwijfelen. Het begint er al mee dat er geen gemeenschappelijke taal is. En of er van West-Europa tot de Wolga in Europa wel één cultuur heerst, lijkt me ook geen uitgemaakte zaak. In West-Europa wel min of meer, maar Oost-Europa is heel anders, en de Balkan nog meer. Waar de Turken hebben geheerst, is het niet erg Europees.

Je ziet eerder het omgekeerde van eenwording: er zijn juist nu centrifugale krachten aan het werk: regio's roeren zich, dialecten worden opgepoetst, zelfs in West-Europa. Mensen zoeken eerder bevestiging en bescherming in eigen, vertrouwde kring dan bij ontoegankelijke bureaucratische megacentra, internationaal ook nog. Die hebben voor de burger per definitie al iets vijandigs. En de laatste decennia hebben de mensen geleerd om autoriteiten überhaupt te wantrouwen. De Europese identiteit en solidariteit zijn door de euro eerder verzwakt dan versterkt.

Voor een gemeenschappelijke markt en zelfs voor een centraal monetair beleid is culturele integratie niet strikt nodig. De vraag rijst bovendien, of je die wel moet willen. De culturele lappendeken die Europa is, heeft toch juist zijn charme. Maar los van de vragen over de cultuur, zal toch eerst moeten worden gezorgd voor brood op de plank. Daar is solide integratie voor nodig. Komt of blijft die integratie niet, dan zou de zesde poging om Europa onder één gezag te brengen, mislukken. En het zou in principe dezelfde tegenstelling zijn die 2000 jaar geleden voor een afscheiding heeft gezorgd: die tussen Germanen in het noorden en Latijnen in het zuiden. Zij het, dat de machthebbers toen in het zuiden zaten.

Het is in dit verband interessant om te zien dat het huidige Europa, dat als eenheid maar niet uit de verf wil komen, meer op het neergaande dan op het opkomende Rome lijkt. In een boekbespreking door David Rijser van het boek 'The Dream of Rome' door Boris Johnson, de latere burgemeester van Londen, worden elementen genoemd die volgens de auteur in Rome voorhanden waren en in Europa ontbreken: onder meer religieuze tolerantie, uniforme maar hoogstaande cultuur, aantrekkingskracht op lokale elites, minimale bureaucratie, linguïstische en monetaire consistentie. Johnson noemt volgens Rijser de Europese cultuur versplinterd en gedebiliseerd (NRC/H. 15 dec. 2006).

De euro

Het probleem wordt door de politiek ingewikkeld gemaakt

Als het in de politiek over de euro gaat en over de problematiek van de eurocrisis, schijnt alles meteen zo ingewikkeld te moeten worden, dat niemand het meer kan begrijpen. Op dit punt is mij een groot verschil opgevallen. Het verschil tussen wat er in de politiek ter sprake komt en wat de kranten schrijven of wat de televisie brengt aan commentaar. In het geval van de media gaat het meestal om informatie van mensen die weten waar ze het over hebben. Van Schinkel en Tamminga en hun collega's in het NRC tot Van Duijn en zijn collega's in De Telegraaf, ze zijn goed op de hoogte en goed te begrijpen. Ook de verslaggevers op televisie zijn vaak helder en halen er zo nodig experts bij.

In de politiek daarentegen, wordt om zaken heengedraaid. Over een verdere afdracht van bevoegdheden aan Brussel bij het monetaire beleid bijvoorbeeld, hoor je daar alleen maar zeggen *dat dit nooit zal gebeuren.* En ja, *het aan Griekenland geleende geld komt gegarandeerd terug.* De kamerdebatten en het droge commentaar van Frits Wester: het verschil kan niet groter zijn.

Europa, de Europese Unie en de eurozone

De verwarring begint al bij de begrippen die nogal eens door elkaar worden gehaald. Als iemand beweert dat Nederland het rijkste land van Europa is, ik noemde dit al, vergeet hij dat Noorwegen en Zwitserland ook in Europa liggen. En dat Luxemburg ook een land is. Als iemand stelt dat wij miljarden en miljarden aan de euro hebben verdiend, wordt de gemeenschappelijke markt bedoeld, want anders is het onzin. Maar ze zeggen het wel, de politici. Wie als nietsvermoedend burger even later een oud-hoofdeconoom van het CBS hoort zeggen dat het hooguit om één procent van het bbp gaat, heel misschien twee, weet niet meer wat hij moet geloven. Nu is ook een luttele één procent van 600 miljard euro altijd nog 6 miljard, maar ik denk toch niet dat dit wordt bedoeld. Europa, de Europese Unie en de eurozone zijn verschillende begrippen. Het is vooral van belang om het onderscheid te kennen op het punt van onmisbaarheid.

Dus om te beginnen dit: de Europese integratie is onmisbaar, de euro is handig, voor het bedrijfsleven zelfs heel handig, maar niet meer dan dat. Zoals gezegd, een flink aantal eerste klas landen hebben geen vertrouwen in de euro. Het woord vertrouwen is hier wel op zijn plaats, want vertrouwen is de onmisbare metgezel van het moderne geld. Zonder vertrouwen is geld niet meer waard dan het papier waarop het is gedrukt. Dus onmisbaar, nee. Er is alleen een beperkt voordeel en een tamelijk groot nadeel: het risico. *Is terug naar de gulden dan een optie?* Daar geloof ik niets van. Wij zijn geen Zwitserland en daarbij zijn wij te zeer met de Duitse economie vervlochten. De dierbare Atlantische banden waarmee mijn generatie is opgegroeid zijn aan het verzwakken, en de Tweede Wereldoorlog ligt in 2015 al weer 70 jaar achter ons. Het lijkt mij tijd om ons eens landinwaarts te oriënteren. Er zijn meer landen met een monetaire mentaliteit zoals de onze, Duitsland voorop. Europa moet blijven, maar wat mij betreft in een aangepaste vorm.

Geen munt zonder land

Nogmaals: geen munt zonder land. *Waarom eigenlijk?* Omdat een monetair systeem niet werkt zonder politieke aansturing. Stel een land importeert meer dan het exporteert, dan ontstaat er een handelstekort. Die situatie leidt op den duur tot ongewenste toestanden, het land wordt armer, er moet geld bij, er moet worden geleend, de staatsschuld loopt op. Wat kan een regering doen om de economie te stimuleren? Bijvoorbeeld de export bevorderen. *Hoe?* De regering kan de geldpers aanzetten. Dan wordt de geldhoeveelheid ruimer, het geld wordt minder waard en voor de kopers in het buitenland worden de producten die het land produceert en exporteert, goedkoper. De export wordt daardoor bevorderd.

Omgekeerd wordt de import duurder omdat de buitenlandse waren in een andere muntsoort moet worden betaald en de waarde van het eigen geld is gedaald. Dit is een gebruikelijke methode om de eigen economie te stimuleren. Je moet dan natuurlijk wel zeggenschap over je munt hebben. En als je het als regering niet te gek maakt, werkt het systeem goed. In noodgevallen is het eigenlijk onmisbaar. De kunst is, om maat te houden.

Dit verhaal geeft aan waarom een munt zonder monetaire zeggenschap onhoudbaar is. En zelfs met die zeggenschap loopt het niet altijd even goed. Een groot land zal bijvoorbeeld een federaal gezag hebben dat over de munt gaat. Geen probleem, zou je zeggen. Maar zo is het niet altijd. Neem de VS, dat land is eigenlijk een continent, zo groot en zo uiteenlopend qua economie. In de ene staat kan er behoefte ontstaan om de economie te stimuleren door export. In een andere staat kan het omgekeerd zijn. Stel de auto-industrie in Detroit, Michigan, doet het slecht, het product is voor het buitenland te duur. Tegelijkertijd kunnen wijn- en computerproductie in Californië wél veel afzet vinden en kan de plaatselijke economie daar oververhit raken. Dan heeft Michigan eerder behoefte aan een lagere dollar, Californië aan een hogere. Dit probleem hebben alle grote landen, maar ook heel wat middelgrote. Het vereist een zekere onderlinge solidariteit op monetair gebied.

Monetaire solidariteit

Monetaire solidariteit is ook nodig in geval er grote welvaartsverschillen bestaan tussen delen van een land. Italië bijvoorbeeld kent zulke verschillen. Het Zuiden en het Noorden zijn qua welvaart en voorzieningen als de dag en de nacht. Stel het gemiddelde inkomen in Italië is vergelijkbaar met dat van Engeland. Dan betekent dit dat Noord-Italië een stuk rijker moet zijn dan Engeland, en Zuid-Italië een stuk armer om het gemiddelde te halen. Het buitenland zal er niet veel van merken, maar in Italië zelf is het duidelijk: er moet in het Zuiden geld bij, en niet zo weinig. Duitsland is sinds de hereniging op 3 oktober 1990 ook zo'n geval. In totaal is daar zo'n 1900 miljard naar de voormalige DDR gegaan. En mogelijk iets van 400 of 500 miljard teruggekomen. Bruto dus juist het bedrag van de Italiaanse staatsschuld.

Deze zaken hebben ook wel een klein beetje met elkaar te maken. De Duitse overtreding van de EMU regels in 2003 wordt ten dele aan die zware betalingen aan Oost-Duitsland toegeschreven. Italië heeft daarmee het verkeerde voorbeeld gekregen. Hoewel, die enorme staatsschuld hebben ze daar al 20 jaar. Dan België, ook daar een constante geldstroom van het welvarende Vlaanderen naar het daarbij wat achtergebleven Wallonië.

Deze verschillen vind je eigenlijk overal. Het zijn meestal geen redenen voor welvarende landsdelen om naar afscheiding te streven. De solidariteit is ingesleten en de overkoepelende overheid bepaalt. Maar stel nu dat de Verenigde Staten met het plan zouden komen om de Noord-Amerikaanse Monetaire Unie op te zetten, zeg de NAMU, wie zouden zij als partner kiezen, Canada of Mexico? Denkelijk toch Canada, hoewel de Canadezen wel wijzer zullen zijn. Het is duidelijk dat, áls je je monetaire soevereiniteit al prijs geeft, je dit doet in zo veel mogelijk gelijkgestemd gezelschap. Nu zijn er in de VS flinke verschillen tussen staten, qua economisch niveau. Maar ze zijn veel kleiner dan in Europa. Dit feit betekent dat als de Europese landen met elkaar in een muntunie gaan zitten, er een constante geldstroom op gang moet komen van noord naar zuid en straks misschien ook van west naar oost.

Nu weten de politici in de rijkere landen van Europa dit natuurlijk ook. Alleen zeggen ze het niet, want daar krijg je bij je kiezers geen hand voor op elkaar. Waar het wél wordt gezegd, is in Griekenland. Daar menen sommige mensen dat Duitsland eigenlijk wel tot permanente steun verplicht is, na die oorlog van slechts 67 jaar geleden. Ook hier wordt wel eens aan die solidariteit herinnerd en aan het grote gebaar dat daarmee zou kunnen worden gemaakt. Maar ja, die Duitsers, hè. En ja, natuurlijk is het waar: alles in één pot in Frankfurt is reuze solidair. Een club arme en rijke landen met een en dezelfde munt dwingt tot solidariteit en dus tot transfer-activiteit. Je ziet dan ook dat die eraan zit te komen, tegen de verdragsregels van Maastricht in. Niet van land tot land natuurlijk, maar sluipenderwijs via de ECB in Frankfurt die voor drie jaar de banken van geld voorziet. Maar het komt ook langs die omweg op hetzelfde neer: economische zelfmoord van de noordelijke landen.

Nogmaals: de feiten van een transfer op kleine schaal. Duitsland heeft in twee decennia alleen al € 1.900.000.000.000,- aan Oost-Duitsland betaald, ik schrijf het bedrag van 1900 miljard maar even in cijfers. Ook al zou er een kwart van teruggekeerd zijn, dan blijft er nog 1425 miljard. Op wezenlijk grotere, Europese schaal zou dit gebaar zelfs voor Duitsland niet haalbaar zijn. Duitslands economie is maar vijf maal die van Nederland. *Tot het onmogelijke is niemand gehouden*, zou Den Uyl zeggen. Ik denk dat oud-minister Witteveen gelijk heeft met zijn standpunt, dat Duitsland te klein is om heel Europa te redden. Mijn conclusie: Duitsland kan het niet en de Duitsers willen het niet. Dit geldt voor alle potentiële donorlanden, ook al houden ze elkaar nog zo stevig vast. Die landen zijn wel rijk, maar ook weer niet zo rijk dat ze zich dat grote gebaar kunnen veroorloven. Die 1900 miljard zijn exclusief inflatie.

Nu wordt er ook steeds gewezen op het nut van een zwakke munt voor je eigen exporterende industrie. Ik heb al beschreven hoe dit werkt. Dat het nut bestaat, lijdt geen twijfel. Maar het is niet het enige gevolg van een zwakke munt. Een ander gevolg is dat je meer rente moet gaan betalen. Ook grote en rijke eurolanden als Duitsland en Frankrijk zitten met hun staatsschuld flink boven de norm van 60 procent bbp, Frankrijk helemaal. Dus daar gaan de miljarden die je dankzij de zwakke euro als exporteur naar Zuid- en Oost-Europa verdient.

Dan heb ik het nog niet over het indirecte voorfinancieren door de leningen van de ECB aan de banken, voorlopig voor drie jaar en tegen één procent. Wie garandeert dat dit na die termijn niet langer nodig is? Maar zoals gezegd, het gaat hier niet om willen, maar om kunnen. Het is onmogelijk. Of de kiezers in Europa een financieel transfersysteem zouden accepteren, is nog een heel andere vraag. Naar mijn indruk komt er helemaal niets van terecht. Het verhaal rammelt aan alle kanten. Gelukkig hebben de Duitsers de truc door. Zij zijn de ervaringsdeskundigen.

De eurocrisis

Iedereen kan nu wel zien dat wij ons hier in West-Europa een probleem op de hals hebben gehaald met de euro. Wat is er daarbij onverhoopt gebeurd? Want de eerste jaren is het goed gegaan. Toen kregen we in 2009 de bankencrisis en in 2010 de eurocrisis. De euro bleef keihard, tenminste als je binnen de eurozone bleef. In Zwitserland zag ik de euro in ruim anderhalf jaar met bijna eenderde terugvallen tegen de frank. Tot de Zwitsers in augustus 2011 uit zelfbehoud de frank aan de euro hebben gekoppeld. Het is niet zo eenvoudig te zeggen waar de klad in de euro vandaan komt. Het kan de schuldencrisis, de euro zelf, of een combinatie zijn. Bij hen die aan de komst van de euro hebben meegewerkt, zie je vaak dat ze de euro als oorzaak ontkennen.

Oud-premier Lubbers is daarvan een voorbeeld. *'Niet de euro, maar de losgeslagen marktwerking is de bron van de ellende waar we nu mee zitten. Het is onzin om de euro verantwoordelijk te stellen voor de crisis. ... De kern van het drama is de financiële innovatie in de wereld.'* Dit tekent Roel Janssen op in een gesprek met Lubbers (De euro, p.61). Vervolgens wijst de oud-premier op de toen door hem gevoelde noodzaak om een vervolg te geven aan Maastricht om problemen te voorkomen. En dat vervolg is er nooit gekomen. *'Deze financiële ontwikkeling loopt parallel met de geschiedenis van de monetaire unie.'*

Toenmalig thesaurier-generaal van Financiën Maas ziet ook geen eurocrisis, hij ziet een crisis van de eurolanden (De euro, p.105). Wel is er natuurlijk het bekende feit, dat de eurolanden afspraken hebben gemaakt (Stabiliteits- en Groeipact, 1997) waar ze zich vervolgens niet aan hebben gehouden. Dit alles zal tot op zekere hoogte een rol hebben gespeeld.

Toch is het ook denkbaar dat een deel van het probleem zit in de constructiefout van een valuta zonder regering, een munt zonder land. Kijken we nog eens naar de praktijk, dan kunnen we ons in de eerste plaats afvragen, wat er is veranderd bij het invoeren van de euro in 1999 resp. 2002, eerst giraal, daarna chartaal, dus in munten en biljetten. Neem een land als Spanje, dat in tegenstelling tot het veel rijkere Italië de euro ingaat met een lage staatsschuld. Eenmaal binnen de eurozone, kan ineens tegen een lage rente worden geleend. Het vertrouwen in de noordelijke landen bepaalt de rentestand. En dat vertrouwen is groot, dus de rentestand laag. Beleggers nemen genoegen met een lage rente. Verder houdt Spanje zich keurig aan de Europese regels. Het zijn nette mensen, die Spanjaarden, maar ze zijn niet veel gewend. Het gaat er sober toe.

Maar dan loopt de zilvervloot binnen. Iedereen kan elk bedrag lenen, om zo te zeggen, dus dat gaan ze doen. Als gevolg van het goedkope geld wordt in Spanje druk geïnvesteerd, zowel door buitenlanders als door de overheid als door particulieren. Ook bij onroerend goed heeft goedkoop geld de neiging om de markt aan te jagen. Dit lokt weer bouwactiviteit uit, investeren is geen probleem. De grote werken die de overheid ter hand neemt, zijn ook niet altijd even broodnodig, of effectief qua rendement. Er zijn goede voorbeelden van prachtige autowegen. Maar je leest ook verhalen over snelle spoorlijnen van nergens naar nergens en over vliegvelden waar eens in de week een vliegtuig landt. De woningmarkt ontwikkelt een geweldige bubble.

Dat wordt een ruw ontwaken in die kastelen in Spanje, als de bankencrisis zich meldt. De roze euro-droom is voorbij. Natuurlijk zijn er ook in Spanje allerlei financiële junkproducten terechtgekomen. Trouwens, die zijn daar vermoedelijk in goede aarde gevallen. Van Madrid heb ik altijd al gevonden dat er te veel banken en verzekeringen zijn. Een veeg teken, want die doen niet veel anders dan op de echte economie leunen. De junkproducten zijn zoals bekend speciaal ontwikkeld om er als handelaar geld mee te verdienen. Ze zijn niet bedoeld voor consumptie, maar voor de handel. En waar twee ruilen, moet er een huilen.

Veel banken raken in problemen. De huizenmarkt stort in. Mensen met een net toereikend inkomen moeten de bank bijbetalen als dekking voor hun hypotheek. Dat geld hebben ze niet, ze raken onder water. Honderdduizenden mensen moeten hun huis uit, dat vervolgens leegstaat. Werkloosheid ruim boven 20 procent, jeugdwerkloosheid 50 procent. Armoede en ellende. Net als in Nederland een abnormaal goede bescherming van mensen met vaste contracten, dit ten koste van de mensen met tijdelijke contracten en ZZP-ers. Net als in Nederland dus een achterlijke situatie op de arbeidsmarkt en een uitzichtloze situatie op de woningmarkt. Maar Spanje heeft veel minder capaciteit om te concurreren, dus om mensen aan het werk te houden of te krijgen. De Nederlandse economie is zo sterk dat het land zich veel politieke incompetentie kan veroorloven. In Spanje wreekt dit soort beleid zich meteen.

Zonder euro zou het land direct zijn munt devalueren om een beetje lucht te krijgen. Nu kan het dit niet. Integendeel, er moeten scherpe bezuinigingen komen om de financiële markten ervan te overtuigen dat het ernst is. Anders belegt er niemand meer in Spaanse obligaties. En dan kunnen ze hun schuld niet vernieuwen en gaan ze failliet als ze niet worden geholpen. Die beleggers worden overigens vaak speculanten genoemd, maar dat is onzin. Het zijn gewoon pensioenfondsen die érgens hun rendement moeten maken.

Stabilisatie en groei zijn nodig, jawel. Maar waar haal je die vandaan als je wordt gedwongen om de lonen te verlagen en de belastingen te verhogen? De eurozone verlaten? Dan zitten ze met hun schulden helemaal vast, qua terugbetalen, want dan moeten ze euro's afbetalen in peseta's. En Spanjaarden betalen hun schulden. Kortom: dat wordt afzien, zoals Paul Krugman al jaren geleden in de New York Times voorspelde. De

Spanjaarden zijn van goede wil, hun staatsschuld is zelfs nu nog lager dan die van Frankrijk en Duitsland. De conservatieve premier Rajoy heeft begin maart 2012 te kennen gegeven dat Spanje niet aan de eisen van Brussel kan voldoen. Hij wil een budgetoverschrijding van 5,8 procent voor 2012 in plaats van 4,4. En voor 2013 wil hij op drie procent uitkomen. Hij kan niet anders.

Nog even iets over het goedkope geld als probleem. Er is al vaak gewezen op het verschil in loonstijging tussen Duitsland en Griekenland in de periode 2002 tot 2010. Het verschil is spectaculair, in Duitsland was er nauwelijks loonstijging. Bij de Grieken zijn alle sluizen opengezet. Je begrijpt dan wel waar de problemen zijn ontstaan. Philipp Bagus wijst in dit verband nog op het volgende: *'de geldgroei in de periode 2000-2008 was in de Zuid-Europese landen veel groter dan in Duitsland. De komst van de euro betekende een herhaling van 'de vloek van het goud' uit de tijd van de Conquistadores, waarbij nieuw geld het land binnenstroomde, de import steeg, Europese exporteurs grote winsten maakten, maar de Spaanse industrie steeds minder concurrerend werd.'*

En: *'De tragedie van de euro is de prikkel om hogere schulden te maken, staatsobligaties uit te geven en de hele eurogroep de kosten van onverantwoordelijk beleid te laten dragen – in de vorm van lagere koopkracht van de Euro...'* (Citaten uit Bagus' boek The Tragedy of the Euro, Auburn, AL, Ludwig von Mises Institute, 2010; citaten en teksten via Ratio Vincit.nl; het boek als geheel, 142 pp, staat op internet: mises.org.). Bagus is een leerling van Jesús Huerta de Soto in Madrid, de auteur van Money, Bank Credit and Economic Cycles, zelfde uitgever, 2de druk, 2009. Dit soort literatuur brengt je op het idee, dat de euro voor deze landen niet de oplossing is, maar het probleem.

Met het bovenstaande wil ik maar zeggen, dat de euro niet alleen goeds heeft gebracht. Hij heeft ook slachtoffers gemaakt. En zal er meer maken als wij dit mechanisme niet leren begrijpen en beheersen. Voorzichtig-heid is geboden. Ik wil besluiten met een tekst van André Szász, zoals opgetekend door Roel Janssen in zijn boek 'De euro', p. 137. André Szász was bij de aanloop naar de euro directielid van De Nederlandsche Bank. Zijn boek over de euro mag gelden als standaardwerk: André Szász: De euro: Politieke achtergronden van de wording van een munt. Amster-dam, Mets & Schilt, 2001.

'De euro wordt alleen een succes als men beseft dat hij kan mislukken. Ik bedoel daarmee: als je alles wat misgaat goedpraat en stug volhoudt dat je licht aan het einde van de tunnel ziet, dan is de kans minimaal dat je fouten corrigeert en maximaal dat het verkeerd loopt. Voorstanders van de euro houden pas op met juichen als het te laat is. En zelfs dan zullen veel van hen nog zeggen: we staan aan de rand van de afgrond, maar we staan op het punt om een grote stap voorwaarts te zetten.'

Literatuur

Andeweg, Rudy & Thomassen, Jacques: Van afspiegelen naar afrekenen?: De toekomst van de Nederlandse democratie. Leiden, Leiden University Press, 2011.

Bolkestein, Frits: De twee lampen van de staatsman: Beschouwingen over politiek. Amsterdam, Uitgeverij Bert Bakker, 2006.

Bolkestein, Frits: De intellectuele verleiding: Gevaarlijke ideeën in de politiek. Amsterdam, Uitgeverij Bert Bakker, 2011.

Bomhoff, Eduard J.: Uitgekleed: Hoe onze welvaart verdween. Amsterdam, Uitgeverij Balans, 2009.

Bootsma, Pieter en Breedveld, Willem: de VERBEELDING aan de MACHT: Het Kabinet-Den Uyl 1973-1977. Den Haag, Sdu Uitgevers, derde oplage, 1999, 1999.

Bouman, Mathijs: Hollandse overmoed: Hoe de beste economie van de wereld ontspoorde. Amsterdam, Uitgeverij Balans, 2006.

Breedveld, Willem: De stamtafel regeert: Hoe politici en journalisten het publieke debat maken en breken. Utrecht, Het Spectrum, 2005.

Briels, J.: Zuid-Nederlandse Immigratie 1572-1630. Haarlem, Fibula-van Dishoeck en Bussum, Unieboek, 1978.

Broek, Ilja van den: Heimwee naar de politiek: De herinnering aan het kabinet-Den Uyl. Amsterdam, Uitgeverij Wereldbibliotheek, 2002.

Brouwer, Jan Willem en Heiden, Peter van der (red.): *Drees minister-president 1948-1958*. Den Haag/Nijmegen, Sdu Uitgevers/Centrum voor Parlementaire Geschiedenis Nijmegen, 2005.

Chavannes, Marc: *Niemand regeert: De privatisering van de Nederlandse politiek*. Z. pl. (Rotterdam), NRC Boeken, 2009. NB: NRC Boeken vanaf 2011 naar Nieuw Amsterdam.

Chorus, Jutta en Galan, Menno de: *In de ban van Fortuyn: Reconstructie van een politieke aardschok*. Amsterdam, Olympus (Contact BV), derde druk, 2006, 2002.

Cliteur, Paul: *Moderne Papoea's: Dilemma's van een multiculturele samenleving*. Amsterdam/Antwerpen, Uitgeverij De Arbeiderspers, 2002.

Cliteur, Paul: *Tegen de decadentie: De democratische rechtstaat in verval*. Amsterdam/Antwerpen, Uitgeverij De Arbeiderspers, 2004.

Doorn, J.A.A. van: *Nederlandse democratie: Historische en sociologische waarnemingen*. Samengesteld en ingeleid door Jos de Beus en Piet de Rooy. Amsterdam, Mets & Schilt, 2009.

Duijn, Jaap van: *De groei voorbij: Over de economische toekomst van Nederland na de booming nineties*. Amsterdam, De Bezige Bij, 2007.

Emmer, P.C.: *De Nederlandse slavenhandel, 1500-1850*. Amsterdam/Antwerpen, Uitgeverij De Arbeiderspers, 2000.

Emmer, Piet en Wansink, Hans: *Wegsturen of binnenlaten? Tien vragen en antwoorden over migratie*. Amsterdam/Antwerpen, Uitgeverij De Arbeiderspers, 2005.

Fortuyn, Pim: *A hell of a job: De verzamelde columns.* Rotterdam, Speakers Academy, 2002. De stukken die in dit boek zijn opgenomen verschenen eerder in het tijdschrift Elsevier.

Gerbrands, Paul (red.): *Tien miljoen mensen als duurzame bevolkingsomvang.* Budel, Uitgeverij DAMON, 2006.

Heijne, Bas: *Grote vragen: De nieuwe eeuw tussen hoop en vrees.* Amsterdam, Prometheus/NRC Handelsblad, 2e druk, 2006, 2006.

Heijne, Bas: *Harde liefde: Nederland op zoek naar zichzelf.* Amsterdam, Prometheus, 2010.

Heijne, Bas: *Hollandse toestanden: Nieuwe opmerkingen over Nederland.* Amsterdam/ Rotterdam, Prometheus/NRC Handelsblad, 2e druk, 2005, 2005.

Janssen, Roel: *De euro: Twintig jaar na het Verdrag van Maastricht.* Amsterdam, De Bezige Bij, 2012

Kalse, Egbert, en Lent, Daan van: *Bankroet: Hoe bankiers ons in de ergste crisis sinds de Grote Depressie stortten.* Amsterdam/Rotterdam, Prometheus/NRC Handelsblad, 2009.

Kalse, Egbert, en Lent, Daan van: *Het rampscenario: Waarom een nieuwe crash onvermijdelijk is.* Amsterdam, Prometheus, 2011.

Kanne, Peter: *Gedoogdemocratie: Heeft stemmen eigenlijk wel zin?* Amsterdam, Meulenhoff, 2011.

Kleijwegt, Margalith & Weezel, Max van: *Het land van haat en nijd: Hoe Nederland radicaal veranderde.* Amsterdam, Vrij Nederland/Uitgeverij Balans, 2006.

Lakeman, Pieter: *Binnen zonder kloppen: Nederlandse immigratiepolitiek en de economische gevolgen.* Amsterdam, Meulenhoff, 1999.

Lucassen, Jan en Penninx, Rinus : *Nieuwkomers, nakomelingen, Nederlanders: immigranten in Nederland 1550-1993.* Amsterdam, Het Spinhuis, 1995, 1994.

Lucassen, Leo en Lucassen, Jan: *Winnaars en verliezers: Een nuchtere balans van vijfhonderd jaar immigratie.* Amsterdam, Bert Bakker, 2011.

Luyten, Marcia: *Ziende blind in de sauna: Hoe onze politiek, economie en cultuur 'Afrikaanse trekken krijgen.'* Rotterdam, Lemniscaat, 2008.

Obdeijn, Herman en Schrover, Marlou: *Komen en gaan. Immigratie en emigratie in Nederland vanaf 1550.* Amsterdam, Bert Bakker, 2008.

Roeper, Vibeke & Gelder, Roelof van: *In dienst van de Compagnie: Leven bij de VOC in honderd getuigenissen (1602-1799).* Amsterdam, Athenaeum – Polak & Van Gennep, 2002.

Rossem, Maarten van: *Kapitalisme zonder remmen: Opkomst en ondergang van het marktfundamentalisme.* Amsterdam, Nieuw Amsterdam, 2011.

Rossem, Maarten van: *Waarom is de burger boos?* Amsterdam, Nieuw Amsterdam, 2010.

Schalekamp, J.C.: *Bataven en Buitenlanders: 20 eeuwen immigratie in Nederland.* Huizen, Wind Publishers, 2009.

Scheffer, Paul: *Het land van aankomst.* Amsterdam, De Bezige Bij, 2e druk 2007, 2007.

Schoo, H.J.: *De verwarde natie: Dwarse notities over immigratie in Nederland.* Amsterdam, Prometheus, 2000.

Szász, André: *De euro: Politieke achtergronden van de wording van een munt.* Amsterdam, Mets & Schilt, 2001.

Tamminga, Menno: *De uitverkoop van Nederland: Hoe een ondernemend land geveild werd.* Amsterdam/Rotterdam, Prometheus/NRC Handelsblad, 2009

Tromp, Jan: *Het kaartenhuis: Hoe de bonus bloeit en de rest verdort.* Amsterdam, Balans, 2010.

Westerloo, Gerard van: *Niet spreken met de bestuurder.* Amsterdam, De Bezige Bij, 2003.

Personenregister